SCIENCE FICTION

Herausgegeben
von Wolfgang Jeschke

KINGSLEY AMIS

DAS AUGE DES BASILISKEN

– ein Melodram –

Science Fiction-Roman

Deutsche Erstveröffentlichung

WILHELM HEYNE VERLAG
MÜNCHEN

HEYNE-BUCH Nr. 06/4042
im Wilhelm Heyne Verlag, München

Titel der englischen Originalausgabe
RUSSIAN HIDE AND SEEK
Deutsche Übersetzung von Walter Brumm
Das Umschlagbild schuf Karel Thole

Redaktion: Wolfgang Jeschke

Printed in Germany 1984
Umschlaggestaltung: Atelier Ingrid Schütz, München
Satz: Schaber, Wels
Druck und Bindung: Elsnerdruck, Berlin

ISBN 3-453-30984-7

EINS

Die bei der jungen Eiche zusammengedrängten Schafe warfen den Kopf hoch und sicherten. Etwas kam über die kurz abgeweideten Grasflächen rasch auf sie zu. Gleichzeitig schwoll ein leises dumpfes Geräusch wie von fernem Donner gleichmäßig an, und der Erdboden schien zu vibrieren. Die Schafe brachen unvermittelt seitwärts aus und ergriffen die Flucht.

Was sie erschreckt hatte, war eine hübsche fünfjährige Rappenstute mit rassigem Kopf und gutem Knochenbau, geritten von einem jungen Soldaten mit hellem Haar, rosigen Wangen und hellblauen Augen, die bisweilen den Eindruck vermittelten, als nähmen sie nicht wirklich auf, was sie sahen; auch jetzt zeigten sie diesen Ausdruck. Er ritt schneidig und unbekümmert, doch war die Stute vom Roßarzt und Furierfeldwebel des Regiments selbst zugeritten worden und hätte sich auch einer noch weniger umsichtigen Reitkunst gewachsen gezeigt. Sie war bemerkenswert gut balanciert, was bei Anlässen wie dem gegenwärtigen, einem vollen Galopp über das unebene, mit Baumwurzeln und Dachsbauten durchsetzte Gelände die notwendigste aller Eigenschaften war.

Der Reiter erreichte die Schafe, die nicht den Verstand gehabt hatten, sich zu zerstreuen, und ihr Heil in ziellosen gemeinsamen Richtungsänderungen suchten. Der junge Mann unterhielt sich eine Weile damit, daß er die ängstlich blökende, zurückschreckende Herde eng umkreiste und seine verängstigten Opfer durch plötzlich hervorgestoßenes Gelächter, Schreie und Flüche in noch größere Panik zu versetzen suchte. Dann brach eines der Mutterschafe, unternehmender oder in seiner Angst kopfloser als die anderen, aus dem Verband der Herde und versuchte sich zu retten, nur um des Reiters Aufmerksamkeit ganz auf sich zu lenken. Nicht lange, und das gepeinigte, angerempelte und mehr als einmal beinahe zu Fall gebrachte Schaf konnte nicht mehr; es blieb zitternd stehen und stieß einen Laut aus, der dem Schrei eines Säuglings ähnelte. Darauf wendete der junge Mann sein Pferd mit einem scharfen Ruck, jagte im Galopp davon und wurde erst langsamer, als er ein paar hundert Meter weiter die Straße erreichte. Hier machte er halt und saß bewegungslos, das Kinn auf der Brust, biß sich auf die Lippe und schluckte alle paar Sekunden. Um der Stute den Hals zu tätscheln, streckte er die Hand aus und sah, daß sie heftig zitterte. So saß er, während ein mit Runkelrüben beladenes Pferdefuhrwerk vorbeirollte. Die zwei Männer auf dem Kutschbock legten grüßend die Hände an ihre Kappen, aber er schien sie überhaupt nicht zu sehen. Schließlich stieß er einen tiefen Seufzer aus und hob den Kopf. In seinen Augen standen Tränen.

Nachdem er ungefähr einen Kilometer im Schritt die Landstraße entlanggeritten war, bog der junge Mann nach rechts und durchquerte auf einem Pfad, der zwischen alten, teils umgesunkenen Grabsteinen dahinführte, einen kleinen Friedhof. Um einen niedrigen Torbogen aus Ziegelmauerwerk und Hausteinen zu passieren, mußte er absteigen. Voraus und ein wenig zur Linken erhob sich ein kleines Schloß im Stil des frühen achtzehnten Jahrhunderts; voraus und zur Rechten erstreckte sich ein Park mit beschnittenen Sträuchern und Hecken, von Statuen flankierten Stufen, die zu einem Sommerpavillon hinaufführten, einem großen künstlichen Teich und Hunderten von Baumstümpfen – Eichen, Linden, Fichten, Stechpalmen und vor allem Zedern: die Exemplare, die in früheren Zeiten hier im Südosten des Schlosses gestanden hatten, mußten mächtige alte Bäume mit Durchmessern von annähernd zwei Metern gewesen sein. Andere Bäume, hauptsächlich Eichen und Eschen, waren noch ganz, aber keiner von diesen war älter als zwanzig Jahre. Nicht, daß der junge Mann sie nach ihren Arten unterscheiden oder ihr Alter hätte schätzen können; für ihn waren es Bäume oder deren Überreste.

Er band die Stute an einen kleinen Rundtempel mit Steinsäulen und einem Kupferdach, das eine Wetterfahne trug. Es war früh am Abend eines schönen Julitages, warm und ruhig, er aber zeigte nichts von der Gelassenheit, die dem Ort und der Abendstimmung angemessen gewesen wäre. Er eilte hinüber zum Garteneingang des Schlosses, sprang die Stufen hinauf und betrat das Haus, wo er verdrießlich die Stimme erhob. Bald kam ein weißhaariger Mann mit einem buschigen Schnurrbart und faltigen Wangen herbeigeeilt. Er trug einen braunen Gehrock und ein rosa Halstuch und schwitzte ein wenig.

»Guten Abend, Euer Gnaden.«

»Schicken Sie jemand, daß er Polly in den Stall bringt und versorgt, ja?«

»Wo ist sie, Herr?«

»Wo sie in solchen Fällen immer ist, in Gottes Namen – drüben beim kleinen Tempel.«

»Jawohl, Herr, ich werde dafür sorgen. Überlassen Sie es mir, Exzellenz.«

Der junge Mann schritt durch den Gartensaal in die Eingangshalle und erreichte den Fuß der eindrucksvollen Treppe. Hier stand ein Sockel, der eine Alabastervase trug, vielleicht die Überlebende eines Paares, denn auf der anderen Seite des Treppenaufgangs war ein zweiter Sockel, dem die schmückende Zutat fehlte. Im Obergeschoß gab es, sobald man die leeren Nischen am Kopf der Treppe hinter sich ließ, in der anschließenden, die ganze Breite des Gebäudes durchlaufenden Galerie vor dem Hintergrund der unbedeutenden Reste einer Wandvertäfelung drei weitere Kunstgegenstände aus der Vergangenheit: ein Gemälde von zwei beinahe nackten Kindern und einem Lamm, einen großen Wandteppich, der die Begegnung zweier exaltiert gestikulierender Personen aus alter Zeit zeigte, die vielleicht ein legendäres Königspaar sein mochten, und das Porträt einer Frau Mitte der Dreißig, ohne Zweifel ein seit langem dahingeschiedenes Mitglied der Familie, die einst Eigentümerin dieses Besitzes gewesen war. Diese Kunstgegenstände waren ebenso wie die Vase erst vier Jahre zuvor durch Zufall in einem übertapezierten Wandschrank entdeckt worden. Was es in dem Schloß sonst noch an beweglicher Habe gegeben hatte, war selbst wenn es nur unter Aufbietung wahrhaft herkulischer Anstrengungen hatte bewegt werden können, spurlos verschwunden.

Solch absonderliche Relikte machten auf den jungen Mann in seiner gegenwärtigen Stimmung keinen Eindruck. Als er die auf einer Seite von hohen Bogenfenstern erhellte Galerie durchwanderte, eine hohe schlanke Gestalt von momentan aufrechter Haltung und festem Schritt, blickte er mit dem gleichen halb abwesenden Blick durch das unvollkommene Glas (es war nicht das ursprüngliche Glas) hinab, den er gezeigt hatte, als er auf die Schafe zugaloppiert war, und tatsächlich waren seine Gedanken nicht so sehr bei dem, was er sah, als vielmehr bei dem, was es nach seiner Kenntnis hier gegeben hatte: den halbkreisförmigen Teich mit Marmorstufen an beiden Enden der Grundlinie und einer Bronzestatue in deren Mitte, jenseits davon eine Allee schlanker Zypressen, vierhundert Meter entfernt ein kleiner See, genau ausgerichtet auf die Mittelachse des Schlosses, alles gesäumt von sorgfältig beschnittenen Buchsbaumhekken, steinernen Statuen und einer niedrigen Mauer, die mit kleinen steinernen Löwen bekrönt war. Der Teich und der See waren noch da, alles andere aber war verschwunden. Schatten lagen über dem Vordergrund des Ausblicks, als die Sonne hinter dem Gebäude zum Horizont sank.

Er wandte sich mit seiner gewohnheitsmäßigen Abruptheit um und ging in das Zimmer, das zu seiner Linken gewesen war. Der Boden war mit Segeltuch bedeckt, auf dem man schwere dunkelfarbene Teppiche ausgelegt hatte. Zahlreiche Gemälde weit jüngeren Datums als in der Galerie schmückten die Wände: Winterlandschaften, fröhliche Landleute, Stilleben mit einfachen Dingen wie Brot, Kartoffeln und Zwiebeln, militärische Szenen. Das Mobiliar bestand aus einem Toilettentisch, einem Schreibtisch, einem Bücherschrank, der zur Hälfte gefüllt war mit Romanen vergessener Schriftsteller, Schauspielen, Gedichtsammlungen und militärischen Handbüchern, Stühlen und einem Bett, alles aus Birke. Auf dem Schreibtisch stand eine geöffnete Flasche mit wasserhellem Schnaps und ein kunstvoll graviertes Glas. Der junge Mann schenkte sich einen Zehntelliter ein und stürzte ihn in einem Zug hinunter. Darauf bekam er einen Hustenanfall, daß er rot im Gesicht wurde, öffnete die beinernen Knöpfe seines hochgeschlossenen grauen Uniformrocks, zog ihn ungeduldig über die Schultern, warf ihn beiseite und ließ sich bäuchlings auf das Bett fallen, wo er bewegungslos liegenblieb.

Kaum eine Minute war vergangen, als behutsam an die Tür geklopft wurde. Er hob den Kopf aus dem Kissen und drehte ihn auf die Seite.

»Wer ist da?«

»Kann ich dich sprechen, Alexander?«

»Ja, komm nur herein, Mama!«

Eine gutaussehende Frau von ungefähr fünfzig Jahren, ziemlich klein und mit gebeugten Schultern, betrat den Raum. Sie hatte einen Flechtkorb voll rosaroter Rosen am Arm und runzelte die Stirn in einer Weise, die eher Besorgnis als Verdrießlichkeit anzeigte, und überhaupt keine Mißbilligung.

»Alexander, ich finde, du solltest nicht so daliegen, wenn deine Mutter zu dir kommt.«

Bald darauf, aber nicht sofort, erhob sich der junge Mann vom Bett und küßte sie ohne viel Wärme. »Entschuldige, Mama, ich war meilenweit entfernt. Was du Tagträumerei nennen würdest.«

»Damit beschäftigst du dich zuviel. Ich wünschte, du würdest erwachsen.«

»Es ist nicht sehr nett, das zu sagen. Auch nicht genau. Ich bin einundzwanzig und Fähnrich im Gardekorps.«

»Ich weiß das, mein Junge, und bestimmt bist du sehr gut in deiner Arbeit, aber du verbringst wirklich viel Zeit damit, daß du dich müßigen Träumen hingibst. Das hält dich davon ab, das Leben ernst zu nehmen und zu bemerken, was in der Welt vorgeht. Wenn ich daran denke, wie viele Stunden du über dieser albernen alten Fensterscheibe vertrödelt hast.«

»Mama, du darfst das nicht albern nennen. Es bedeutet mir viel.«

»Zweifellos, aber was genau bedeutet es dir?«

»Ich verstehe es selbst nicht.«

»Ich glaube, du siehst dich selbst als ...« Sie brach ab.

»Bitte sprich weiter!«

Aber sie tat es nicht. Aus einem entfernten Raum des Gebäudes drang schwaches Klirren von berstendem Glas oder Geschirr herauf. Der unverbesserliche Tagträumer nahm seine Mutter bei den seidenumhüllten Oberarmen und betrachtete sie eine Weile mit einem zärtlichen, aber ungewissen Lächeln. In seiner Stimme lag Besorgtheit, als er sagte:

»Du bist müde, arme kleine Mama. Du arbeitest zuviel. Du mußt wirklich aufhören, alles selber zu machen, und diese faulen Taugenichtse unten mehr tun lassen. Es ist eine Schande.«

»Ich habe nur Rosen geschnitten«, sagte seine Mutter.

»Aber in dieser Hitze ... Ach ja. Wie schön sie sind.«

»Sie sind wirklich hübsch, nicht? Freilich nicht so, wie sie früher gewesen sein mußten, vorher. Das macht der Mehltau, wie letztes Jahr. Ein Jammer.«

»Hat dieser Halunke von Mily wieder geschlafen.«

»Mily kann nichts dagegen tun. Der Gemüsegarten macht ihm Arbeit genug.«

»Mit drei Männern, die ihm unterstehen?«

»Niemand kann etwas tun. Na, ich muß mich um diese Blumen kümmern. Ich glaube, sie werden sich auf der Abendtafel gut ausnehmen. O ja, das erinnert mich an den Zweck meines Kommens: dein Vater möchte wissen, ob du heute abend mit uns essen wirst.«

Der junge Mann setzte sich schwerfällig auf die Bettkante. »Ach du lieber Gott.«

»Was hast du, Junge? Es steht dir ganz frei, dir etwas heraufbringen zu lassen, wenn dir das lieber ist. Du bildest dir doch nicht ein, dein Vater würde versuchen, dich zu zwingen? Du weißt, das ist nicht seine Art.«

»Nein, es ist bloß, daß der Gedanke daran mich krank macht.«

»Aber warum? So vieles scheint dich aus der Fassung zu bringen.«

»Das Leben ist so langweilig. Kein Wunder, daß ich mich in Tagträume flüchte.«

»Du kannst jederzeit gehen und bei deinem Regiment leben.«

»Vielen Dank! Dort ist es noch schlimmer.«

»Nun gut denn. Jedenfalls ist es nur eine kleine Abendgesellschaft, das verspreche ich dir. Die Tabidzes werden kommen ...«

»Soll das eine Attraktion sein?«

»Du sagtest immer, sie seien dir so sympathisch. Oder zumindest, daß du sie respektierst.«

»Hm.«

»Und – wie heißt er noch gleich? – Theodor Soundso. Von der Kommission. Ich erinnere mich, daß du sagtest, du hättest ihn beim Krocket kennengelernt. Ich dachte, er könnte ein netter Gesellschafter für Nina sein. Und Elizabeth, natürlich.«

»Mama, bitte erspare mir einen Vortrag über Elizabeth.«

»Tue ich das? Sind zwei Worte ein Vortrag?«

Alexander sagte nichts. Nach einer weiteren Pause sagte seine Mutter:

»Ich muß gehen. Ich habe eine Menge zu tun. Wenn du dich jetzt nicht entscheiden willst, würdest du Anatol wenigstens bis sieben Uhr wissen lassen, ob du die Absicht hast, zum Abendessen hinunterzukommen oder nicht?« In ihrem Ton und ihrer Haltung war ein Anflug von Strenge, der sich sogleich verlor, als er seinen blauäugigen Blick auf sie richtete, aber noch nicht ganz verschwunden war, als sie hinzufügte: »Damit er die richtige Anzahl von Gedecken auflegen kann.«

»Ja, ja.«

»Dein Vater würde sich sehr über deine Gesellschaft freuen. Und ich mich auch.«

»Danke Mama.«

Er öffnete ihr die Tür, schloß sie sorgfältig hinter ihr und schlenderte zu seinem Bücherschrank. Gleichsam versuchsweise, als habe er keine Ahnung, was er finden würde, nahm er einen großformatigen schmalen, in mattpurpurnes Leinen gebundenen Band heraus und schlug ihn auf. Er seufzte tief und wendete die Seiten stirnrunzelnd und mit einem Anschein entschiedener Zweckbestimmtheit. Schließlich las er laut:

»Die letzten Blätter fegt herab der Wind,
Und schneeumhüllt die nackten Erlen;
Doch Hoffnung weckt der matten Sonne Schein,
Mit Bildern heißer Sommerwiesen,
Von Lebenslust erfüllt.«

Er klappte das Buch mit einem lauten Schlag zu und knallte es aufs Regal zurück, oder versuchte vielmehr, es zwischen seine Nachbarn zu zwängen, ohne diese mit der freien Hand auseinanderzuhalten. »Scheiße! Der Esel hat keine Ahnung. Kommt den niemand darauf? Wenn mir nur jemand sagen könnte, was ich fühle!« Vor der Tür waren Schritte zu hören, aber er fügte mit lauter, bebender Stimme hinzu: »Ach, wenn nur! Wenn nur!« Das seinem Ausruf folgende Klopfen war viel entschiedener als jenes vor zehn Minuten gewesen war, und die Haltung seiner Schwester Nina, die gleich darauf eintrat, hatte nichts behutsam Vorfühlendes.

Sie war neunzehn, mittelgroß, nicht dünn, mit rostbraunem Haar und einem blassen, gutgeschnittenen Gesicht, dessen Ausdruck jedoch zu freundlich war, um als schön betrachtet zu werden. Ihr geblümter Baumwollrock, die weiße Bluse und die hellviolette Weste, auch aus Baumwolle, aber wie Seide gewebt, waren mit Sorgfalt und Wirkung ausgewählt. Sie sah ihren Bruder mit einem Lächeln an, in welchem, wie es bei ihr oft der Fall war, sich Zuneigung und Heiterkeit vereinten.

»Wieder Selbstgespräche, was?« sagte sie in freundlichem, etwas kehligem Ton.

»Habe ich?« sagte Alexander hochmütig. »Und wenn?«

»Absolut nichts, mein Lieber, sei dessen versichert. Mama bat mich, mit dir zu sprechen, wie du vermutet haben wirst.«

»Ich vermute solche Dinge nicht.«

»Du nicht, nein. Sie sagte, du machtest Schwierigkeiten wegen des Abendessens heute. Ich bin hier, dich zu überreden, daß du zusagst. Was hält dich überhaupt zurück?«

Alexander zögerte. Schließlich sagte er: »Ich habe keine Lust, mit Direktor Vanag an einem Tisch zu sitzen.«

»Was bringt dich auf die Idee, daß er kommen wird?«

»Gewöhnlich ist er bei solchen Zusammenkünften dabei. Du weißt es.«

»Diesmal nicht. Direktor Vanag ist in Moskau.« Nina hatte sich auf den am wenigsten unbequemen der Birkenholzstühle niedergelassen und schob sich ein fransenbesetztes Kissen hinter den Kopf. »Statt seiner wird der stellvertretende Direktor Korotschenko anwesend sein.«

»Ist Vanag in Schwierigkeiten?«

»Nicht, daß ich wüßte. Wahrscheinlich erstattet er nur seinen gräßlichen Bericht und erhält seine gräßlichen Anweisungen. Der stellvertretende Direktor Korotschenko bringt seine Frau mit.«

»Das läßt sich denken. Wieso?«

»Du würdest nicht sagen ›wieso?‹, wenn du sie gesehen hättest, alter Knabe«, erwiderte Nina.

»Wo hast du sie gesehen? Wie hast du all dies erfahren?«

»Sie waren letzte Woche mit uns zum Picknick.« Sie hielt inne. »Warum fragst du mich nicht, wie sie ist?«

»Du bist unmöglich, weißt du. Also gut, wie ist die Frau?«

»Da fängst du schon wieder an; das ist keine Art, von ihr zu reden. Wie soll ich es ausdrücken? Sie ist dein Typ.«

»Was soll das bedeuten?«

»Es bedeutet einen verdrießlichen, übelgelaunten Blick und einen enormen Busen.«

»Was für ein dummes Zeug! Das ist nicht mein Typ. Kitty hat keinen verdrießlichen, übelgelaunten ...« Alexander brach ab.

Wieder lachte seine Schwester in einer Weise, wie keine Frau es tun würde, die für schön gehalten wird. »Du bist köstlich, weißt du. Wirklich köstlich.« Ohne ihn aus den Augen zu lassen, während er ärgerlich den Kopf schüttelte, lachte sie wieder. »Nun, abgesehen davon, daß sie dein Typ ist, würde es mich nicht überraschen, wenn du der ihrige wärst.«

»Und was soll das bedeuten?«

»Nur, daß der verdrießliche Blick ein unzufriedener Blick sein könnte, und daß der stellvertretende Direktor Korotschenko bald sechzig sein muß, während seine Frau nicht viel älter als fünfunddreißig sein kann. Vielleicht hätte ich sagen sollen, einen unbefriedigten Blick, oder einen nicht ausreichend befriedigten Blick, nicht wahr?«

»Ich habe wirklich keine Ahnung, worauf du hinauswillst«, sagte Alexander, wieder hochmütig.

Eine kurze Pause folgte. Nina kratzte sich am Hals und blickte aus dem Fenster. Ohne den Kopf zu wenden, sagte sie in verändertem Ton: »Wenn du willst, sage ich Anatol, wo du heute zu Abend essen möchtest.«

»Danke, meine Liebe.«

»Nicht der Rede wert. Und wo möchtest du essen?«

»Wie? Ach, im Speisezimmer.« Seine Stimme verriet Überraschung.

»Gut«, sagte Nina mit einiger Anstrengung, das Gesicht noch immer abgewendet; es wäre jetzt nicht gut, Erheiterung zu zeigen. »Hattest du einen schönen Tag?«

»Todlangweilig wie gewöhnlich. Nina, als ich heute nachmittag vom Quartier nach Hause kam, tat ich ... etwas sehr Böses.«

Sofort blickte sie ihm ins Auge, und jede Spur von Leichtfertigkeit war verflogen. »Was? Was hast du getan?«

»Ich ... ich habe ein Schaf gejagt.«

»Ach. Das hört sich nicht sehr schrecklich an.«

»Ich ritt Polly, weißt du. In dem Wiesengelände jenseits der Landstraße weiden mehrere Schafherden ...« – er deutete die Richtung mit einer Armbewegung an – »und ich muß Hunderte von Malen an ihnen vorbeigeritten sein, ohne daß es mir je in den Sinn gekommen wäre, sie zu jagen, aber heute tat ich es, und als ein Tier sich von der Herde löste, konzentrierte ich mich darauf und jagte es bis zur Erschöpfung, ritt es beinahe über den Haufen, und schließlich blieb es stehen und stieß einen solchen Schrei aus ... oh, Nina, stell dir vor, welche Todesangst es ausgestanden haben muß.«

Er weinte und bedeckte sein Gesicht mit den Händen. Nachdem Nina mit hochgezogenen Brauen zum Himmel aufgeblickt hatte, ging sie zu ihm und legte ihm den Arm um die Schulter.

»Inzwischen wird es alles vergessen haben«, sagte sie ruhig. »Da kannst du ganz sicher sein.«

»Wie könnte ich sicher sein? Und selbst wenn es den Schrecken vergessen haben sollte, bleibt doch meine Schuld, nicht wahr? Ich habe es getan, und es ändert nichts an der Grausamkeit der Handlung, wenn das Tier sie inzwischen vergessen hat.«

»Ja, du hast recht. Aber wir müssen dankbar sein, daß es nichts Schlimmeres war. Und du hast daraus gelernt, wie übel dir zumute ist, wenn du grausam gewesen bist, und das wird dir helfen und dich ein anderes Mal rechtzeitig zur Besinnung bringen.«

»Ja, das wird es. Und ich meine auch, daß das Tier vergessen haben wird, nicht wahr?«

»Aber ja«, sagte sie mit Zuversicht. »Es wird jetzt Zeit, daß ich gehe und mich umziehe, und du solltest daran denken, das gleiche zu tun. Möchtest du ein Glas Orangensaft?«

»Eine wunderbare Idee.« Er trocknete sich die Augen an einem seidenen Taschentuch.

»Ich werde es heraufschicken lassen.«

»Nina, es gibt keinen Zweifel, daß du die unvergleichlichste aller Schwestern bist.«

Er umarmte sie, wobei er ihren Kopf wegen seiner größeren Höhe an die Brust drücken konnte. Unbemerkt von ihm schürzte sie die Lippen, machte sich nach einem Augenblick los und ging. Nach kurzem Überlegen folgte er ihr bis ins Treppenhaus, wo er sich über das Geländer beugte und mehrere Male den Namen »Brevda!« brüllte. Andere Stimmen nahmen den Ruf auf und gaben ihn weiter, und nach nicht allzu langer Zeit waren eilige Schritte zu vernehmen. Alexander verließ den Treppenabsatz und schaute aus dem östlichen Fenster, den Rücken zur Galerie. Die Schritte näherten sich, wurden langsamer, und eine unsichere männliche Stimme sagte hinter ihm:

»Sie haben mich gerufen, Herr Fähnrich?«

»Ja, Brevda. Würden Sie so gut sein, das Bad einlaufen zu lassen und dann, während ich bade, meine Ausgehuniform bereitzulegen?«

»Mit großem Vergnügen, Herr Fähnrich.« Brevda sprach bereitwillig, vielleicht sogar beflissen; seines Meisters kaum weniger übliche Praxis war es, sich in einfachen Imperativen und einer entsprechenden Haltung auszudrücken. Er beklagte sich nie, noch zeigte er die leiseste Verdrießlichkeit; beides wäre im besten Falle nutzlos gewesen, denn Brevda war Soldat und Alexanders Offiziersbursche, in einer Periode der Personalknappheit auf unbestimmte, aber allzu leicht zu beendigende Zeit abkommandiert zum elterlichen Haushalt. Gleichzeitig hatte man sich daran gewöhnt, daß er etwas wie echte Achtung und Aufmerksamkeit zeigte, jedenfalls mehr als seine Stellung verlangte. Nun stand er in neuerlicher Unsicherheit und überlegte, ob er sich als entlassen betrachten sollte oder nicht. Alexander hatte sich noch immer nicht umgewandt. Nach einer kleinen Weile sagte er:

»Ich finde, man sollte das Leben nehmen, wie es kommt, und nicht jede Einzelheit aus jedem möglichen Blickwinkel betrachten, nicht wahr, Brevda?«

»Das wäre tatsächlich ein beschwerliches Verfahren, Herr Fähnrich.«

»Jedenfalls erhöht es nicht das Vergnügen, sich damit zu beschäftigen, soweit ich es beurteilen kann.«

»Meine eigene Erfahrung geht in die gleiche Richtung, Herr Fähnrich.«

»Es ist wichtig, sich natürlich und spontan zu benehmen, meinen Sie nicht?«

»Selbstverständlich, Herr Fähnrich.«

»Wozu sind wir schließlich auf der Welt, wenn nicht, daß wir uns des Lebens erfreuen?«

»Das kann man sich wirklich fragen, Herr Fähnrich.«

Alexander wandte sich endlich vom Fenster ab und warf Brevda einen durchdringenden Blick zu. Brevda, bebrillt, mager, unordentlich und von Aknenarben entstellt, hielt dem Blick ruhig stand. Dann lächelten beide gleichzeitig. Alexander sagte munter:

»Achten Sie darauf, daß das Bad nicht zu heiß ist! Es ist nicht Januar.«

»Wird gemacht, Herr Fähnrich.«

Eine Dreiviertelstunde später war Alexander unterwegs zum Abendempfang seines Vaters. Die Ausgehuniform (hellgrauer Rock mit gelben Litzen und vergoldeten Rangabzeichen, gleichfarbene Hose mit einer schmalen goldenen Biese entlang der äußeren Hosennaht) unterstrich seine hübsche Erscheinung auf das Vorteilhafteste. Im Vorraum zum Salon hielt er inne. Hier war die Fensterscheibe, von der seine Mutter gesprochen hatte, einst ein kleines Rechteck aus graviertem und bemaltem Glas, jetzt nur noch ein ungleichmäßiges Dreieck des Originals, eingesetzt in eine ungeschickt gearbeitete Nachahmung der fehlenden Teile. Die erhaltene Glasmalerei zeigte einen Teil der Ostfassade, eingerahmt von den alten Bäumen, die das Schloß früher umgeben hatten. Reste einer Inschrift darüber bezogen sich auf einen *... omas Alexander, III. L ...* Die Bruchstückhaftigkeit dieser Inschrift hatte die Phantasie des gegenwärtigen Alexander beflügelt, der sich ein Vorstellungsbild von seinem Namensvetter aufgebaut hatte, das eine nur geringfügig idealisierte Version seiner selbst war. Manchmal kam ihm der Gedanke, daß er, in denselben Mauern lebend und nach seiner eigenen Einschätzung von sensibler Wesensart, eines Tages ein besonderes, quasi telepathisches Verständnis jener entfernten Gestalt erlangen könnte; tatsächlich fragte er sich oft, was ›Alexander‹ in dieser oder jener Lage empfunden, gedacht oder getan haben würde.

Nicht so an diesem Abend, einer warmen, stillen Zeit, da die Farben in dem nur langsam aus seiner Verwüstung wiedererstehenden Park verblaßten und ein leiser Hauch kühler Luft über den Teich zum Schloß wehte, ein Lufthauch, der in jener fernen Vergangenheit die Gerüche von Torffeuern und der unberührten Ländlichkeit mitgeführt hätte, einige leicht kenntlich, andere seltsam und verwirrend. Alexander versuchte sie sich vorzustellen, sie zu riechen, doch im gleichen Moment überkam ihn eine köstliche, ablenkende Melancholie; ihm war, als habe er allen Ehrgeizes, aller Kunst, aller natürlichen Schönheit zugunsten einer unerfüllten Liebe entsagt. Er spähte durch das sich verdichtende Dunkel zu der Zypressenallee, die Stirn an der Fensterscheibe, und flüsterte: »Ich bin dein und allein dein, und die Welt soll untergehen, wenn ich einem anderen erlaube, in meine Träume einzudringen, meine allerliebste Verlorene.« Natürlich galten seine Worte keiner bestimmten, existierenden Person, obwohl alle männlichen Personen und alle weiblichen außerhalb einer eng umgrenzten Altersgruppe unüberlegt von seinem Gelübde ausgeschlossen waren. Seine allgemeine Stimmung erschien ihm ernstlich gedrückt und verdüstert, als er den Speisesaal betrat. Gleich darauf aber sah er sich in unerwartet intensive Spekulationen über Frau Korotschenko verstrickt.

ZWEI

Nina hatte Frau Korotschenko ziemlich zutreffend beschrieben, soweit diese Beschreibung gegangen war; darüber hinaus war die Ehefrau des stellvertretenden Direktors der Sicherheitsabteilung von muskulösem Bau, schwarzhaarig und nach der Mode kurz frisiert, und an diesem Abend in ein Kleid aus unbedrucktem Musselin gehüllt, dessen Schnitt den vorerwähnten Busen zur Schau stellte. Außerdem trug sie eine leichte, beigefarbene Stola. Ihr Gemahl, ein untersetzter Mann mit buschigem Schnurrbart und in feierlichem Olivgrün, stand während der Begrüßungen im Salon neben ihr. Letzter in der kurzen Reihe der Gäste war ein gebräunter junger Mann namens Theodor Markow, der nicht älter als dreißig sein konnte, aber bereits deutliche Geheimratsecken zeigte. Er trug einen dunkelblauen Einreiher aus Leinen mit schmalen Hosenaufschlägen.

»Guten Abend, mein Lieber«, sagte Theodor Markow in seinem melodiösen Tonfall.

»Freut mich, Sie zu sehen, alter Kunde«, versetzte Korotschenko, als er ziemlich widerwillig des anderen Hand ergriff. Hätte er sich seiner Sache sicherer gefühlt, so wäre er auf die Vertraulichkeit des anderen nicht eingegangen, hätte ihm vielleicht sogar den Handschlag verwehrt, denn er war ein Gegner der vorherrschenden liberalen Mode, flüchtige Bekannte in jener saloppen Art von falscher Vertraulichkeit zu begrüßen, die man den Engländern abgeguckt hatte. Aber er war von den übrigen Teilnehmern der Abendgesellschaft ein wenig eingeschüchtert: Verwaltungschef Petrowsky, der sein Gastgeber war, und Oberstleutnant Tabidze, der Militärkommandeur des Distrikts. Der kühle Blick, mit dem Frau Tabidze ihn bei der Vorstellung bedacht hatte, war auch nicht dazu angetan gewesen, seine Selbstsicherheit zu festigen, wenn es ihm auch im allgemeinen gleich war, was Frauen von ihm dachten. Insgesamt hatte sich gezeigt, daß der Eingewöhnungsprozeß in seinem neuen Amt (er war erst im vorausgegangenen Monat eingetroffen) nicht ohne Ärger und Verdrießlichkeiten blieb.

In seiner nicht allzu fernen Jugend hatte Sergej Petrowsky als der ansehnlichste Mann in Moskau gegolten, und noch heute verriet seine Haltung die Energie eines jungen Mannes, und seine Gesichtsfarbe war frisch und rosig, mochten das lohfarbene Haar und der ordentlich gestutzte Vollbart auch von breiten grauen Strähnen durchzogen sein. Mit einem Lächeln, das ausgezeichnete Zähne zeigte, sagte er zu dem soeben eingetroffenen Theodor Markow, der gerade ein Glas Wodka vom Tablett eines Dieners genommen hatte.

»Kippen Sie den und nehmen Sie gleich noch einen, mein Junge! Diese lächerlich kleinen Gläser fassen nicht mehr als einen Teelöffel.«

»Ich bedanke mich«, sagte sein Gast und tat wie geheißen. »Auf Ihre gute Gesundheit!«

»Hoffen wir das Beste. Nehmen Sie von dem Beluga – ich kann ihn wirklich empfehlen – und dann kommen Sie und unterhalten Sie sich mit meiner Tochter. Ich fürchte, ich muß schon aus reinem Selbstschutz darauf bestehen. Wenn es mir nicht gelingt, einen jungen Mann ohne Anhang in ihre Richtung zu steuern, bekomme ich es auf Jahre hinaus zu hören. – Nina, mein liebes Kind, ich glaube, ich sagte dir, daß Herr Markow Mitglied unserer berühmten Kommission ist.«

Nina hatte ein Abendkleid in ihrem bevorzugten Hellila angelegt. Es ließ ihre Arme frei und enthüllte damit eine große Zahl von Sommersprossen, aber ihre übrige Erscheinung und ihre Haltung verhüteten, daß sie als Makel empfunden wurden. Sie fand Gefallen an Theodor Markows Mund und seinen Händen und dachte, daß seine Geheimratsecken ihn nur um so reifer und klüger erscheinen ließen.

»Ja, Papa«, sagte sie. »Erzählen Sie mir, Herr Markow, in welcher Abteilung Sie arbeiten? Oder ist das ein Geheimnis?«

Theodor beantwortete ihr Lächeln mit einem eigenen. »Nichts, was wir tun, ist ein Geheimnis. Das ist das Charakteristische an uns. Ich bin in der Musikabteilung.«

»Musik?« sagte Nina überrascht, fing sich aber rasch. »O ja, ich denke, es muß da einiges geben.«

»Es gibt eine ganze Menge, und manches davon ist sehr interessant, glauben Sie mir.«

»Sie spielen nicht zufällig Klavier, Herr Markow?«

»Ich spiele nicht zufällig Klavier«, entgegnete er lächelnd. »Ich spiele absichtsvoll, zweckbestimmt und ziemlich gut. Nicht sehr gut, bloß ziemlich gut. Gut genug für Sie, Fräulein Petrowsky, das glaube ich ohne Übertreibung sagen zu können.«

»Möglicherweise. Aber das ist wunderbar! Sie müssen nach dem Essen für uns spielen und uns einige Ihrer Entdeckungen hören lassen. Klaviermusik – in dieser Gegend können wir von Glück sagen, wenn wir zweimal im Jahr Gelegenheit dazu haben.«

»Ich schlage vor, daß wir vielleicht die Erlaubnis Ihres Vaters ...«

»Ich gebe keine Erlaubnisse«, sagte Petrowsky. »Ich erfahre, was geschehen soll, und begrüße es entweder von Herzen, wie in diesem Fall, oder schicke mich mit allem Anstand, der mir zu Gebote steht, ins Unvermeidliche. Ich darf Ihnen sagen, mein lieber Markow, daß Ihre einzige Chance, sich heute abend nicht auf dem Klavierhocker wiederzufinden, in dem Augenblick entschwand, als Sie enthüllten, daß sie es spielen können. Ich freue mich sehr auf die Aussicht. – Nina, bist du sicher, daß Alexander uns heute abend mit seiner Gesellschaft beehren wird?«

»Ich bin jedenfalls sicher, daß er zugesagt hat, Papa. Das ist das höchste Maß an Gewißheit, das man bei ihm finden kann.«

»Glaubst du, ich kenne meinen eigenen Sohn nicht? Nicht, daß die Erfahrung eines Vaters vonnöten wäre. Die oberflächlichste Bekanntschaft würde ausreichen. Er weiß, daß Elizabeth kommt?«

»Du scheinst nicht zu wissen, daß das auf ihn keinen Eindruck macht, aber ich bin überzeugt, daß er diesmal kommen wird«, sagte Nina mit einem Seitenblick. »Ich habe so ein Gefühl, daß er bald auftauchen wird.«

»Es könnte Ihnen eher nützlich sein als Sie glauben, Markow, zu erfahren, daß meine Tochter etwas in Bereitschaft hat, wenn ihre Mundwinkel sich so kräuseln.«

»Papa! Muß ich für alles Gründe angeben? Nun, denk an meine Worte: er wird jeden Augenblick hier sein. Er bereitet bloß seinen Auftritt vor. Du wirst sehen.«

»Ohne Zweifel. Aber jetzt bin ich nicht sicher, daß meine Gegenwart an dieser Stelle notwendig ist. Korotschenko könnte meiner Unterstützung bedürfen – der brave Oberst hat seine Vorurteile, fürchte ich.«

Petrowsky verließ die beiden und ging hinüber zu einem der hohen Fenster, die den Ausblick nach Süden öffneten und wo die zuvor Erwähnten standen. Die Spuren von Kartuschenmalerei an Decke und Wänden waren so spärlich, daß nicht einmal die Art der Darstellung auszumachen war, obwohl Nina sich einst eingebildet hatte, sie könne in einem der Felder einen Hund erkennen. Nun hingen an zimtbraunen, mit goldenen Arabesken bedruckten und geprägten Tapeten Gemälde kaum bekannter Meister, die das russische Volksleben illustrierten, dazu ein paar eher düster wirkende Ikonen. Das Mobiliar hielt Petrowsky für recht gut – es war durchweg karelische Arbeit, ausgenommen das Roßhaarsofa, das seine Frau zu ihrer Überraschung hier in der Gegend aufgetrieben hatte, und den Bücherschrank aus schwarz gebeizter Eiche. Er war stolz auf den kurdischen Teppich, die Tigerfellbrücke von den Ufern des Aralsees und Stücke wie die goldene Uhr auf dem doppelten Kaminsims, die aus der Zeit Peters des Großen stammte. Ihre Zeiger standen auf acht Minuten vor eins; so mußten sie schon seit einer unbekannten Zahl von Jahren gestanden haben, bevor die Uhr in Petrowskys Besitz gelangt war, aber das tat seinem Stolz auf das seltene Stück keinen Abbruch.

Die Tür wurde geöffnet, und Alexander schritt herein. Er

hielt gerade auf die nächste Gruppe zu, die aus seiner Mutter, Frau Tabidze, Frau Korotschenko und Elizabeth Cuy bestand, dem zwanzigjährigen Mädchen, das bereits mehr als ein dutzendmal seine Tischdame und ansonsten eine überzählige weibliche Person gewesen war, die er beinahe halb so oft enttäuscht hatte. Nina beobachtete fasziniert, wie er seine Mutter, Frau Tabidze und Elizabeth begrüßte und Frau Korotschenko vorgestellt wurde. Theodor sprach unterhaltend über seine Arbeit bei der Kommission, aber Nina konnte nicht umhin, sich rasch zur Seite zu wenden und ein leises, aber deutlich hörbares Kichern hervorzustoßen.

»Es scheint mir nicht gelungen zu sein, Ihr Interesse wachzuhalten«, sagte ihr Begleiter liebenswürdig.

»Entschuldigen Sie, Herr Markow, ich möchte Ihnen gegenüber wirklich nicht unhöflich erscheinen, und darum muß ich die Gefahr auf mich nehmen, ziemlich ungehörig zu sprechen.«

»Das hört sich für meine Ohren nicht sehr gefährlich an.«

»Nun – sind Sie mit Frau Korotschenko bekannt?«

»Ich bin ihr zwei- oder dreimal in der Öffentlichkeit begegnet, mehr kann ich nicht sagen.«

»In diesem Fall ... würden Sie mir zustimmen, daß sie einen außergewöhnlichen Busen hat?«

»Ja, ich glaube, da würde ich Ihnen zustimmen müssen. Ein wenig zu außergewöhnlich für meinen Geschmack.«

»Aber nicht für Alexanders. Sie kennen ihn nicht besonders gut, nicht wahr?«

»Ich bin ihm vor diesem Abend zweimal begegnet und fand Gefallen an ihm.«

»Das freut mich. Also, er wollte heute abend nicht zum Empfang kommen – er gerät in alberne Stimmungen, wenn er allein ist, um Aufmerksamkeit zu finden –, und als ich dann den Busen erwähnte, den ich am Dienstag gesehen hatte, sagte er bald darauf, er habe es sich überlegt und werde doch kommen. Was mich aber eben zum Lachen brachte, war die Art und Weise, wie er fest entschlossen war, ihn bei der Vorstellung nicht anzuglotzen und ihn dann doch anglotzte. Was macht er jetzt? Ich wage nicht hinzusehen.«

Theodor Markow wandte verstohlen den Kopf. »Er glotzt ihn an.«

»Ach du lieber Gott. Ist ihr Mann dabei?«

»Moment ... Nein, er hat ihr fast den Rücken gekehrt, und Ihr Vater sagt etwas zu ihm. Es wird nicht weiter auffallen, wenn Alexander bald aufhört zu glotzen.«

»Gut. Schließlich wollen wir nicht, daß Herr Korotschenko ihn zum Duell fordert.«

»Er ist nicht der Typ. Viel zu vorsichtig.«

»Ich nehme an, das ist hilfreich, wenn man unter jemandem wie Direktor Vanag arbeitet.«

»Sie scheinen nicht gerade eine Vorliebe für ihn zu haben.«

»Er ist ein Schwein.«

»Was hat er getan?« fragte Markow aufmerkend, denn in ihrem Ton war die Hitzigkeit persönlicher Abneigung.

»Ich weiß nicht. Ich meine, er hat mir nichts getan. Ich gehe ihm so weit wie möglich aus dem Weg. Aber jeder, der diesen Posten innehat, muß ein Schwein sein.«

Er setzte zu einer Erwiderung an, verzichtete aber darauf, als er sah, daß Alexander in Begleitung von Elizabeth Cuy auf sie zukam. Er blickte wieder Nina an, und sie blickte zurück, und beide konnten die Augen nicht voneinander wenden. Sie war so fest davon überzeugt, daß er drauf und dran sei, ihre Hände zu ergreifen, daß sie den Atem anhielt und eine Röte ihre blassen Wangen färbte.

»Darf ich Sie bald wiedersehen?« fragte er mit undeutlicher Stimme.

»Gewiß. Gewiß.«

Dann waren die zwei anderen bei ihnen, und es ergab sich keine weitere Gelegenheit, vor dem Abendessen unter vier Augen zu sprechen. Das Speisezimmer, ursprünglich der zentrale Teil eines Saales, der früher einmal für große Empfänge und Lustbarkeiten gedient haben mochte und die Höhe des Obergeschosses mit einbezog, öffnete sich mit hohen schmalen Bogenfenstern, die bis zum Boden reichten, nach Westen auf einen Hof, der von einem Gebäudeflügel, einer Ziegelmauer mit zwei Toren und gegenüber von einer niedrigen Steinbalustrade umgeben war. Von dieser ging eine Doppelreihe von Platanenstümpfen aus, die mit den Zypressen auf der anderen Seite korrespondierten. Der feine barocke Marmorkamin war fast unbeschädigt, und die lange Tafel aus Krim-Nußbaum fügte sich gut in den Raum. Augenblicklich war die hübsch gefleckte und strukturierte Oberfläche der Tafel mit Silbergeschirr und Besteck, Weinflaschen, Gläsern – drei an jedem Platz –, Zuckerkonfekt und Schalen voll von den zuvor geschnittenen Rosen gedeckt. Braungekleidete Lakaien mit weißen Handschuhen rückten die Stühle der Tischgesellschaft. Petrowsky saß am Kopf der Tafel und hatte Frau Tabidze und Frau Korotschenko rechts und links neben sich; seine Frau, die ihm am Fuß der Tafel gegenübersaß, war von den Ehemännern der betreffenden Damen flankiert. Theodor Markow saß zwischen Frau Korotschenko und Nina, eine ausgezeichnete Position, wie sich herausstellte, denn die ältere Dame schenkte ihre ganze Aufmerksamkeit Petrowsky, während der Oberst, der auf Ninas anderer Seite saß, ein paar muntere Liebenswürdigkeiten mit ihr tauschte und ein Gespräch mit seiner Gastgeberin begann. Während er und Nina auf diese Weise ziemlich ungestört miteinander sprechen konnten, was sie mit einiger Konzentration taten, blickte Theodor einige Male zu Alexander hinüber. Einmal sagte dieser etwas zu Elizabeth Cuy; einmal lauschte er den Bemerkungen, die Frau Tabidze machte; zweimal ruhte sein Blick auf Frau Korotschenko. Und einmal begegnete er Theodors Blick mit einem Ausdruck herzlicher Freundlichkeit, als wollte er ihn zu seinen Nina gewidmeten Aufmerksamkeiten ermutigen und Glück wünschen.

Eine Backpflaumensuppe eröffnete das Essen, begleitet von süßem Sherry und gefolgt von gegrilltem Lachs mit Rettichen und roten Rüben. Der Wein war ein erstklassiger, langlebiger Pouilly Blanc Fumé. Der letzte Gang bestand aus heißem Fruchtsalat, Schlagsahne und kleinen Makronen; gekühlter georgischer Sekt machte die Runde. Zuletzt wurden Schokolade, Zuckerwerk, kandierte Mandeln, Tee, ein feiner Weinbrand (auch aus Georgien) und Zigarren angeboten.

Dann, als die Lakaien sich zurückgezogen hatten, klopfte Petrowsky mit dem Löffel an sein Glas und sagte: »Ich möchte alle Neuankömmlinge über die Regeln des Hauses unterrichten, die von uns verlangen, daß wir, ehe wir uns wieder in den Salon begeben, der alten und ehrwürdigen Tradition folgen, einige Minuten im Gespräch am Tisch zu verbringen.«

Tabidze, ein dunkelhaariger, drahtiger Mann von fünfzig Jahren, sehr schmuck in seiner Galauniform, ließ ein trockenes Glucksen hören. »Habe ich etwas von einer alten und ehrwürdigen Tradition gehört, Sergej? Es scheint, du wirst auf deine alten Tage konservativ.«

»Oh, das finde ich ein wenig unfair, Nikola. Ich bin niemals ein Gegner von Traditionen als solchen gewesen. Es ist vielmehr ihre gedankenlose Akzeptanz, die ich beklage.«

»Seltsam, wie oft es auf das gleiche hinauszulaufen scheint. Nehmen wir deine Reform des Grundbesitzes. Ich will nicht vorgeben, mich mit den Einzelheiten beschäftigt zu haben, aber die wichtigsten Konturen habe ich erfaßt. Was du beabsichtigst, ist revolutionär. Das gegenwärtige System hat sich in mehr als vierzig Jahren sehr gut bewährt, und du willst es auf den Kopf stellen.«

»Ganz und gar nicht, ich möchte es bloß vervollkommnen. Du weißt, daß meine Berater und ich nicht mehr getan haben als eine Reihe von Vorschlägen zu erarbeiten, die der Zentralbehörde zur Entscheidung vorgelegt werden. Die sie jedenfalls beträchtlich mildern wird; das haben wir berücksichtigt. Ich sehe voraus, daß selbst du, mein lieber Nikola, sehr wenig Grund zur Besorgnis finden wirst, wenn die berichtigte Version in Kraft tritt, sollte dies jemals der Fall sein.«

»Ich kann nur hoffen, daß du recht hast.« Tabidze nahm

eine Zigarre, betrachtete sie eingehend und wandte sich zu Korotschenko. »Was halten Sie davon, Verehrtester?«

»Die Ansicht eines Neuankömmlings, der erst seit Wochen im Lande ist, könnte kaum ...«

»Nein, bitte«, sagte Petrowsky. »Ich möchte hören, was jeder denkt.«

»Ich bitte um Entschuldigung, aber ich hatte noch nicht die Zeit, das Protokoll mit der Sorgfalt zu studieren, die notwendig ist, um ihm Gerechtigkeit widerfahren zu lassen.«

Theodor Markow stieß Nina leise an, dann blickte er nach rechts. Frau Korotschenko saß da und starrte mit geistesabwesendem Ausdruck ihr Gegenüber an, als würde das Gespräch in einer ihr völlig fremden Sprache geführt; vielleicht war es so, dachte er, denn er hatte sie noch nicht sprechen hören. Im Profil zeigte ihr Augenlid eine angedeutete Falte, die auf mongolische Vorfahren schließen ließ. Dann ergriff Alexander das Wort, und Markow lauschte und beobachtete mit der größten Vorsicht und Aufmerksamkeit.

»Wenn du wirklich wissen möchtest, was jeder denkt, Papa, die Jungen eingeschlossen, sollst du hören, was ich meine, obwohl ich mir einbilde, daß du bereits eine ungefähre Vorstellung davon hast.« Ton und Haltung waren durchaus respektvoll, weder plump noch frivol. »Ich kann den verehrten und geschätzten Oberst versichern, daß nichts auf den Kopf gestellt oder auch nur mehr als ein paar Millimeter aus seiner gegenwärtigen Position bewegt werden wird. – Ihre Bemerkung, mein Vater hege revolutionäre Absichten, könnte, mit Verlaub gesagt, nicht irriger sein; Sie hatten dagegen ganz recht, als Sie ihn einen Konservativen nannten. Aber ich wende mich besser direkt an ihn. – Du verabscheust und fürchtest Veränderungen, Papa, aber du hast auch ein Gewissen. Etwas sollte getan werden, etwas wird getan, etwas ist getan worden, und alles ist wie zuvor, außer daß ein paar Leuten besser zumute ist. O ja, du bist nicht der einzige; die Hälfte der Männer, die dieses Land verwalten, sind vom gleichen Schlag. Nun, wenn ich es recht bedenke, hat die Veränderung, die keine ist, ein weiteres Ergebnis: viele von denjenigen, die Grund zur Klage haben, werden auch die Illusion hegen, das etwas getan worden sei, und so sind die Herrschenden tatsächlich sicherer und können sich überdies in dem Bewußtsein sonnen, etwas getan zu haben.«

An diesem Punkt griff Elizabeth Cuy ein, ein schmächtiges, blondes, grauäugiges Mädchen, dessen sonstige Vorzüge vielleicht hinter ihrer direkten Art zurücktraten. »Hör mal, wie kannst du es wagen, deinem Vater zu sagen, er sei vom gleichen Schlag wie irgendein anderer!« sagte sie in halb ärgerlichem, halb erheitertem Ton. »Ihn sich selbst zu erklären! Und noch der Unaufrichtigkeit zu beschuldigen!«

»Ich hatte keine Ungebührlichkeit beabsichtigt.«

»Aber begangen. Was du sagtest, war frech und ungehörig, und es war dir ernst damit.«

»Kümmern Sie sich nicht darum, Elizabeth!« sagte Petrowsky mit einem Lächeln. »Ich habe es nicht als Beleidigung aufgefaßt.«

»Nun, Sie hätten es tun und auch zum Ausdruck bringen sollen, Herr Petrowsky. Wie anders sollen die Jungen Respekt lernen?«

»Ich finde, die Jungen sind recht zufriedenstellend, so wie sie sind.«

»Also wirklich! Ich finde sie erschreckend, zumindest einige von ihnen.« Elizabeth funkelte Alexander an, bis sie gegen ihren Willen lachen mußte. »Na gut, du großer Politiker, laß deinen Plan zur Landverteilung hören, oder was immer es ist.«

»Es ist ganz einfach. Das Land sollte denen gehören, die es bearbeiten und darauf leben.«

»Ich verstehe. Park und Gärten hier sollten also Mily und seinen Leuten gehören. Die dann durchaus berechtigt wären, dich und den Rest der Familie davon fernzuhalten, wenn ihnen danach wäre.«

»Nun ...«

»Ja, mein Lieber. Du sagtest SOLLTE. Woher kommt dieser Anspruch? Welches Besitzrecht haben Mily und die anderen auf den Park und die Gärten draußen?«

»Es gibt doch so etwas wie Gerechtigkeit, nicht wahr?«

»Darf ich das beantworten, Elizabeth?« sagte Oberstleutnant Tabidze. »Die Antwort ist nein. Es gibt keine Gerechtigkeit. Alles, was es gibt und je gegeben hat, ist eine Anzahl mehr oder weniger ungerechter Handlungen und Entscheidungen und Institutionen auf der einen Seite und die Idee der Gerechtigkeit auf der anderen. In ihrem Namen werden alle großen Ungerechtigkeiten verübt. So ging es mit der Sklaverei und mit der Idee der Freiheit, mit allen möglichen Barbareien und Scheußlichkeiten im Namen des Fortschritts, Lügen und ... Nun, so ist es und so ist es bei uns immer gewesen. Ideen sind der Fluch des Russen. Sie sehen es in Tolstoj, in Dostojewskij, in Tschechow: eine ganze Klasse, abgelenkt von ihrer Pflicht, ihrem Familienleben, ihrer Arbeit, ihren Vergnügungen, sogar ihrem Selbsterhaltungstrieb – alles durch Ideen. Was soll aus uns werden?«

»Eine gute Frage, Nikola«, sagte seine dicke Frau mit tiefer Stimme. »Wenn ein Oberstleutnant des Gardekorps durch eine Bemerkung eines sehr jungen Fähnrichs in tiefen philosophischen Trübsinn gestürzt wird, statt dem jungen Gelbschnabel zu sagen, er solle sich zum Teufel scheren, hast du freilich allen Grund zu fragen, was aus uns werden soll. Es gibt nur eine Lösung, die ich sehen kann – Sergej, ich muß dich noch einmal um etwas von diesem gehaltvollen Weinbrand bemühen.«

Darauf gab es Gelächter, in welches Alexander, wie Theodor Markow bemerkte, mit allen Anzeichen von Spontaneität einstimmte. Auch der stellvertretende Direktor Korotschenko zeigte sich mäßig belustigt – ein gräßlicher Anblick, dachte Nina. Frau Korotschenko blieb unbewegt.

DREI

Etwas später war die Gesellschaft im Salon versammelt, wo Weißwein, Tee und frische Roggensandwiches gereicht wurden. Petrowsky, die Tabidzes und etwas später auch Korotschenko setzten sich zum Whist an einen Kartentisch. Tatjana Petrowsky nahm sich ihre Stickereiarbeit vor, einen Kissenbezug in Kreuzstich. Ihre Tochter, Elizabeth und Theodor Markow setzten sich in ihrer Nähe nieder. Frau Korotschenko tat, soweit Alexander gehört hatte, zum ersten Mal den Mund auf und sagte zu ihm:

»Es ist sehr heiß. Ich würde gern an die frische Luft gehen. Würden Sie mich zu einem Spaziergang begleiten? Ich habe den Park nicht bei Licht gesehen und möchte nicht fallen.«

Ihre Stimme war rauh und belegt, mit einer eigentümlichen Betonung bestimmter Selbstlaute. Selbst jetzt blickte sie ihm nicht in die Augen. Er bemerkte, daß sie ein schmales und dünnlippiges Gesicht hatte, mit großen häßlichen Ohren, die durch ihren kurzen Haarschnitt unklugerweise freigelegt waren. »Natürlich nicht«, sagte er. Nina und Elizabeth beobachteten ihn. »Ich meine, natürlich möchten Sie nicht fallen. Gewiß – es ist mir ein Vergnügen, Sie zu begleiten.«

Sein Gehirn arbeitete mit dem Mehrfachen seiner üblichen Geschwindigkeit und ließ zwei Dinge in sein Bewußtsein treten: daß es ziemlich heiß war, war das Äußerste, was billigerweise gesagt werden konnte, und wie er sich von den frühen Morgenstunden erinnerte, als er aus der Offiziersmesse ins Freie gewankt war, war beinahe Vollmond. Aber sicherlich ...

Sie verließen das Gebäude durch das Ostportal, gingen die Stufen hinab und erreichten die nächste Rasenfläche. Diese war alles andere als gut gemäht, aber ein ernstlicher

Sturz irgendwelcher Art war im hellen Mondschein äußerst unwahrscheinlich. Er überlegte gerade, wann und wie er sie an sich ziehen sollte, als sie ihn packte. Die Schnelligkeit und Heftigkeit ihres Ansturms überraschte ihn völlig. Ihr offener Mund drängte sich an den seinigen, ihr Körper stieß ihn und rieb sich an ihm, und sie umfaßte ihn in einer Art, die darauf abgestellt war, alle an ihren Absichten etwa noch bestehenden Zweifel zu zerstreuen. Seine Arme waren um sie, oder jedenfalls sein linker.

Sie nahm den Mund von seinem und sagte erregt: »Laß mich los!« Gleichzeitig suchte sie sich ihm zu entziehen.

»Ich soll dich ...? Aber du ...«

»Wie soll ich sonst mein Kleid ausziehen?«

Er trat zurück. »Aber du ...«

Die Stimme von Stoffalten gedämpft, sagte sie etwas, was er nicht verstand. Während sie sich ungeduldig die Kleider vom Leib zerrte, ging seine lebhafte Verblüffung in benommene Erregung über. In ungefähr der Zeit, die er benötigt hätte, um seine Halsbinde abzulegen, hatte sie sich aller Kleidung bis auf die weißen Seidenstrümpfe und den Strumpfgürtel entledigt, der in der herrschenden Beleuchtung schwarz aussah, es aber wahrscheinlich nicht war. Ihre Brüste, die in dieser hüllenlosen Schaustellung noch sehr viel mehr von Schwergewichtigkeit und Fülle strotzten, als man hatte voraussehen können, setzten ihn in Erstaunen.

»Komm schon, worauf wartest du?« fragte ihn die Dame mit undeutlicher Stimme. Wieder stürzte er auf sie zu und wollte die Arme um sie legen, aber dies erwies sich abermals als unbefriedigend. »Laß gut sein«, sagte sie und fummelte an seiner Kleidung. Einen Augenblick später legte sie sich ins Gras. »Nun beeil dich«, sagte sie. »Mach schnell!« Ihr Körper wand sich ein wenig, und sie machte Geräusche wie jemand der unter beträchtlichen, aber nicht extremen Schmerzen leidet. Als er sich neben ihr niederlegte, beging er einen dritten Fehler – »In Gottes Namen, Mann, willst du endlich anfangen!« – und wurde auf sie gezogen; ihre Kräfte waren beängstigend, aber nicht allzu sehr. Ihre erste Reaktion war so deutlich, daß er dachte, sie müsse ihr Ziel erreicht haben; ihre fortdauernden Bewegungen belehrten ihn jedoch recht bald eines anderen. Statt sie in den Armen zu halten, war es eher so, daß er sich an sie klammerte oder von ihr umschlossen wurde. Er fand, daß er bei voller Anstrengung sozusagen gerade noch im Spiel bleiben konnte. Schließlich, ungefähr im kritischen Augenblick für ihn, verdoppelte sie ihre Anstrengung und stieß einen langen, kehlig tremolierenden, aber gedämpften Schrei aus; gedämpft, wie er sah, von ihrem eigenen Handrücken, den sie sich gegen den Mund preßte – und es war gut so, denn die ungedämpfte Version wäre ohne Zweifel im Salon deutlich genug vernommen worden. Er fühlte sich ein wenig beunruhigt, vermutlich war es ein Lustschrei gewesen, aber er bildete sich ein, er habe etwas anderes darin gehört, irgendein dunkleres Gefühl.

Er küßte ihr die Wange; sie wiederum nahm seine Hände und hielt sie an ihre Brüste, dann bedeutete sie ihm nicht unsanft, daß es Zeit sei, aufzustehen. Noch immer schnaufend, machte er sich daran, seine Kleider zu ordnen, und sie hob die ihren auf. Seine Beunruhigung war verflogen, und er verspürte nur Freude und Dankbarkeit.

»Mein Liebling, das war köstlich«, sagte er, »und du bist bezaubernd.«

Sie antwortete nicht.

»Wann kann ich dich wiedersehen?«

»Du meinst, du möchtest das wieder mit mir tun? Nachdem du es bereits einmal getan hast? Wozu?« Während sie sich mit äußerster Schnelligkeit ankleidete, sah sie ihn zweifelnd an.

»Nun, natürlich möchte ich. Nächstes Mal können wir uns mehr Zeit lassen.«

»Ja, das können wir«, sagte sie, als ob dies ein unerwartetes, aber bei Licht besehen einleuchtendes Argument sei.

»Also wann?«

»Dienstagnachmittag. Zwei Uhr dreißig.«

»Um die Zeit habe ich Dienst im Stützpunkt.«

»Also wirst du nicht kommen können, nicht wahr?«
»Ach, ich kann es abändern.«
»In Ordnung.«
Sie war fertig angekleidet und ging mit raschen Schritten neben ihm her. Mit einer Hand strich sie sich die Haare am Hinterkopf glatt. Bei ihm stellte sich der ungebetene Gedanke ein, daß sie ihr Haar vielleicht so kurz trug, damit nicht Blätter, Zweige etc. darin hängenblieben, wann immer sie auf einer Wiese oder anderswo im Freien Ehebruch trieb.
»Wo treffen wir uns?«
»Komm zu unserem Haus! Es wird *Die alte Pfarrei* genannt und liegt ungefähr drei Kilometer von Northampton neben der Landstraße nach Wellingsborough. Die meisten Engländer der Gegend kennen es inzwischen; wir haben viele offizielle Besucher. Wenn du es nicht finden kannst oder die Leute dich nicht verstehen, frag einfach nach dem russischen Polizisten. Wenn wir jetzt hineinkommen, werde ich eher kühl zu dir sein. Mein Mann wird denken, du hättest einen Annäherungsversuch gemacht, und ich hätte dich natürlich abgewiesen.«
»Meiner Mutter wird das nicht gefallen.«
»Nur mein Mann wird den Unterschied bemerken.«
»Na gut.« Nicht dessentwegen, was sie gerade vorgeschlagen hatte, sondern aus allgemeinen Gründen fügte er hinzu: »Du bist ein süßes Mädchen. Du hast mich dir zum Dank verpflichtet.«
Als er sie küßte, reagierte sie nicht, sondern sagte in ihrer monotonen rauhen Stimme: »Das ist außerordentlich nett von dir.«
Er war sich keineswegs dahingehend schlüssig geworden, daß sie ein süßes Mädchen sei; aber sie hatte getan, was er gewollt hatte, gelinde ausgedrückt, er hatte sein Vergnügen daran gehabt, und nun, da sie am Fuß der Stufen angelangt waren, die sie vor einer unbekannten Zeitspanne heruntergekommen waren, mußte dies ihr Abschied sein. Beim Ersteigen der Stufen blickte er über den mondbeschienenen Park hin, den Teich, den schwachen Schimmer des Sees in der

Ferne, und wünschte mit einiger Inbrunst, daß er das Schloß und den Park hätte sehen könne, wie sie in ihrer Glanzzeit gewesen waren, zu Lebzeiten jenes anderen Alexander. Am Portal angelangt, sah er sich wieder um und begriff, daß das, was soeben stattgefunden hatte, hier oben für jeden Beobachter deutlich sichtbar und zweifellos auch hörbar gewesen war. Nun, wenn die nächsten paar Minuten sicher überstanden wären, würde ihm Zeit genug bleiben, sich klarzuwerden, ob die Frau ein süßes Mädchen war oder etwas anderes.

Der Wiedereintritt der Frau des stellvertretenden Direktors und seiner selbst in den Salon fiel auf einen ungewöhnlich glücklichen Augenblick. Die Kartenspieler befanden sich in einem Zustand erregter Spielleidenschaft, da Frau Tabidze im Begriff war, die Trumpffarbe für das nächste Spiel anzusagen; obwohl die Einsätze nicht hoch waren (100 Pfund für einen Punkt), war sogar Korotschenko so sehr in das Spiel vertieft, daß er nur kurz aufblickte. In ähnlicher Weise unterhielt Theodor Markow die Damen mit einer Geschichte über die Unterschlagungen, deren sich der Kassier an seiner Universität schuldig gemacht hatte. Alexander schlenderte zu dem Marmortisch, wo der Wein stand, schenkte sich ein Glas voll und knabberte an einem Hühnersandwich. Er hätte gesagt, daß es keine Notwendigkeit gebe, zwangloses Benehmen zu heucheln, weil er sich völlig ungezwungen fühlte: es wäre sicherlich ziemlich einfältig, sich einzubilden, daß dort draußen auf dem Rasen etwas besonders Ungewöhnliches geschehen sei; es war nichts weiter als das Zusammentreffen eines stattlichen, gesunden jungen Mannes mit einer – nun, es mußte eine ganze Menge Frauen wie Frau Korotschenko geben, und man konnte kaum erwarten, daß sie für ihren Zustand, oder vielmehr die Offenheit ihrer Natur Reklame machten.

Er aß das belegte Brot, trug sein Weinglas zum Kartentisch, wo die Spieler ihre neu verteilten Karten auf ihre Möglichkeiten prüften, und schaute seinem Vater über die Schulter, übrigens ohne etwas zu verstehen, denn er verabscheute das Spiel zu sehr, als daß er jemals die Regeln hätte lernen mögen. Vor Frau Tabidze lag ein ansehnlicher Haufen Münzen zu 100 Pfund und 500 Pfund und Banknoten zu 1000 Pfund. Korotschenko hob sein schnurrbärtiges Gesicht in konzentrierter Berechnung und streifte Alexander mit einem geistesabwesenden, völlig neutralen Blick.

»Ich fürchte, ihr Herren seid für eine weitere Tracht Prügel fällig«, sagte Frau Tabidze siegesgewiß. »Misère.«

Ihr Gemahl ächzte. »Schulter an Schulter, Freunde.«

Verstohlen musterte Alexander die übrigen Teilnehmer der Abendgesellschaft. Seine Mutter hatte die Stickerei in den Schoß sinken lassen und sprach mit gedämpfter Stimme zu Frau Korotschenko, die tatsächlich zu reagieren oder zumindest zuzuhören schien. Das Gespräch der anderen schien momentan ins Stocken gekommen; als sein Blick sie erreichte, sah Elizabeth ihn bereits an, und innerhalb einer Sekunde sah er sich auch von Nina fixiert. Dann schauten sie einander an. Ihre Mienen waren gleich, obwohl er nicht hätte sagen können, was sie ausdrückten. Unter anderen Umständen wäre er hinübergegangen und hätte sie gefragt, aber nicht unter diesen. Er beschloß die Sache durchzustehen, wo er war, eine Politik, die allerdings ihr Ende fand, als Nina sich zur Seite beugte und sagte: »Dürfen wir hinaufgehen, Mama?« – eine Formel, die eine vorübergehende Beurlaubung der jüngeren Gäste und Mitglieder des Haushaltes erbat und stets Erfolg hatte. Als die drei gingen, schloß er sich ihnen an.

»War es ein schöner Spaziergang, Alexander?« fragte Elizabeth, sowie die Tür zum Salon hinter ihnen geschlossen wurde.

»Ja, sehr angenehm, danke.«

»Sie schien nicht so zu denken.«

»Nein?« sagte er leichthin; dann, nachdem er sich besonnen hatte, wiederholte er mit mehr Nachdruck: »Nein, wirklich?« Und sie hatte gesagt, nur ihr Mann werde es bemerken.

»Nein. Aber sie hätte es auch sehr angenehm finden sollen, wie? – Da ist etwas komisch, Nina, was meinst denn du?«

»Warten wir, bis wir oben hinter verschlossener Tür sind.«

»Ich finde diese Atmosphäre der Inquisition ganz unerträglich«, sagte Alexander, aber Erleichterung und Triumph sorgten gemeinsam dafür, daß er nur mit einer nur mäßigen Schaustellung von Mißvergnügen sprach. »Theodor, Sie müssen mich beschützen.«

»Was kann ich tun? Was vermögen zwei von uns gegen zwei von ihnen?«

»Und was für welchen. Die eine ruhig und tödlich, die andere unverschämt und heftig.«

»Das nenne ich Dankbarkeit«, sagte Nina.

Theodor Markow nickte ernst. »Sie sehen, die zwei fechten die Art Ihrer Beschreibung nicht an.«

»Ich bemerke etwas anderes, Lizzie«, sagte Nina: »Der jüngere der beiden erhob Einspruch gegen die Inquisition, brauchte aber nicht zu fragen, worüber verhandelt werden sollte.«

»Sehr bedeutsam«, sagte Elizabeth.

Durch die östliche Hälfte der Galerie im Obergeschoß hatten sie Ninas Wohnzimmer erreicht, das neben Alexanders Räumen lag und durch eine Verbindungstür Zugang zu ihrem Schlafzimmer bot. Gegenstände verschiedener Größen standen und lagen verstreut: Fotografien ihrer Eltern, von Alexander und ihrem älteren Bruder Basil (der zur Zeit bei den Besatzungsstreitkräften in der Mandschurei diente), ein Fotoalbum in rotem Kunstleder, ein Spinnrad aus Eschenholz, einen hübsch verzierten Holzkäfig mit einem Zeisig (der die lange Reise von der Heimat mitgemacht hatte), einen großen ausgestopften Braunbären, einen mit Boruldit beschichteten elektrischen Samowar und ein ausgezeichnetes dreizölliges Fernrohr. Die unvermeidliche Musikkombination, Instrument und Abspielgerät in einem, stand unter ihrer Haube in einer Ecke. Es gab auch Stühle und Sessel, auf und in welche sie sich setzten, obwohl Nina sogleich wieder aufsprang, um runde Zigaretten herumzureichen und Kumyssette-Liköre in kleinen Gläsern mit Silberrand anzubieten. Alle nahmen Zigaretten, aber Theodor Markow, der süße Getränke nicht mochte, bat und bekam statt dessen ein Glas Mineralwasser.

»Nun«, sagte Elizabeth mit einer Entschiedenheit, als gelte es eine Versammlung zur Ordnung zu rufen, »was ist dort draußen geschehen?«

»In dem Sinne, wie es dir zweifellos vorschwebt, sehr wenig«, sagte Alexander gleichmütig.

»Wieviel ist sehr wenig?«

»Es gab eine Art von Umarmung.«

»Komm schon, Alexander, wir haben nicht bis morgen früh Zeit«, sagte Nina. »Wir können es alle kaum erwarten, Näheres zu hören.«

»Also gut, es gab eine lange, ziemlich leidenschaftliche Umarmung mit einem gewissen Maß an Liebkosungen. Genug, um festzustellen, daß der Busen echt ist, wenn du es genau wissen willst.«

Elizabeth schüttelte ihren wohlgeformten blonden Kopf. »Ich fürchte, es ist noch nicht genug. Nicht annähernd.«

»Genug wovon?«

»Genug erklärt, meine ich ... Ich will es dir zeigen.«

Sie stand auf, verschränkte die Arme auf der Brust und schlenderte mit abwechselnd vorgeschobenen Hüften langsam auf und ab. Dabei rollte sie die Schultern, bewegte den Kopf hin und her, spitzte die Lippen und zog die Augenbrauen hoch. Dann und wann hob sie die Hände und betrachtete prüfend die Nägel. Bei alledem summte und pfiff sie vor sich hin. Nina bog sich vor Lachen. Theodor Markow lächelte verwirrt.

»Was soll das sein?« fragte Alexander.

»Du, als du vom Spaziergang zurückkamst, natürlich! Eine Schaunummer von Gelassenheit und Sorglosigkeit. Niemand von deinem Alter und deiner Erfahrung veranstaltet wegen einigen Küssen und Umarmungen eine solche Schau. Wie weit bist du wirklich gekommen, Alexander?«

»Ach du lieber Gott! Hört zu, wenn ich euch etwas sage, wollt ihr mir versprechen, es absolut niemandem weiterzuerzählen? Oder noch einmal darauf Bezug zu nehmen?«

Alle nickten feierlich.

»Nun, sie sagte, sie finde mich sehr hübsch. Wie ... lacht nicht ... wie einen griechischen Gott. Na, das hört sich ziemlich albern und peinlich an, wenn ich es euch erzähle, aber als sie es sagte, fand ich das natürlich großartig und fühlte mich enorm geschmeichelt. Hinreichend, um mit einem breiten Lächeln herumzustolzieren. Das war es, wovor ich mich zu hüten versuchte. Es scheint, daß ich dabei ein wenig übertrieb.«

Elizabeth lachte und klopfte ihm auf die Schulter. Auch Theodor Markow schien zufriedengestellt. Nina lächelte nachdenklich. Nach einer kurzen Pause sagte sie:

»Wenn sie dich so hübsch findet, warum war sie dann verärgert? Es ist schwieriger denn je, den Grund dafür zu erkennen.«

»Es ist komisch, nicht? Aber bist du sicher, daß es Verärgerung war und nicht, sagen wir, Müdigkeit oder etwas anderes?«

»O ja, ziemlich sicher – nicht, Elizabeth?«

»Nun, sie hatte was, aber ich würde nicht schwören, daß es Verärgerung war. Sie ... sie war über irgend etwas nicht erfreut, das war klar zu sehen.«

»Und du meinst, es hätte mit mir zu tun gehabt?«

»O ja«, sagte Nina, »daran zweifle ich nicht.«

»Ah. Vielleicht könnte es ... Nein.«

»Könnte es was?« fragte Elizabeth.

»Es klingt so eingebildet, daß ich es kaum sagen kann, aber es ist die einzige Erklärung, die mir in den Sinn kommt. Sie war enttäuscht. Daß ich nicht aufs Ganze gegangen bin.«

»Warum bist du nicht?«

»Na, sie schien so entschlossen, als sie mich zum Spaziergang aufforderte, und ich habe mit Frauen ihres Alters und Standes nie viel zu tun gehabt. Ich wollte nichts riskieren.

Angenommen, ich hätte ihr Verhalten falsch gedeutet – das hätte peinlich werden können.«

»Hast du dich mit ihr verabredet?« fragte Nina.

»Nein. Sie erwähnte zwar, wo sie wohnt, und ich dachte mir, ich könnte immer noch in die Gegend kommen und eines Nachmittags hereinschauen, wenn der stellvertretende Direktor in seinem Büro schnarcht. Aber ich sagte nichts davon, weil ich mir die Sache in Ruhe durch den Kopf gehen lassen wollte.«

Nina drückte mit entschiedener Drehbewegung ihre Zigarette aus. »Das war es also. Sie dachte, daß du nach der kleinen Kostprobe zu dem Schluß gekommen seist, daß du sie doch nicht willst. Ich bin überrascht, mein Lieber. Wahrscheinlich hast du deine Chancen bei ihr ein für allemal vertan.«

»Wer weiß, wozu es gut ist. Mit der Frau hätte ich eine Menge auf mich genommen. Aber andererseits ist es ein Jammer; ich finde, sie ist in einer komischen Art und Weise sehr attraktiv.«

»Komisch ist sie wirklich«, sagte Elizabeth. »Kolossale Titten und dieses verhungert aussehende Gesicht. Und dieser Haarschnitt, was wird sie sich dabei gedacht haben? Wenn sie knabenhaft aussehen will, dann muß sie woanders anfangen.«

»Hat sie überhaupt geredet?« fragte Nina.

»O ja, ohne Unterlaß. Außer als ich sie ... zum Schweigen brachte. Über ihr Haus und die Besucher, die sie dort ständig haben. Wahrscheinlich geht sie allem aus dem Weg, was nach einer Menschenmenge aussieht. Oder es ist Ehrfurcht vor ihrem schnurrbärtigen Alten.«

»Hat sie Kinder?«

»Sie erwähnte keine, also wahrscheinlich nicht.«

»Das hoffe ich.«

»Warum sagst du das?«

»Ich weiß nicht. Ich bin bloß froh, daß ich nicht ihre Tochter bin.«

»Wie komisch. Ich stelle mir nicht vor, wie es sein würde,

der Sohn irgendeines Burschen zu sein, den ich irgendwo kennenlerne und der zufällig alt genug ist.«

»Natürlich tust du das nicht.«

»Natürlich? Weil ich ein Mann bin?«

»Nein, weil du du bist.«

»Ich weiß nicht, worauf du hinauswillst, aber ich spüre deutlich genug, daß es nicht sehr freundlich ist.«

Elizabeth hatte mit einiger Ungeduld den letzteren Teil dieses Dialogs verfolgt. Nun sagte sie: »Können wir bitte auf eine Diskussion über Alexander verzichten?«

»Ich sehe nicht, warum du Einwände dagegen erheben solltest, wenn ich es nicht tue«, sagte er.

»Natürlich erhebst du keine Einwendungen. Du bist hingerissen von jeder Diskussion, die dich selbst zum Gegenstand hat. Aber nicht alle von uns teilen dein leidenschaftliches Interesse an dem Thema.«

»Wenn ich dir erlauben soll, weiterhin hierherzukommen, Elizabeth, muß ich dich bitten, nicht die Konversation zu diktieren.«

»Alexander!« rief Nina.

»Was ist? Ich habe nur ...«

»Hast du schon vergessen, was Mama zu dir sagte?«

»Wenn mir gerade gesagt worden ist, ich sei in mich selbst verliebt? Man könnte meinen ...«

»Ich gehe«, sagte Elizabeth. Sie war sehr rot geworden.

Nina faßte sie bei den Schultern und redete ihr gut zu, während Alexander lautstark erklärte, sie könne gehen, wohin sie wolle, soweit es ihn angehe. Bald wurde klar, daß sie sich den Ausgang notfalls erkämpfen würde. In diesem Augenblick gab Nina sie frei, und es blieb nur Theodor Markow, ihr den Weg zu vertreten.

»Wenn sie jetzt gehen, werden Sie es sehr schwierig finden, zurückzukommen«, sagte er schnell. »Und Sie werden zurückkommen wollen, gleichgültig wie Ihnen im Moment zumute ist.«

Innerhalb eines Zeitraumes, der von manchen Leuten als überraschend kurz empfunden worden wäre, hatte Elizabeth zu ihrem normalen Verhalten zurückgefunden. Sie lächelte sogar traurig zu Alexander, der ihr die Wange tätschelte. Nina nahm sie bei der Hand.

»Komm mit!« sagte sie. »Drei neue Kleider erwarten deine Inspektion.«

»Drei?«

»Ja, drei. Du erinnerst dich an diese Frau in Towcester, die ich im Frühling besucht hatte? Nun, wie sich herausstellte, ist ihre Tochter ...«

Die beiden Mädchen verschwanden im Schlafzimmer. Die Männer konnten hören, wie sie dort Schubladen und Schranktüren öffneten, plauderten, kicherten, als Elizabeth jemanden zitierte und Nina sie dafür schalt. Theodor Markow brachte eine kleine Pfeife zum Vorschein und stopfte sie.

»Das war gute Arbeit«, sagte Alexander.

»Nicht der Rede wert. Was ist sie genau?«

»Angeblich ist sie hoffnungslos in mich verliebt. Kann mir nicht denken, warum; ich habe sie nie angerührt.«

»Wirklich? Hübsch genug, sollte ich meinen.«

»Ja, aber zu verflixt schwierig. Stellen Sie sich vor, was sie sein würde, wenn sie ein bißchen Macht über einen hätte.«

»Mmh.«

Markow brachte die Pfeife in Gang und machte es sich im Sessel bequem. Er blickte jetzt zur Decke auf, vorher aber war sein Blick kaum von Alexander gewichen, wie dieser bemerkt hatte. Er ließ eine weitere halbe Minute verstreichen, ehe er im Gesprächston sagte:

»Was ist eigentlich wirklich dort draußen passiert?«

»Was? Oh, genau was ich sagte. Möchten Sie Einzelheiten?«

»Nein, nein. Sagen Sie die Wahrheit – Sie haben es ihr besorgt, nicht wahr?«

»Nein. Es sieht so aus, als hätte ich die Gelegenheit dazu gehabt, aber ich nahm sie nicht wahr. Vielleicht war es dumm von mir.«

»Sehr dumm, würde ich sagen. Wie alt sind Sie, Alexander? Neunzehn?«

»Einundzwanzig.«

»Tatsächlich? Nun, ich bin achtundzwanzig, mit entsprechend mehr Erfahrung. Aber man sollte meinen, daß mit Ausnahme von Frauen und Kindern jeder hätte sehen müssen, daß Frau Korotschenko eine reife Frucht war, die nur darauf wartete, gepflückt zu werden.«

»Nun, ich sah es nicht, und wenn mich das zu einer Frau oder einem Kind macht, dann ist das sehr bedauerlich für mich, aber ich kann jederzeit die Diener rufen und Sie hinauswerfen lassen; wenn ich Sie so sehe, könnte ich es wahrscheinlich sogar selbst schaffen. Ohne allzu große Anstrengung, um die Wahrheit zu sagen.«

»Warten Sie!« sagte Markow, als Alexander aufstand. »Ich wollte Sie nur zu einem Geständnis provozieren. Kommen Sie, Sie Unverbesserlicher haben es ihr besorgt, nicht wahr? Sie können es mir gestehen. Ich schwöre, daß ich es nicht weitersagen werde.«

»Zum allerletzten Mal, ich habe nichts dergleichen getan. Übrigens, worauf wollen Sie schwören?«

»Das ist ein sehr interessanter Punkt, aber wir haben jetzt nicht die Zeit, ihn zu vertiefen. Schwören Sie, daß Sie es nicht getan haben?«

»Natürlich schwöre ich es, bei allem, was Ihnen geeignet erscheinen mag. Was soll das alles überhaupt?«

»Ihre bisher einzige schlechte Antwort, aber sehen wir auch darüber hinweg. Schwören Sie auf die Ehre Ihres Vaterlandes und Ihres Regiments und Ihrer Familie?«

»Warum nicht? Ich schwöre es.«

Der andere sah ihn streng und sehr ernst an. »Mein Glückwunsch und mein tief empfundenes Bedauern. Es tut mir wirklich leid, daß ich Ihnen dies antun mußte.«

»Sie sind verrückt.«

»Sie können sich entspannen. Nicht mehr als drei Minuten, nachdem Sie und Frau Korotschenko den Salon verlassen hatten, bat Ihre Mutter Ihre Schwester Nina, ihr den Nähkorb aus dem Zimmer auf der anderen Seite zu holen. Ich erbot mich, selbst zu gehen.«

»Ach, du lieber Gott.«

»Ich fand den Nähkorb ohne weiteres, aber bevor ich in den Salon zurückkehrte, zog ich den Vorhang zurück und schaute hinaus. Reine Neugierde.«

»Nennt man das so?«

»Ich hatte nicht erwartet, etwas Besonderes zu sehen, aber ich sah ... Nun, Sie wissen, was ich sah.«

»Ja.«

»Wie konnten Sie so unverantwortlich leichtsinnig sein? Wären Sie zwanzig oder dreißig Meter weitergegangen, wären Sie außer Sicht gewesen. Hätten Sie nicht warten können?«

»Ich schon, aber sie nicht. Sie fiel buchstäblich über mich her, und ich war völlig unvorbereitet. Ich hatte überhaupt keine Zeit zu überlegen.«

»Ich verstehe. Warum, meinen Sie, setzte sie hinterher diese verdrießliche Miene auf?«

»Nun, sie sagte mir, sie wolle es tun, damit ihr Mann nicht denken würde, ich hätte ihr Avancen gemacht, aber jetzt frage ich mich, ob die Erklärung, die ich vorhin erfand, der Wahrheit nicht näherkommen könnte. Mit anderen Worten, sie versuchte den Eindruck zu erwecken, daß sie Erwartungen in mich gesetzt hätte, die zu erfüllen ich nicht imstande gewesen sei. Was wiederum bedeuten würde, daß sie ihren Mann verabscheuen muß. Nun, wir hatten bereits Grund zu der Annahme, daß sie nicht gerade verrückt auf ihn ist. Aber warum gratulierten Sie mir?«

»Zu dem Einfallsreichtum, mit dem Sie den Argwohn zweier sehr wißbegieriger Mädchen zerstreuten, und zu der Standhaftigkeit, die Ihnen half, meine heftigen Angriffe auf Ihren Stolz zu widerstehen.«

»Danke. Das Letztere war vergleichsweise einfach. Ich wollte in diesem Stadium nicht wegwerfen, was ich zuvor mit soviel Mühe aufgebaut hatte. Es war einfach mein Pech, daß Sie aus dem Fenster schauten.«

»Seien Sie unbesorgt, das Geheimnis ist bei mir sicher verwahrt.« Markow zündete die ausgegangene Pfeife wie der an. »Haben Sie auch ein Wiedersehen mit ihr verabredet?«

»Wie die Dinge liegen, hat es nicht viel Sinn, es zu leugnen.«

»Wissen Sie, Sie haben mich überrascht. Nicht durch Ihr Abenteuer, sondern durch Ihr Verhalten danach.«

»Ich wundere mich selbst. Aber was das angeht, habe ich einen Zug niederträchtiger Verschlagenheit, der mir immer dann zu Hilfe kommt, wenn ich ihn wirklich brauche.«

Wieder starrte Theodor Markow seinen Gesprächspartner an. »Sie sind ein interessanter Bursche, Alexander. Ich würde mich gern einmal in Ruhe mit Ihnen unterhalten. Das Dumme ist, daß ich nichts habe, wohin ich sie einladen könnte. Mein Quartier ist abscheulich. Es gibt näher als Oxford kein ordentliches Restaurant ...«

»Ich weiß. Ich habe die gleichen Schwierigkeiten, wenn ich ein Mädchen ausführen möchte.«

»Was das betrifft, so wäre ich nicht abgeneigt, mich um Ihre Schwester zu bemühen, wenn es einen Sinn hat.«

»Nina mag Sie – ich kenne diesen Blick von ihr.«

»Und Sie würden es billigen?«

»Natürlich billige ich es! Meine kleine Schwester und Sie – ein neuer Freund, der mir schon wie ein alter Freund vorkommt. Mir ist gerade eine Idee gekommen. Würde es Ihnen gefallen, abends einmal zum Essen in unsere Offiziersmesse zu kommen?« Als er den anderen zögern sah, fuhr er fort: »Ich kann Sie abholen und zurückbringen lassen, sollte das ein Problem sein.«

»Oh ... danke, auch für die Einladung ... Ich wußte nicht, daß Zivilisten in Offiziersmessen als Gäste zugelassen sind.«

»Das stimmt insofern, als die Regimentsmesse ziemlich sakrosankt ist, mit Ausnahme eines gelegentlichen Würdenträgers aus London oder Moskau, aber unter der Woche essen wir bei der Schwadron, nur ein halbes Dutzend von uns. Es könnte Ihnen gefallen, denn das Essen ist nicht schlecht, und anschließend können wir tun und lassen, was wir wollen; das wird mehr oder weniger erwartet. Freilich sind die Dienstbefehle für die nächste Woche noch nicht ausgegeben worden ... würde morgen abend zu früh sein? Ich könnte Sie wegen der Einzelheiten bei der Kommission anrufen.«

Kurz darauf kamen Nina und Elizabeth in den Raum zurück, die letztere nun im Besitz aller relevanten Tatsachen über die neuen Kleider. Beide betrachteten die jungen Männer mit unbestimmtem aber scharfem Argwohn. Nina sagte, sie sollten alle wieder in den Salon hinuntergehen.

»Ich sollte mich überhaupt verabschieden«, sagte Theodor Markow.

»Nicht bevor Sie uns etwas gespielt haben«, sagte Nina.

»Lieber Gott, ich dachte, ich würde daran vorbeikommen.«

»Wer sich vor Nina zu etwas verpflichtet, kommt nicht daran vorbei«, sagte ihr Bruder.

»Das ist eine Eigentümlichkeit der Familie«, sagte Elizabeth.

Als Frau Tabidze ihn eine Stunde zuvor am Eßtisch um die Weinbrandkaraffe gebeten hatte, war Alexander sehr geneigt gewesen, den gesamten Inhalt der Karaffe über sie zu schütten, und sie dann womöglich anzuzünden. Nicht, daß er es ihr übelgenommen hätte, weil sie ihn einen Gelbschnabel genannt hatte (sie war nach seinem Dafürhalten viel zu alt und zu häßlich, als daß es ihn gekümmert hätte, wie sie über ihn dachte); das in ihm wachgerufene Gefühl war, wenngleich heftig, sehr viel unpersönlicher. Der Augenblick kam ihm jetzt wieder ins Gedächtnis, weil der letzte Teil des Dialogs die gleiche Feindseligkeit hervorgerufen hatte, mochte er auch selbst dazu beigetragen haben. Was war es, das er so verdrießlich fand? Hatte es mit Stil zu tun, mit Absicht, mit dem Gedanken, dem Leben entzogen und in eine ... eine komische Geschichte hineingestopft zu werden? Ein Gesellschaftsspiel? Aber warum sollte das wichtig sein? Zum ersten Mal in seinem Leben wünschte Alexander sich aufrichtig mehr Wissen und besseres Denkvermögen.

Im Salon war das Kartenspiel gerade zu Ende gegangen. Korotschenko und Frau Tabidze teilten sich die Einnahmen mit Gewinn von ungefähr 10000 Pfund für jeden, genug für eine Flasche Spirituosen von guter Qualität und eine Fünferpackung Zigaretten. Zu Alexanders großer Überraschung befanden seine Mutter und Frau Korotschenko sich in lebhafter Unterhaltung; vielleicht hatte sein improvisiertes Geschwätz über Schüchternheit in einer größeren Gesellschaft zufällig in die Nähe des Schwarzen getroffen. Nina klatschte in die Hände, um die allgemeine Aufmerksamkeit zu gewinnen und verkündete, daß Herr Markow einige der englischen Lieder spielen und singen werde, die er im Laufe seiner Forschungstätigkeit für die Kulturkommission kennengelernt habe.

Theodor brachte pflichtschuldig eine Darbietung von einem halben Dutzend Stücken zu Gehör, die alle kurz waren, unter zwei Minuten. Er zeigte sich im Besitz von genug oder mehr als genug spielerischer Technik und Phantasie für die täuschend einfachen Stücke und hatte dazu eine angenehme Baritonstimme. Wie der Zufall es wollte, war das Klavier von Feuchtigkeit freigeblieben und nicht allzu grotesk verstimmt. Von denen, die überhaupt bemerkten, daß es verstimmt war (beide Korotschenkows waren ohne musikalisches Gehör), sahen einige, wie Nina, darin eine reizvolle Kongruenz mit der fremdartigen Musik, während andere, wie Elizabeth, argwöhnten, daß Markow irgendwie die Tonlagen verzerre, um größere Wirkung zu erzielen. Alle Lieder wurden gut aufgenommen, und man war sich einig in dem Urteil, daß das letzte der Serie das Beste gewesen sei. Obwohl die Struktur auch hier einfach war und aus zwei verwandten Stimmführungen bestand, die einander begleiteten und jede einmal wiederholt wurden, gelang es Theodor, eine Mischung von Lebhaftigkeit und Melancholie in die Musik zu bringen, die sie diesem russischen Publikum bei aller Unvertrautheit des Ausdrucks wiedererkennbar machte. Beifallsrufe und Applaus folgten dem letzten triumphalen Akkord.

»Sehr erfreulich«, sagte Frau Tabidze. »Aber könnten Sie diese Lieder ein wenig erklären, Herr Markow? Ich fürchte, mein Englisch ist weit davon entfernt, was es sein sollte. Was bedeutet: *locked 'em in the Old Kent Road?«*

»Tatsächlich heißt es knocked 'em ... Also schlug sie oder warf sie um. Die Texte sind mehr oder weniger obskur, bestehen weithin aus Slang oder, genauer gesagt: Argot. Meine Theorie ... aber sicherlich möchten Sie nicht, daß ich Ihnen zu dieser späten Stunde meine Theorie darlege.«

Seine Zuhörer versicherten ihm, daß ihnen nichts lieber wäre.

»Der Komponist und Textdichter war ein gewisser Albert Chevalier. Nun war die französische Gemeinde in London niemals sehr groß; sie war hauptsächlich auf das Lebensmittel- und Gastgewerbe beschränkt. Aber diese Gemeinde scheint einen starken inneren Zusammenhalt gehabt zu haben und wurde niemals von den traditionell fremdenfeindlichen Engländern assimiliert. Ich halte dies für ein Trotz oder Hohnlied, eine Bekräftigung französischen Stolzes und französischer Unabhängigkeit im Herzen eines fremden Landes, in der historischen, durch und durch englischen Landstraße nach Kent.«

»Aber es ist ein englisches Lied«, sagte Elizabeth.

»Es wurde eins. Die Engländer haben große Teile ihrer Kultur zu allen Zeiten importiert oder im Laufe längerer Prozesse übernommen, bis zum Ende. Während des Vaterländischen Krieges von 1941 bis 1945, als sie und die Hitlerdeutschen einander für einige Zeit mit erbitterter Feindseligkeit bekämpften, einer Feindseligkeit, die, wie Sie alle wissen, mehr als einmal zu bewaffneten Auseinandersetzungen wie den beiderseitigen Bombardierungen und dem Überfall auf Dieppe führten, übernahmen und übersetzten die Engländer ein deutsches Lied mit dem Titel ›Lilli Marleen‹. Auch aus musikalischer Sicht kann das Lied, das ich soeben vorgetragen habe, niemals in England entstanden sein.«

»Faszinierend«, sagte Nina.

Als die Gäste gingen, hielt Alexander vergebens nach einem Signal von Frau Korotschenko Ausschau, das ihre Verabredung für den folgenden Dienstag bestätigte, doch wußte er bereits genug über Frauen, um wegen dieser Unterlassung nicht niedergeschlagen zu sein. Er war müde und schläfrig und dennoch verlangte ihn nicht nach Schlaf, wenigstens redete er sich das ein. Sollte er ein letztes Glas Wein trinken? Außerstande, sich Argumente für oder gegen den Vorschlag auszudenken, kehrte er nichtsdestoweniger in den Salon zurück, der das desolate Aussehen aller unlängst von den Festgästen verlassenen Räumlichkeiten aufwies. Während er geistesabwesend eine geöffnete Flasche anblickte, kam sein Vater herein.

»Ah, da bist du ja, mein Junge. Mußt du morgen früh fort?«

»Nicht besonders früh, Papa.«

»Der Beauftragte Mets hat sich zum Frühstück angesagt, um über allgemeine Fragen der Politik zu sprechen. Ich dachte, es könnte dich interessieren, auch dabei zu sein.«

»Hast du dabei an etwas Bestimmtes gedacht?«

»Der Beauftragte könnte interessiert sein, deine Ansichten zu dieser oder jener Frage zu hören; du kennst manche Probleme besser als ich. Es war nur ein Gedanke.«

»Ein sehr netter. Ich werde gern kommen.«

»Ausgezeichnet. Acht Uhr. Versuch pünktlich zu sein! Ach ja – Alexander ...«

»Ja, Papa?«

»Du und Frau Korotschenko und euer Spaziergang im Park. Ich nehme an, du hast es getan, eh?«

Alexander hatte volle zehn Sekunden Vorwarnung gehabt, als die Frage kam, genug, um zu überlegen. Es hatte keinen Sinn, seinen Vater zu schockieren, der allerdings so weit entfernt schien von der Vorstellung schockiert zu sein, daß es seltsam wäre, wenn er von der Tatsache schockiert sein würde, während nach seiner früheren Erscheinungsform, nämlich der eines gewissermaßen liberalen Puritaners, ein gewisser Schock, wenn auch nicht durch Vorwürfe verstärkt, zu erwarten war. Das ließ die Waagschalen ungefähr ausgeglichen; den Ausschlag gab der Gedanke, daß es zu spät am Abend sei, um eine weitere ausgeklügelte Übung in Verstellung vorzuführen, besonders da es sich um eine solch triviale Angelegenheit handelte. Und es mochte eine Zeit kommen, da die väterliche Kenntnis von Bedeutung sein würde. Da er außerdem zusätzlich Meriten für mutmaßliche furchtlose Aufrichtigkeit gewinnen konnte, sagte er: »Ja.«

Petrowsky brach in ein gewaltiges Gelächter aus. »Ich wußte es! Du junger Teufel!«

»Woher wußtest du es, Papa?«

»Weil ich dich kenne, das genügt. Man stelle sich vor! Ich versuchte den alten Tabidze zu einer Wette zu überreden, aber er wollte sie nicht annehmen.«

»Was sagtest du zu ihm? Wie drücktest du es aus?«

»Wie ich es ausdrückte? Ich sagte bloß zu ihm, natürlich außer Korotschenkos Hörweite: ›Was willst du wetten, Nikola, daß in diesem Augenblick draußen nicht ein bißchen Geknutsche vor sich geht?‹, und wie ich sage, er wollte die Wette nicht annehmen. Er sagte: ›Ich würde keine zehn Pfund darauf setzen, daß dieser Schlingel nichts in der erwähnten Richtung unternimmt.‹ Du siehst, er kennt dich auch.«

Nun war es an Alexander, seiner Heiterkeit Luft zu machen, und sein Vater stimmte in das Gelächter ein. So nahm es noch eine Weile seinen Fortgang, und sie amüsierten sich wie in einem Spiel.

Sie lachten viel in diesem Haus.

VIER

Kurz vor acht Uhr am folgenden Morgen rollte ein großer blauer Motorwagen auf der grob geschotterten, von jungen Ulmen gesäumten Zufahrt durch den Park. Das Geräusch seiner Annäherung lockte die Kinder aus den ehemaligen Gesindehäusern, die heute von untergeordneten Funktionären der Distriktsverwaltung bewohnt wurden; sie kamen zur Straße gerannt, um das Ungetüm vorbeifahren zu sehen, wie ihre Ururgroßeltern es im gleichen Alter getan hatten. Der Passagier dieses Fahrzeuges konnte nur eine bedeutende Persönlichkeit sein.

Der Beauftragte Michael Mets war eine solche, obgleich die Bezeichnung ihn eher in Verlegenheit gebracht haben würde. Er war vierzig Jahre alt, kräftig und aktiv, mit einer schmalen Nase und wachen braunen Augen hinter den Brillengläsern. Neben ihm lag eine Aktentasche aus braunem Kunstleder. Es gab noch einen zweiten Passagier: auf dem Klappsitz diagonal gegenüber von Mets saß ein junger Soldat in Uniform mit einer Pistolentasche am Koppel. Die Waffe war nicht geladen; die ursprünglich notwendige Verordnung über bewaffnete Eskorten für alle Würdenträger war auch in einer Zeit beibehalten worden, als die anstrengendsten Pflichten solcher Leibwächter sich auf das Tragen von Paketen beschränkten.

Der Wagen durchfuhr eine Linkskurve, erreichte den Hof unter der Westfront der Residenz des Verwaltungschefs und hielt vor der Freitreppe. Mets stieg aus und ließ seinen Blick über die Fassade schweifen, während er seine kurze, von einem Gürtel zusammengehaltene Jacke geradezog und seine Mütze zurechtrückte. Zwischen den Voluten des Giebels befand sich eine Schrift aus Reliefbuchstaben, etwas verwittert aber noch lesbar. »Hora e sempre«, las er laut. Vermutlich altes Italienisch, das »Jetzt und immer« bedeutete. Es sei denn, das zweite Wort trüge einen Akzent, dann würde sie »Jetzt ist immer« lauten. Er trat einige Schritte zurück, um besser zu sehen, konnte die Frage jedoch nicht klären. Jedenfalls hätte er es wissen sollen, dachte er bei sich, genauso wie er hätte wissen sollen, ob die Löwenfiguren auf dem Dachgesims alte Steinmetzarbeit oder Serienarbeiten aus Gußstein waren.

Der Chauffeur hatte den Rolls im Schatten abgestellt, da es in der Sonne bereits recht heiß war, und kam mit dem uniformierten Leibwächter über den Vorplatz zu Mets, den sie vor der Eingangstür erreichten. Der weißhaarige, braunlivrierte Butler ließ sie ein, führte Mets ins Speisezimmer und wies den beiden anderen den Weg zur Küche. Wenige Augenblicke später kam Alexander leise summend und an Frau Korotschenko denkend die Treppe herunter. Seine Gedanken an sie erfuhren eine jähe Verstärkung, als er den rehbraunen, hüllenähnlichen Gegenstand in der Hand eines vorbeigehenden Dienstmädchens bemerkte.

»Wo haben Sie das gefunden?«

»Einer der englischen Gärtner brachte es, euer Gnaden«, sagte das Mädchen erschrocken. »Er sagte, er habe es auf dem Rasen gefunden.«

»Und wohin bringen Sie es?«

»Zu Ihrer verehrten Mutter, Herr. Sie weiß vielleicht, wem es gehört.«

»Geben Sie her!«

Er riß ihr das Ding aus der Hand, lief die Treppe wieder hinauf und stopfte das verräterische Kleidungsstück in eine Schublade zwischen seine Krawatten und Halsbinden. Gott im Himmel, sagte er sich, als er ein zweites Mal die Treppe hinabeilte, wie konnte die Schnalle es vergessen haben, zu der Zeit und danach? Wie konnte sie es übersehen haben? Das Mondlicht war mehr als hell genug gewesen. Und warum hatte sonst niemand seine Abwesenheit bemerkt? Frauen hatten einen scharfen Blick für die Kleidung ihrer Geschlechtsgenossinnen. Hatte sie das Ding absichtlich zurückgelassen? Und warum? Solche Spekulationen und wohin sie führten, beeinträchtigten die vollkommene Haltung, mit der er dem Beauftragten hatte gegenübertreten wollen; doch war er in diesen Angelegenheiten selbst sein bei weitem strengster Kritiker.

»Seien Sie gegrüßt«, sagte Mets, als sie bekanntgemacht wurden.

»Es ist eine Ehre, Ihre Bekanntschaft zu machen«, versetzte Alexander prompt und bemerkte mit Befriedigung die kleinen Zeichen von Billigung und gelinder Überraschung hinter den Brillengläsern des anderen.

»Dieser Bursche weiß mehr über die Engländer als die meisten anderen außerhalb der Kommission«, sagte Petrowsky.

»Und mehr als viele Leute in der Kommission, denke ich, mich selbst mit meinem jämmerlichen Dienstjahr im Feld nicht ausgenommen«, sagte Mets freundlich und fuhr ohne Pause fort: »Dies ist eine vertrauliche Zusammenkunft, weshalb ich Ihren Vater fragte, ob wir sie hier statt in einem unserer Büros führen könnten. Ich habe einiges zu sagen, was ich meinem Stab vorenthalten möchte.«

»Ich verstehe.«

»Was wissen Sie über unsere Arbeit?«

»Ich habe nur ein ungenaues, allgemeines Bild.« Alexander hatte sich zu Leber, Spiegeleiern und Bier verholfen und sich zur Linken seines Vaters niedergesetzt, dem Besucher gegenüber.

»In diesem Fall wird es wahrscheinlich praktischer sein, wenn ich Ihre völlige Unwissenheit voraussetze und von da ausgehe, aber bevor ich damit anfange, muß ich diesem appetitlichen Imbiß Gerechtigkeit widerfahren lassen. Entschuldigen Sie mich.«

Und er machte sich über das Frühstück her. Petrowsky überflog beim Essen ein Dokument, das zweifellos von Mets mitgebracht worden war; Alexander blickte in eine Zeitung. Die Energieerzeugung war gesteigert worden. Ein Staatssekretär für das Kommunikationswesen war aus Gesundheitsrücksichten zurückgetreten. Der Ministerpräsident von

Kuba besuchte den Ministerpräsidenten von Südafrika. Überall in der Welt herrschte Ruhe: niemand wurde überfallen, massakriert, in den Urwald getrieben, von Guerillas oder Terroristen geplagt, deportiert, am Reisen gehindert oder beschossen, es sei denn in Fällen, die mit der Verbrechensbekämpfung zu tun hatten, und seit der Einführung fortgeschrittener Techniken der Ermittlung und Bestrafung war die Zahl der Kriminellen stark zurückgegangen. Langeweile und Trübsinn überkamen ihn wie ein Schwall heißer Luft. Da saß er in diesem widersinnigen bequem und reich möblierten Raum neben diesen beiden wichtigtuerischen Einfaltspinseln mit dem angenommenen Ziel, Ratschläge über einen Gegenstand zu erteilen, über den er wenig wußte und der ihm herzlich gleichgültig war. Wütend kaute er sein Essen, als zerstöre er einen Feind.

Mets' Kautechnik war praktischer: er leerte seinen Teller mit einer Geschwindigkeit und Effizienz, die charakteristisch für die Art und Weise sein mochte, wie er seine Arbeit erledigte. Als er fertig war, beantwortete er ein paar Fragen, die Petrowsky im Zusammenhang mit dem Dokument stellte, und sagte dann in seiner präzisen Aussprache:

»Soll ich anfangen? Ich fürchte leider, lieber Petrowsky, daß Sie sich über einige meiner Ausführungen schrecklich langweilen werden. Darum will ich mich so kurz wie möglich fassen.«

»Ich habe in letzter Zeit die Entdeckung gemacht, daß ich manches nicht oft genug hören kann«, erwiderte Petrowsky lächelnd.

»Sie sind sehr höflich. Nun, die neu Kulturpolitik für England wurde vor neun Jahren zuerst formuliert, obwohl sie tatsächlich schon früher begonnen hatte. Schon im ersten Jahrzehnt des Jahrhunderts begann man in Moskau wie in London zu spüren, daß das Entnationalisierungsprogramm, obgleich es seinerzeit aus guten und für jedermann einsichtigen Gründen eingeführt worden war, unnötig und sogar zu einem Hemmnis wurde. Der erste praktische Schritt, in der Gestalt der regionalen Wiederaufforstungspläne, ließ noch einige Zeit auf sich warten, und die NKPE schleppte sich dahin; Entnationalisierung kann niemals eine kurzfristige Angelegenheit sein. Die Forstleute und Landschaftsplaner haben das Jahr 2100 als Endtermin für die vollständige Wiederherstellung der englischen Landschaft anvisiert, und unter uns gesagt, sehe ich diesen Zeitpunkt auch als das Zieldatum für die englische Kultur an, mag es auch offiziell bei 2060 liegen.

Naturgemäß gibt es eine Anzahl von Etappenzielen, deren nächstes schon recht bald erreicht sein wird, am 15. September, um genau zu sein. Unser Festival, wovon Sie bereits gehört haben, wie ich sehe, Fähnrich Petrowsky. Vielleicht sollte ich erklären, daß es in zweierlei Hinsicht ›unser‹ Festival ist. Es ist eine nationale Angelegenheit, die wir vom NKPE geplant und in die einzelnen Distrikte dezentralisiert haben: jeder von uns wird sein eigenes Programm mit örtlichem Material gestalten. Wir in Northampton sehen unser Festival nicht als eine glanzvolle Angelegenheit, da unsere Hilfsquellen sehr begrenzt sind, doch ist es gleichwohl ein bedeutsames Ereignis, das Aufmerksamkeit und Interesse finden wird; vor allem hoffen wir daraus zu lernen. Der Stand unserer Bereitschaft ist ... unterschiedlich. Ich sollte vielleicht erläutern, daß wir sechs Hauptabschnitte haben: bildende Künste, Theater, Musik, Literatur, Religion sowie Architektur und Innendekoration, die zusammengefaßt werden. Die bildenden Künste befinden sich tatsächlich in einem sehr befriedigenden Zustand: wir haben annähernd achthundert Gemälde und andere Kunstgegenstände gesammelt, von denen viele als verdienstvoll angesehen werden können, wir haben Einrichtungen zum Rahmen und Befestigen, und vor allem werden wir rechtzeitig fertig sein. Was die Musik angeht, so haben wir sogar einen Überfluß daran: eine überraschende Zahl von Tonbändern ist ans Licht gekommen, und eine ganze Anzahl der alten Platten – ja, nach all der Zeit. Selbstverständlich werden wir uns unserer eigenen Interpreten bedienen, aber das wird bei der Instrumentalmusik ohne sonderliche Bedeutung sein, da die klassische Musik ebenso wie die von der Popgruppenszene herausgebrachte Musik ein internationales Phänomen war. Schwierig wird es nur im Bereich der eigentlichen Volksmusik, und dort haben wir einige bemerkenswerte Rekonstruktionen, die vornehmlich das Werk eines hervorragenden jungen Fachmannes in der Abteilung sind, eines gewissen Theodor Markow.«

»Wie der Zufall spielt, war er gestern abend zum Essen bei uns«, sagte Petrowsky.

»Welch eine Überraschung! Was halten Sie von ihm?«

»Ich war sehr günstig beeindruckt. Seine Belesenheit ist außerordentlich, und wenn seine Kollegen nur die Hälfte seines interpretatorischen Könnens zuwege bringen, können Sie sich gratulieren.«

»Freut mich, das von Ihnen zu hören«, sagte Mets, sobald er sich vergewissert hatte, daß die letzte Bemerkung frei von Ironie war. »Um den Faden wiederaufzunehmen, die Oper liegt gegenwärtig außerhalb unserer Möglichkeiten hier, aber das läßt sich verschmerzen. Bildende Kunst und Musik sind zureichend. Architektur und Innendekoration – da sieht es schlecht aus. Wir haben nicht annähernd das Geld und das Personal, was wir benötigen würden. Das Problem besteht darin, daß unsere Ziele von Leuten vorgegeben sind, die allzuweit von der Realität entfernt leben. Von Bürokraten. Die Abteilung hat ihr Bestes getan, aber vergebens. Ich erbitte daher Ihre formelle Zustimmung, diese Abteilung zu schließen, das geeignete Personal den anderen Abteilungen zuzuweisen und die übrigen nach Hause zu schicken.«

»Aber Sie sind Moskau verantwortlich, lieber Mets, nicht dem Distrikt.«

»In Disziplinarfragen unterstehen wir Ihnen als Chef der Distriktsverwaltung. Die Schließung einer Abteilung könnte als Schädigung des Ansehens und Mißachtung der Kompetenzen der Aufsichtsbehörde ausgelegt werden.«

»Ja, theoretisch wäre das möglich. Und noch vor zehn Jahren, als ich hier anfing, hätte ich solche Erwägungen in

Betracht ziehen müssen, aber heute nicht mehr. Es spielt heutzutage keine Rolle, was die Engländer von uns denken.«

»Dann darf ich annehmen, daß die Erlaubnis gewährt ist?«

»Ja, ja.«

»Ich danke Ihnen ... Nun, zwei der verbleibenden drei Abteilungen, Theater und Literatur, machen gleichmäßige Fortschritte. Ich bin nur ein wenig in Sorge, daß gleichmäßig in der verbleibenden Zeit nicht ganz ausreichen wird, da wir so weit zurück anfangen mußten. Unsere Erwartungen waren nicht hoch, berücksichtigt man, daß Gegenstände dieser Art in den Schulen nicht gelehrt werden, aber schließlich ist die Analphabetenquote auf 69 Prozent gesunken, und man sollte meinen, daß durch Überlieferung dies und das bewahrt worden sei. Unsere Lehrer mußten ihnen jedes zweite Wort erklären. Nun wäre das bei einem mehr als vier Jahrhunderte alten Theaterstück nicht überraschend, aber angesichts der Aufzeichnung ...« der Beauftragte sah in seinen Papieren nach –« aus den 50er Jahren des vergangenen Jahrhunderts und der vergleichsweise neuen Sekundärliteratur scheint das doch ziemlich seltsam. Immerhin vertraue ich unseren Leuten, die Engländer sind lernwillig und nicht dumm, und wir machen respektable Fortschritte. Gute Gründe, Hoffnung zu zeigen.

Auf dem Gebiet der Religion sind die Reaktionen schwach und gering an Zahl. Als wir uns ein erstes Mal mit dem Ersuchen um die leihweise Überlassung von Dokumenten und anderem Material zur Liturgie an die Bevölkerung wandten, um zu rekonstruieren, wie der Gottesdienst wirklich ausgestaltet wurde, nicht nur, was gesprochen und gesungen wurde, war die Reaktion gering. Ich erwartete damals, daß sie im weiteren Verlauf zunehmen würde, aber das war ein Irrtum. Sie verlor sich bald ganz, auf nichts und niemand. Da bekannt ist, daß Religion den meisten Engländern in früherer Zeit wenig oder nichts bedeutete, bin ich sehr daran interessiert, die Gründe in Erfahrung zu bringen.«

Das Stillschweigen trat gerade rechtzeitig ein, um Alexander daran zu hindern, daß er sich entschuldigte und den Raum verließ. Wie die Dinge lagen, zog er die Brauen zusammen und stellte eine nachdenkliche, beunruhigte Miene zur Schau. Nach einigen Augenblicken sagte er mit leiser Stimme:

»Darf ich einen Vorschlag machen, Papa?«

»Bitte.«

»Sie werden selbst daran gedacht und die Überlegung vielleicht als wenig wahrscheinlich abgetan haben; ich meine Vorkriegseinflüsse.« Unter einem ›Vorkrieg‹ verstand man nicht gerade logisch, aber praktisch und allgemein, ein Mitglied der einheimischen Bevölkerung, das früh genug geboren war, um einen klaren und einigermaßen vollständigen Eindruck davon erworben zu haben, wie das englische Leben in den Jahren vor der Pazifizierung gewesen war.

»Genau das ist der Fall«, sagte Mets mit ungezwungenem Lächeln. »Die jüngsten Leute dieser Gruppe sind jetzt Anfang sechzig, und natürlich ist die Gruppe als Ganzes nicht groß. Meinen Sie, daß sie genug Einfluß haben könnte, um Christen oder potentielle Christen oder ehemalige Christen davon abzuhalten, daß sie auf unsere Aufrufe antworten?«

»Ihr Einfluß ist sicherlich groß genug, um das zu bewirken. Und es sollte nicht allzu schwierig sein, die Vermutung, daß solche Einflüsse in diesem Fall wirksam geworden sind, zu bestätigen. Sie müssen wissen, ich bin mit meinem Vater nicht darin einig, daß es gleichgültig sei, was die Einheimischen von uns denken.«

»Aber für etwas, das vor fünfzig Jahren geschehen ist ...«

»Und für etwas anderes, was seit fünfzig Jahren vorgeht. Ich bin hier aufgewachsen, wenn ich das hier erwähnen darf. Diese alten Leute würden alles tun, um uns einen Knüppel zwischen die Beine zu werfen und unsere Wünsche und Vorhaben zunichte zu machen, Papa.«

»Aber warum?« beharrte Mets, »gibt es keine ähnliche

Bewegung zum Boykott der Theater- und Literaturprojekte, wenn diese Obstruktionstheorie richtig ist?«

»Das weiß ich nicht. Vielleicht spüren sie, daß sie ihre Anstrengungen konzentrieren müssen.«

»Oder vielleicht ...« Petrowskys Augen, manchmal und jetzt auch wieder von einem tieferen Blau als die seines Sohnes, hatten die gleiche Technik, plötzlich gleichgültig zu blicken, »vielleicht sind in religiösen Fragen echt Religiöse mit im Spiel. Vielleicht wollen sie uns damit sagen: ›Tut mit unserer Literatur, unserem Theater und unserer Musik, was euch gefällt; wir helfen euch sogar dabei, warum nicht? Aber unser protestantischer Glaube ist etwas anderes; wenn ihr euch da einmischen wollt, erwartet nicht von uns, daß wir mitmachen.‹ Die Engländer sind ein stolzes Volk, und sie haben für das, woran sie glaubten, oft bis zum Tode gekämpft.«

»In früheren Zeiten«, erwiderte Mets, »als alle anderen das gleiche taten.« In nachdenklicherem Ton fuhr er fort: »Und die Auswirkungen dieser letzten fünfzig Jahre werden sicherlich ...«

»Das ist in der Geschichte einer Religion keine lange Zeit, lieber Mets. Noch heute gibt es in Rußland Baptisten.«

»Einige, aber wenn sie sich in einer ähnlichen Situation befinden wie die Anhänger der anglikanischen Kirche zur Zeit ihrer Unterdrückung, so hat das andere Gründe. Sie, die Anglikaner, sind seit langem von den Kräften der Aufklärung bedrängt, von innen wie von außen. Bekanntlich waren sie schon zur Zeit unserer Großeltern im Niedergang begriffen, sowohl was die Zahl der Gläubigen als auch was den Inhalt ihrer abergläubischen Vorstellung betrifft: die meisten von ihnen lebten zugleich in einer laizistischen, wissenschaftlichen oder halbwissenschaftlichen Vorstellungswelt, selbst der Klerus und nicht zuletzt der höhere Klerus, und der Rest der Gläubigen war zu demoralisiert, um sie nicht zu dulden. Die Unterdrückung beschleunigte nur das Unausweichliche. Es scheint mir nicht wahrscheinlich, daß es heutzutage ...«

Petrowsky hatte dieser Wiederholung bereits vertrauter Gedankengänge mit unmerklicher Ungeduld zugehört. Nun unterbrach er den anderen. »Mein lieber Mets, sind wir da nicht in Gefahr, unserer eigenen Propaganda zu glauben?«

»Möglicherweise«, sagte Mets. Er war solche Bekundungen eines, wie er es genannt haben würde, Salonliberalismus gewohnt, nicht nur von seiten des Verwaltungschefs, hatte aber weniger Geschicklichkeit erworben als der andere, seine Gefühle zu verbergen. Mit einer beinahe heftigen Bewegung wandte er sich zu Alexander. »Was ist Ihre Ansicht, Fähnrich?«

Der Befragte war in der unangenehmen Lage, daß er weder seinem Vater noch Mets zustimmen wollte, dabei aber vermeiden mußte, unwissend oder gleichgültig zu erscheinen. »Das religiöse Gefühl ist da«, improvisierte er matt, »aber seine Kraft dürfte schwierig einzuschätzen sein. Wir haben keine anderen Erkenntnisse, nach denen wir urteilen könnten.«

»Danke«, sagte Mets. »Nun, kehren wir zu den Tatsachen zurück. Eine, die ich bedeutsam finde, ist, daß kein einziger der früheren Geistlichen, an die ich mich um Unterstützung der Religionsabteilung wendete, meinen Brief beantwortet hat. Nicht einer! Das muß verabredetes Handeln sein, zu welchem Zweck, bleibe dahingestellt. Die zweite Erlaubnis, die ich heute einholen möchte, betrifft die Vorladung einiger von diesen Exgeistlichen zu einem Gespräch.«

»Und die Anwendung von Druck«, sagte Petrowsky.

»Wenn nötig. Besser ich, als ein anderer.«

»Auf jeden Fall besser Sie, als der andere, an den wir beide denken. Oder sein Stellvertreter, nach allem, was ich von ihm gesehen habe. Aber ich habe einen Vorschlag, lieber Freund. Eine Vorladung von Ihnen würde notwendigerweise offiziellen und verpflichtenden Charakter haben und die Betreffenden warnen. Wie wäre es aber mit dem Besuch einer Person, die äußerlich in keinem Zusammenhang mit Ihnen steht und als unverdächtig angesehen würde? Ein solches Vorgehen auf Agentenbasis könnte wertvolle Erkenntnisse bringen.«

»Vielleicht.« Mets bemühte sich, für die Ablehnung dieses Vorschlages einen anderen Grund als den zu finden, daß ihm die Aussicht mißfiel, etwas von seiner Macht aufzugeben, wenn auch nur vorübergehend. »Was Sie vorschlagen, ist allerdings ... ah ... regelwidrig.«

»Genau. Darin liegt der Vorteil.«

»Ein solcher Besuch würde bald erfolgen müssen. Unsere Zeit wird knapp.«

»Wann könntest du es tun, Alexander?«

»Tut mir leid, ich war geistesabwesend, weil ich versuchte, mir etwas ins Gedächtnis zurückzurufen, was ein Geistlicher mir kürzlich sagte.«

Der Gedanke, ausgelöst durch die Anspielung auf Korotschenko, hatte tatsächlich dessen Frau zum Gegenstand gehabt und war von solcher Intensität gewesen, daß er seinen Denker veranlaßte, den Stuhl näher an den Tisch heranzurücken. Ein Teil des restlichen Vormittags war damit vorherbestimmt.

»Ich dachte, es könnte nützlich sein, wenn du den einen oder den anderen dieser alten Knaben aufsuchen würdest, natürlich in Zivil, um die Einstellungen und Meinungen auszuforschen. Anschließend hättest du beim Beauftragten Mets Bericht zu erstatten.«

»Gern. Und was den Zeitpunkt anbelangt, heute schon vielleicht, ganz gewiß aber morgen.«

»Ausgezeichnet, ich bin Ihnen sehr dankbar«, sagte Mets, ganz warm und leutselig, nachdem Widerstand sinnlos geworden war. Er zog eine Liste mit Namen und Anschriften aus seiner Aktentasche, und Alexander notierte einige Namen daraus, darunter einen, mit dessen Träger er gut bekannt zu sein behauptete. Mets drückte seine Dankbarkeit zu diesem Beitrag aus.

»Darf ich noch einen machen?« fragte Alexander. »Oder vielmehr zwei? Der erste ist bloß eine Frage. Wäre es nicht zweckmäßig gewesen, die Neue Politik mit dem Sportfest einzuweihen, statt mit bildender Kunst, Literatur und anderen anspruchsvollen Dingen? Bei der Bevölkerung wäre es weitaus beliebter.«

»Und unendlich viel blutiger«, sagte Mets mit ernstem Kopfschütteln. »Parteienkämpfe beim Fußball und Rassenunruhen beim Cricket.«

»Alle Vorkrieger, die ich kenne, behaupten, dies alles sei stark übertrieben.«

»Nun, von denen ist nichts anderes zu erwarten. Aber ich habe in der Angelegenheit ohnedies nicht zu entscheiden.«

»Mein anderer Beitrag ist eine weitere Frage. Meinen Sie nicht, Ihre Schwierigkeiten auf einigen Gebieten ließen sich verringern, wenn Sie es den Engländern überließen, die Angelegenheiten zu organisieren, statt das für sie zu tun? Gegenwärtig müssen sie den Eindruck haben, daß es unser Projekt sei, nicht ihres.«

»Ich sympathisiere mit dieser Überlegung, Fähnrich, und es ist auf längere Sicht unser Ziel, gegenwärtig aber können wir es den Engländern nicht überlassen, irgend etwas zu tun. Wir müssen gehen lernen, bevor wir laufen können.«

»Wie gut kenne ich diesen Ausdruck.« Alexander blickte zu seinem Vater, dessen Miene dem kundigen Auge leises Unbehagen verriet. »Kann man ihnen nicht wenigstens eine plausible Illusion geben, daß sie die Sache in der Hand hätten? Das würde es denjenigen erleichtern, die nach einem Vorwand suchen, um teilnehmen zu können.«

»Ein bedenkenswerter Gesichtspunkt«, sagte Mets, der seinen Bleistift zog und auf einen Notizblock schrieb. »Ich werde ihn im allgemeinen Zusammenhang berücksichtigen. Ich erneuere meinen Dank und wünsche Ihnen einen guten Tag.«

»Ich hoffe, wir sehen uns bald wieder, Herr Mets. – Bis später, Papa.«

In Mets Abschied war Höflichkeit, in seinem Händedruck und seinem Lächeln sogar ein Stück echter Herzlichkeit. Alexander lauschte in die zurückbleibende Stille, als er den Raum verließ und in den westlichen Korridor hinausging; er wußte, daß sein Vater darauf wartete, Mets zu fragen, ob er nicht fände, daß dieser Alexander ein famoser Bursche sei. Der alte Idiot! Wollte er nie zurückschlagen, wenn man ihn reizte? Aber voraus lagen wichtigere Sorgen als solche, die mit Vätern zusammenhingen, und Alexander vergaß die seinigen, kaum daß er die Türflügel zum Speisezimmer hinter sich geschlossen hatte.

FÜNF

Eine Viertelstunde später ritt Alexander auf der Stute Polly in einem gemächlichen Trab an der Stelle vorüber, wo er die Schafe gejagt hatte, ein Zwischenfall, der sich inzwischen aus seinem Bewußtsein verabschiedet hatte. Er hatte es eilig, aber sein Ziel würde nicht weglaufen; es war ein schöner Morgen, und in der Landschaft ringsum gab es viel zu sehen, wenn er sich nur bemühte, seine Aufmerksamkeit darauf zu konzentrieren. Dies aber erwies sich als schwierig; irgendwie war es immer schwierig. In diesem Fall waren es vielleicht die dumpfen Hufschläge, die gleichmäßig stoßenden Bewegungen des trabenden Tieres, der von keiner Wolke verdunkelte Sonnenschein, die seinem Blick die Schärfe nahmen, so daß er eher ziellos umherschweifte, statt bewußt aufzunehmen. Eine andere und gewohnheitsmäßige Zerstreutheit rührte von Unwissenheit her. Er konnte über Gras, Blume, Busch, Baum, Baumstumpf hinaus nichts im einzelnen benennen, nur die gröberen Merkmale drangen in sein Bewußtsein: ein Kanalabschnitt, hinter dessen Biegung gerade ein Treidelpferd hervorkam, eine große und breite Straße, die London und Birmingham verband und von kleineren Landstraßen über- und unterquert wurde und mit diesen außerdem durch ausgeklügelte Zufahrtssysteme verbunden war. Sein Blick fiel auf ein metallenes Zeichen, das weit jenseits aller Lesbarkeit abgeblättert und korrodiert war, aber noch immer Spuren blauer Farbe trug. Pferde- und Maultierfuhrwerke zogen auf der Hauptstraße dahin, und in der Ferne blitzte das Metall eines Motorwagens im Sonnenschein.

Der Pfad führte den Reiter zwischen reifenden Getreidefeldern dahin, Weizen auf einer Seite, wie er festgestellt haben würde, wenn er hingesehen hätte, Gerste auf der anderen, was ihm freilich verborgen geblieben wäre. Darauf folgten lange Reihen grüner Blattbüschel eines Rübengemüses, die von einem Mann mit einer Vorrichtung am Ende einer Stange bearbeitet wurden, und danach kam er zu einem Haus, bis auf das verfallene Ziegeldach ein annähernd würfelförmiges Ding aus Beton und zweierlei Sorten Ziegeln, die unregelmäßig in den Wänden verbaut waren, wie um die Andersartigkeit dieses Gebäudes gegenüber allen anderen zu betonen. Sollte dies wirklich die Absicht des Bauherrn gewesen sein, so wurde sie schon am nächsten, übernächsten und dem darauffolgenden Haus zuschanden. Bald ritt Alexander im Schritt zwischen einer Doppelreihe gleichartiger Häuser dieses Typs; ihnen schenkte er die Aufmerksamkeit, die er der schöneren Landschaft verweigert hatte, und es war Aufmerksamkeit der freundlichen Art. Die Häuser zeigten ihm, daß das Ende seines Rittes nahe war, und darüber hinaus wußte er, daß sie zu den letzten Häusern im Distrikt gehörten, die vor der Pazifizierung entstanden waren. Sie gemahnten ihn jedesmal an diese legendäre Zeit, und so betrachtete er sie mit Respekt, sogar ein wenig Ehrfurcht. Es gab niemanden, der ihm gesagt hätte, daß sie das Auge und den Geschmack beleidigten.

Die Hauptstraße des Dorfes war ganz anders. Sie enthielt viele der Einrichtungen, die einer solchen Straße mitten in England angemessen waren: ein Postamt, ein Lebensmittelgeschäft, einen Gemüseladen, eine Fleischerei, einen Bäkker, einen Friseur, einen Sattler, einen Zeitungshändler (obgleich die Neuigkeiten, die er lieferte, nur in zweierlei Formen kamen, russisch und in englischer Übersetzung), eine Bankfiliale, ein Gasthaus, ein kleines Kino, Dutzende von Wohnhäusern. Aber es gab keine Autowerkstatt, Tankstelle, Buchhandlung, Stehkneipe oder Kirche, noch irgendein Gebäude, das früher diesen Funktionen gedient haben mochte, denn der auffälligste Unterschied zwischen Zentrum und Außenbereich war der, daß nichts hier seit mehr als fünfzig Jahren stand. Die ursprüngliche Straße war zur Gänze zerstört worden, manche sagten, durch Feuer und an einem einzigen Tag, an welchem eine unbekannte Zahl von

Menschen den Tod fand, einige sagten, Russen sowohl als auch Engländer, Frauen ebenso wie Männer. Aber es war unmöglich, solche Aussagen mit irgendeiner Gewißheit zu machen, weil niemals ein englischer Überlebender gefunden worden war, noch ein englischer Zeuge jener Ereignisse; das Dorf war während der Pazifizierung ein russischer Militärposten gewesen, und seine Einwohner hatte man in benachbarte Dörfer evakuiert. Bald darauf hatten die Behörden den Ort (möglicherweise im Zuge einer Maßnahme, die zu den Ereignissen jenes Tages und der darauffolgenden Nacht in Beziehung stand) amtlich in New Kettering umgetauft, aber das hatte sich bei den Bewohnern der Gegend nicht durchgesetzt, und heute nannten selbst die Russen das Dorf Henshaw.

Die Straßendecke war im mittleren Teil bemerkenswert eben, was vor allem der sorgsamen Ausbesserung der zahlreichen Schlaglöcher mit Schutt und Kies zu verdanken war. Kränkliche junge Bäume, deren Stämme mit Maschendrahtumhüllungen geschützt waren, standen in Abständen von zwanzig Metern entlang den Straßenrändern. Die Gebäude, ein- bis zweistöckig und überwiegend aus Holz (es hatte damals reichlich Bauholz gegeben) waren Ergebnisse englischer Arbeit unter russischer Aufsicht und spiegelten nichts von den traditionellen Hausformen beider Länder wider. Sie waren schmal, mit den Giebelseiten der Straße zugekehrt, und hatten wenige kleine Fenster. Jene Architektenschule, die vor einem Jahrhundert verordnet hatte, daß eine allein an der Zweckmäßigkeit orientierte Bauweise zugleich schön sein müsse, wäre von den Ergebnissen solch zielbewußter Ablehnung des Überflüssigen vielleicht stark beeindruckt gewesen. Dunkle Grau- und Brauntöne herrschten vor, doch bildeten Ladenschilder und gestrichene Türrahmen da und dort hellere Farbtupfer.

Die Menschen, die man zu dieser Stunde sah, waren fast ausschließlich Frauen und allesamt in sehr ähnlicher Art gekleidet. Viele von ihnen standen Schlange vor dem Gemüseladen (wo es Kirschen und Beerenobst gab) und der Fleischerei (es war der Frischfleisch-Tag). Sie lächelten, begrüßten einander, tauschten Klatschgeschichten aus, lachten sogar. Das Wetter versprach wieder schön zu werden, Ehemänner und Söhne würden mit ihrem Mittagessen zufrieden sein, und allgemein waren die Verhältnisse nicht schlechter als letztes Jahr, es gab sogar Verbesserungen, deren jüngste die Einführung eines dritten Frischfleisch-Tages in der Woche war. Manche hatten die Alten von Streiks sprechen hören, nicht selten mit dem Zusatz, daß die Russen, was immer sie sonst getan, jedenfalls solchen Erscheinungen ein Ende gemacht hätten, und die Nachdenklicheren, welche sich aufrichtig um die Vorstellung bemühten, wie sie einen Streik durchstehen würden, verspürten ein tröstliches Wohlbehagen. Als Alexander durch das Dorf ritt, blickten viele der Bewohner zu ihm her. Ein Mann mittleren Alters berührte seine Hutkrempe, obwohl die Verordnung, welche dies vorschrieb, längst außer Kraft gesetzt war. Die Blicke der Menschen waren ohne Furcht, ohne Respekt, ohne Feindseligkeit, und nur ein offensichtliches Vorkriegspaar, Mann und Frau, kehrten ihm in ermatteter, welk gewordener Abneigung den Rücken.

Alexander kümmerte nichts davon; er lenkte sein Pferd eine kurze Seitengasse hinauf, an deren Ende ein etwas größeres und von den anderen Gebäuden isoliertes Haus stand. Man konnte mit einem Blick sehen, daß es älter war als die der Pazifizierung; tatsächlich entstammte es einer viel früheren Epoche, hatte rote Ziegelmauern, einen kleinen Vorgarten und zwischen Gartentor und Eingang einen gepflasterten Weg zwischen Ziegelsäulen, die ein mit weißen und blauen Blüten behangenes Spalier trugen. An den Rändern der kleinen Rasenflächen und unter den Fenstern des Hauses blühten mehr Blumen in verschiedenen Farben. Rechts neben der Haustür befand sich ein hölzernes Namensschild mit der Aufschrift *Dr. J. J. Wright, praktischer Arzt,* und die Sprechstunden unter der entsprechenden Inschrift in kyrillischen Buchstaben. Alexander überließ die Zügel einem zwölfjährigen Jungen, der ihm mit der Hoffnung auf eine kleine Belohnung von der Dorfstraße gefolgt war, und bediente energisch den Türklopfer aus Messing.

Sehr bald erschien ein ungefähr zwanzigjähriges Mädchen. Sie hatte blondes, von der Sonne strähnig gebleichtes Haar, funkelnde braune Augen mit grünlichen Flecken und rosige Gesichtsfarbe. Gemäß Ninas Vermutung hatte sie auch ein hübsches Paar Brüste. Sie sah sehr gesund aus und trug einen blauen Rock mit weißer Bluse.

»Liebling, wie schön, dich zu sehen!« sagte sie. »Ich hatte nicht erwartet, daß ...«

Weiter kam sie nicht, den Alexander war über die Schwelle in den kleinen Vorraum getreten, schloß sie in die Arme und begann sie mit konzentrierter Aufmerksamkeit zu küssen. Ihre gedämpften Geräusche verrieten, daß er es damit nicht bewenden ließ, und wandelten sich von sanfter zu akuter Überraschung und dann zu freudiger Erregung. Nach einer Weile ließ er von ihr ab.

»Ich liebe dich«, sagte er.

»Und ich liebe dich.«

Sie eilten die hölzerne Treppe hinauf und in ein niedriges Schlafzimmer im rückwärtigen Teil des Hauses, dessen Fenster den Blick auf Getreidefelder und eine große Nadelholzschonung freigab. Von diesem Ausblick war im Bett, wo Alexander dem blonden Mädchen sehr bald auf den Leib rückte, nichts zu sehen. Ihre Aktivitäten dauerten einige Zeit an, länger als sie erwartet hatte oder gewohnt war, nach ihren Reaktionen zu urteilen. Zuletzt sagte sie zärtlich:

»Du bist auf mich losgegangen, als ob du mich spalten wolltest. Was ist passiert?«

»Nichts, ich dachte bloß an dich, und du gingst mir nicht mehr aus dem Kopf. Wärst du nicht zu Hause gewesen, ich weiß nicht, was ich getan hätte.«

»Lieber Alexander.«

»Meine liebste, allerschönste Kitty.«

Russisch war das bei weitem bevorzugte Verständigungsmittel zwischen den beiden Sprachgemeinschaften; es wurde in allen Schulen gelehrt, und für die Beschäftigten der Verwaltungsbehörden gab es keinen Anreiz, die Sprache der unterworfenen Nation zu lernen. Eine Ausnahme machte lediglich die Sicherheitsabteilung unter Direktor Vanag. Dieser Stand der Dinge war ganz nach Alexanders Geschmack: er hatte keine Mühe gescheut, um in der Lage zu sein, das Englische akzentfrei zu sprechen oder dies zumindest so zu tun, daß es russischen Ohren so schien, und außerdem hatte er einige ziemlich komplizierte Redensarten der Begrüßung und anderer Umgangsformen sorgfältig ausgewählt und einstudiert, zusammen mit einigen nützlichen Artigkeiten wie denjenigen, die er soeben bei seiner Ankunft ausgesprochen und gehört hatte, aber im ganzen war sein Vokabular klein geblieben, und seine Fähigkeit, ein Gespräch zu führen, war noch geringer.

Im Augenblick war dies jedoch eine erträgliche Schwäche. Summend machte er sich daran, einige von den Körperteilen seiner Liebsten zu streicheln, um die er sich vorher in der Eile, unverzüglich ans Ziel zu kommen, nicht gekümmert hatte. Dabei überlegte er umnebelt, welch ein großer Vorteil hübscher Mädchen es sei, daß sie zu allen Zeiten und in jedem Stadium des Spiels attraktiv bleiben, darauf noch umnebelter, wie überaus zweckdienlich es sei, daß das, was Mädchen, ob hübsch oder nicht, am liebsten empfingen, genau damit übereinstimmte, was zu geben Männer am ehesten geneigt waren. Kitty ließ kleine Laute der Befriedigung vernehmen. Angenehme Düfte und Vogelgesang drangen zum offenene Fenster herein, durch dessen Öffnung auch eine Hummel hereingesummt kam und nach einer suchenden Runde durch das Zimmer wieder hinausflog.

»Wie glücklich wir sind«, sagte Kitty. »Es hätte leicht sein können, daß wir einander nie begegnet wären. Hast du daran schon einmal gedacht?«

»Nein«, sagte Alexander wahrheitsgemäß. »Und ich glaube es nicht, Liebling. Ich glaube, es war uns vorbestimmt, daß wir einander finden sollten.«

»Du meinst, von Gott, oder dem Schicksal oder ...?«

»Einem von denen. Etwas führte mich nach England und uns zusammen. Du erinnerst dich an unsere erste Begegnung?«

»Ja, du machtest dich in Northampton auf der Straße an mich heran.«

»Du bist sehr süß, Kitty, weißt du, aber manchmal kannst du schrecklich derb sein. Ich machte mich nicht an dich heran. Ich habe dir hundertmal gesagt, wie es war. Eine wichtige Botschaft mußte zur Kommandantur gebracht werden. Der Kurier, der sie überbringen sollte, wurde im letzten Augenblick krank, und ich wurde an seiner Statt nach Northampton geschickt. Nach Erledigung meines Auftrags kam ich gerade aus dem Gebäude, als ich ohne besonderen Grund über die Schulter blickte und dich über die Straße gehen sah: und sofort wußte ich, daß wir füreinander gemacht waren, also lief ich dir nach und wurde beinahe von einem Fuhrwerk angefahren. Und ich sagte zu dir – ich kann mich nicht mehr genau erinnern, was es war ...«

»Ich kann. Du sagtest: ›Möchten Sie gern einen Spaziergang machen?‹«

»Kann sein, das ist ganz unwichtig. Und dann sagtest du mir, es sei das erste Mal in mehr als einem Jahr, daß du in dem Teil von Northampton zu tun gehabt hättest.«

»Sagte ich das?«

»Das war später, natürlich. Nun, sicherlich siehst du es selbst? Ich meine, du mußt es zugeben, daß unsere Gefühle füreinander ganz außergewöhnlich sind?«

»O ja, ich kann mir nicht vorstellen, daß viele Leute so glücklich sind wie wir. Sicherlich gibt es niemanden irgendwo, der glücklicher wäre.«

»Siehst du, Kitty, es wäre offensichtlich absurd, wenn so etwas ein bloßer Zufall gewesen sein sollte, etwas, was geschehen kann oder auch nicht.«

»Ich verstehe, was du meinst, mein Lieber. Nun ja, es wäre ein Jammer, wenn es nicht geschehen wäre, nicht wahr?«

Er strich ihr das dichte Blondhaar aus der Stirn und umschloß ihr Gesicht mit beiden Händen. »Laß mich sagen, wie ich empfinde – wie du mich empfinden machst. Wenn ich bei dir bin, selbst wenn ich es nicht bin, aber so sehr ich an dich denke, daß es beinahe ist, als könnte ich dich sehen, dann fühle ich, wie das Blut mit einem neuen Leben mich durchströmt, daß ich von Kopf bis Fuß ein Prickeln verspüre und mir aller Dinge ringsum so sehr bewußt bin, daß es ist, als wäre ich vorher halb blind und taub und wie benommen gewesen, und ich scheine ganz nahe, das Geheimnis des Universums zu verstehen. Alles ist unglaublich groß und doch vollkommen einfach. Und dann«, fügte er hinzu, entschlossen, den nächsten Teil vorsichtig anzugehen, »wünsche ich mir, du wärst von Vanags Leuten festgenommen und entführt worden, so daß ich kommen und dich retten könnte.«

Enttäuschenderweise schien sie seinen Richtungswechsel nicht zu bemerken. »Ich wünschte, ich wüßte halb so viel über meine Gefühle wie du über die deinigen. Ich weiß nur, daß ich mich in jeder Weise wunderbar fühle, und das nur deinetwegen.«

Dies war dem so nahe, was er an ihrer Stelle gesagt hätte, daß er ihr tief in die Augen blickte; zu seiner Überraschung entdeckte er, daß er dazu nicht längere Zeit imstande war; sein Blick ging zu ihrem Mund, und der Gedanke – alle Gedanken – entglitten in köstliches Vergessen. Von dem, was folgte, war nicht sehr viel das Ergebnis einer Absicht. Das Geräusch der zufallenden Haustür rief ihnen das Bett ins Gedächtnis zurück, darin sie lagen, und Alexander richtete sich auf.

»Das ist Papa«, sagte Kitty. »Er kommt zwischen seinen Patientenbesuchen manchmal für ein paar Minuten nach Hause.«

»Gut, ich möchte mit ihm reden.«

Dr. Joseph Wright, ein kleiner, blasser Mann mit ergrauendem braunen Haar und starker Brille, war einige Jahre zu jung, um ein echter Vorkrieg zu sein, aber da er im Laufe der Pazifizierung beide Eltern verloren hatte, zeigte er viel Ähnlichkeit mit einem. Daher erfüllte es ihn mit Erbitterung, daß seine jüngere Tochter derart offen und regelmäßig von einem russischen Offizier bestiegen wurde, noch dazu von einem, den er verabscheute und gegen den er eine persönliche Abneigung verspürte. Diese Gefühle behielt er jedoch so gut als möglich für sich; das Mädchen schien keine Einwände gegen den Stand der Dinge zu haben, und die damit verbundenen Vorteile in Gestalt einer gelegentlichen Flasche Cognac oder einigen Kilo Brennstoff waren sicherlich willkommen, vor allem aber war es (oder konnte sich jeden Tag so erweisen) wichtig, sich das Wohlwollen und die Protektion eines der Scheißer zu sichern – ein Begriff, der selbst unter den vielen gebräuchlich war, die keine ernsten Einwände gegen die Anwesenheit ihrer Herren hatten. Schließlich konnte auch das geringste Verständnis die wahrscheinlichen Resultate des Versuches ermessen, einem – und insbesondere diesem – russischen Offizier entgegenzutreten. Nach allen Erwägungen kam er immer wieder zu dem unausweichlichen Schluß, daß nichts dagegen zu machen sei.

Nachdem er sich angekleidet hatte, ging Alexander hinunter und betrat das Wohnzimmer, einen kühlen und ziemlich dunklen Raum mit Kriechpflanzen in Körben, Ständern und Konsolen, und mehr von den gleichen und anderen Arten in einem rückwärts anschließenden kleinen Wintergarten. Dort tropfte ein Wasserhahn langsam in einen wassergefüllten Topf oder eine Schüssel.

»Guten Morgen, Doktor – bitte, bemühen Sie sich nicht.« Er war sich der Abneigung des Engländers nicht bewußt, benahm sich in seiner Gegenwart aber stets mit einer instinktiven Vorsicht und Zurückhaltung.

Der Arzt antwortete höflich auf russisch, was ihm schwerfiel – die Höflichkeit, nicht das Russische: nichts verdroß ihn mehr als diese umgängliche Art linguistischer Herablassung. Deswegen überhörte er die nächste Bemerkung des anderen, spitzte aber die Ohren bei der folgenden Frage, die, banal genug, dem Gedeihen seiner Praxis galt. Als er diese bislang noch nicht dagewesene Schaustellung von Interesse ebenso gelangweilt wie umschweifig beantwortete, kam ihm der Gedanke, daß der junge Schweinekerl etwas wollen müsse. Was es war, blieb indes unausgesprochen, bis Kitty mit einem Tablett hereingekommen war, auf dem Teegeschirr und Gebäck zusammengestellt waren. Bald darauf wurde ein Abend im März des gleichen Jahres erwähnt. Dr. Wright erinnerte ihn als einen Abend von einer unregelmäßigen Folge, die sich ungefähr ein Jahr in die Vergangenheit erstreckt hatte, sonderbare Soireen in diesem Haus, veranstaltet auf das unwiderstehliche Verlangen des Fähnrichs Petrowsky, der auch alle Getränke, den größten Teil der Speisen und zwei oder drei der Gäste beigesteuert hatte, die ausnahmslos ungehobelte Offizierskameraden von ihm gewesen waren. Wrights Rolle hatte nicht nur darin bestanden, daß er die Veranstaltungen hatte ertragen müssen, sondern vor allem darin, daß er die übrigen Gäste aus der einheimischen Bevölkerung beizustellen gehabt hatte, eine Aufgabe, die bei Personen unter etwa fünfzig Jahren nur bescheidener Überredungskünste bedurfte, während die Älteren oftmals nur im Austausch gegen größere Mengen Wodka von ihren Prinzipien gelassen hatten. Nun, das gewünschte Etwas wurde nun enthüllt: die Veranstaltung einer weiteren Soiree in nächster Zeit. Was geheimnisvoll blieb, war die Frage, was dieser spezielle Scheißer, dem man gern glaubte, daß er an England und den Engländern interessiert scheinen wollte, der aber mit Sicherheit kein echtes Interesse an diesen Dingen oder irgend etwas anderem hatte, was nicht mit ihm selbst, seinem Vergnügen und dem Wunsch zusammenhing, Eindruck auf andere zu machen.

Gerade als Wright erwartete, der andere werde ein Datum vorschlagen, verblüffte Alexander ihn mit der Erklärung: »Neulich kam es in meinem Freundeskreis zu einem interessanten Gespräch über Religion, über die Anglikanische Kirche. Einer der Gesprächsteilnehmer erwähnte einen Reverend Glover, glaube ich, der in einem Dorf hier in der Nähe lebt.«

»Ja, in Stoke Goldington, nicht weit.«

»Ist der Herr bei guter Gesundheit?«

»Nun, er muß bald achtzig sein, aber soviel ich weiß, ist er recht rüstig.«

»Kennen Sie ihn, Doktor?«

»Ich bin gelegentlich mit ihm zusammengetroffen«, sagte Wright, dessen Neugierde mittlerweile wachgeworden war. »Allerdings nicht in den letzten Jahren.«

»Ich frage mich, ob Sie einen Besuch bei ihm vermitteln könnten, wenn ich Sie sehr inständig darum bitten würde. Es liegt mir daran, sein Einverständnis mit einem Besuch zu erhalten.«

»Sein Einverständnis? Sie können jeden besuchen, den Sie besuchen wollen.«

»Hier handelt es sich um eine etwas delikate Angelegenheit, mein lieber Doktor. Ich möchte, daß er seine Bereitwilligkeit ausdrückt. Tut er es nicht, hätte mein Besuch wirklich keinen Sinn.«

Wrights Verwunderung nahm zu. Kitty, die Teetasse vergessen in der Hand, war womöglich noch verwunderter als ihr Vater. Nun sagte sie:

»Liebling, wozu willst du einen alten Geistlichen sprechen?«

Alexander hatte eine solche Frage von ihr vorausgesehen, ohne sie darum leichter beantworten zu können, als sie kam. Wäre er mit ihr allein gewesen, hätte er einfach erhaben und geheimnisvoll tun können, aber er spürte, daß ihr Vater solche Versuche irgendwie zuschanden machen würde. Es schien ihm statt dessen angezeigt, aufrichtig zu sein, wenn auch nicht naiv. »Jemand hat den Beauftragten Mets verständigt«, sagte er.

»Ah«, sagte Wright, der zu verstehen begann. »Ich habe von ihm gehört.«

»Wer ist es?« fragte Kitty.

»Ein Bürokrat mit einem ungewöhnlichen Auftrag. Er soll uns unsere Kultur zurückgeben.«

»Was ist unsere Kultur?«

»Englisches Theater, englische Malerei, englische Musik«,

sagte Alexander. »Und englische Religion. Das ist der Punkt, wo ich eingeschaltet worden bin. Ich soll den Reverend Glover für den Beauftragten interviewen, aber inoffiziell.«

»Oh«, sagte Kitty, die gar nichts verstand.

»Aber Sie sind ein ... Sie sind ein Soldat«, sagte Wright, dem beinahe das falsche Wort entschlüpft wäre.

»Ich würde nicht in dieser Eigenschaft auftreten, Doktor, sondern nur als eine Art freiwilliger Mittelsmann. Der Beauftragte scheint zu glauben, ich wisse mehr über die Engländer als er selbst; nun, er ist noch nicht lange hier. Ich sagte, ich würde ein Wort für ihn einlegen.«

»Und Sie möchten, daß ich ein Wort für Sie einlege.«

»Ja.«

»Und wenn diese beiden Worte beherzigt werden, würde Ihr Beauftragter eine Chance haben, den alten Glover zur Mithilfe bei der Wiederherstellung der Anglikanischen Kirche zu bewegen.«

»Genau.«

»Ich kann Ihnen versichern, daß jede etwaige Bereitwilligkeit, die Glover ausdrücken könnte, um dies oder das zu tun, was Ihre Leute möchten, ganz unaufrichtig sein würde, bloße Worte.«

»Dann sagen Sie ihm«, sagte Alexander, auf einmal all dieser Geduld und simulierten Bescheidenheit überdrüssig, »daß ich ihn morgen abend um sechs Uhr aufsuchen werde und daß er sich zu einem Gespräch bereithalten möge, wenn er weiß, was gut für ihn ist.«

Diese Rede belustigte Wright, der längst jede Hoffnung aufgegeben hatte, von dieser Seite etwas zu hören, was geradeheraus und ohne Umschweife war. »Ganz gewiß.«

Alexander dankte ihm, setzte seine Mütze auf und schritt hinaus, gefolgt von Kitty. Nicht viel später hörte man wieder die Haustür zufallen. Der Arzt nahm seine Tasche auf und schickte sich an, seinerseits das Haus zu verlassen.

»Werde nicht lang ausbleiben, mein Liebes. Ich wünschte, du würdest diesen Burschen nicht vor mir ›Golubschik‹

nennen. Schließlich trägt er seinen Teil zu unserer gewaltsamen Unterjochung bei.«

»Entschuldige, Papa. Heutzutage scheint nicht viel Gewalt im Spiel zu sein. Wozu auch?«

»Mag sein. Sagen wir also, daß es sein Großvater gewesen sein könnte, der meine Eltern tötete.«

»Du magst ihn überhaupt nicht, wie?«

»In einem Sinne kann ich keinen Russen jemals mögen, aber deine Lage ist ganz anders; ich würde nicht versuchen, sie zu ändern, selbst wenn ich könnte. Alles, was dazu beitragen kann, das Leben weniger unerträglicher zu machen, muß man festhalten. Heutzutage.«

SECHS

Alexanders Regiment, das zum 4. Gardekorps gehörte, war in einem Gebäude untergebracht, das bis kurz vor der Pazifizierung eine große Privatschule gewesen war. Es stand in einem ausgedienten, mauerumgebenen Park, wo mehrere größere Wasserflächen und Bestände verkümmerter alter sowie neu angepflanzter junger Bäume zu sehen waren. Offiziere, Mannschaften, Tiere, Ausrüstungen und Vorräte waren in dem kastenförmigen langen Hauptgebäude und in verschiedenen Nebengebäuden untergebracht, von denen einige mehrere Jahrhunderte, andere nur wenige Jahre alt waren und die es umgaben oder entlang der klassisch geraden Auffahrt über die sanften Wiesenhänge verstreut lagen, wo die Pferde des Regiments weideten.

Ein Dutzend Tiere, die den Herren des Regimentsstabes gehörten, grasten in der Nähe des Pförtnerhauses, als Alexander an diesem Morgen einritt; er erkannte den eleganten Grauschimmel des Obersten und den kräftigen Braunen, der dem Kommandeur der Ersatzschwadron gehörte. Weiter voraus hatte sich eine Reihe von Reitern in Schlachtordnung am Beginn des Hinderniskurses versammelt und wurde von einem rotgesichtigen Unteroffizier angebrüllt: die 11. Schar, welche dem ehrgeizigsten und unbeliebtesten Subalternoffizier des Regiments unterstand. Eine hallende Salve drang aus der abseits gelegenen ehemaligen Kegelbahn, einem langgestreckten Gebäude aus Ziegeln und Holz, das den Pistolenschießstand beherbergte. Alexander ritt an einer Reiterabteilung vorbei, die sich unter der Aufsicht eines Gefreiten am Wegrand ausruhte. Die Männer hatten sich ins Gras geworfen, die Mützen abgenommen und die Uniformjacken aufgeknöpft, plauderten, schliefen oder spaßten miteinander, plötzliche Nutznießer einer jener geheimnisvollen Verzögerungen, die das Leben in allen

Armeen aller Zeitalter charakterisieren. Der Gefreite erblickte Alexander und sprang auf, setzte die Mütze auf und zog den Uniformrock zusammen, bevor er salutierte; Alexander gab die Ehrenbezeigung korrekt wie bei der Abnahme einer Parade zurück und rief den Leuten einen schönen guten Morgen zu. Wieder beim Arzt gewesen, was? dachte der Gefreite; gut für uns und gut auch für deine Leute. Er war nicht besonders neugierig oder gut informiert, nur ein Soldat im friedlichen Auslandsgarnisonsdienst.

Auf dem kiesbestreuten Vorplatz des Pavillons aus der Zeit um 1920, der seine Männer, die Schreibstube und die Kleiderkammer beherbergte, fragte Alexander den Unteroffizier seiner Schar, ob es etwas zu melden gebe. Es gab nichts; es gab nie etwas. Dann, nachdem er die Stute seinem Burschen überlassen hatte, ging er zum Hauptgebäude, unterrichtete seinen Schwadronschef von seiner Rückkehr zum Dienst und erkundigte sich, ob es besondere Befehle gebe. Es gab keine; es gab nie welche. Der Rest des Vormittags verging mit der Abnahme des Stubenappells, einem Besuch im Stall und auf der Pferdekoppel, mit dem Ausfüllen von Formularen für die Intendantur, mit Teetrinken und einem Schwatz mit dem Unteroffizier und einem der Gefreiten, und zuletzt mit etwas nicht Alltäglichem und doch Routinemäßigem, nämlich der monatlichen Inspektion der Waffenkammer. Begleitet von dem Unteroffizier, einem kräftigen Letten namens Ulmanis, ging er ein zweites Mal zum Hauptgebäude, ließ sich im Geschäftszimmer des Schwadronsschreibers einen vom Adjutanten unterzeichneten und datierten Inspektionsbefehl aushändigen und stieg zur verstärkten Kellertür hinunter. Hier waren ein Unteroffizier der Feldjäger und ein Posten zu beiden Seiten der Tür stationiert. Der Wachtposten richtete seine Maschinenpistole auf die Neuankömmlinge, während der Unteroffizier zuerst Alexanders Kennkarte und dann den Inspektionsbefehl prüfte. Auf sein Nicken hin ließ der Posten die Waffe sinken, Alexander und Ulmanis machten eine Kehrtwendung, und der Unteroffizier drückte eine Reihe numerierter Köpfe in einer Reihenfolge, die täglich geändert wurde. Die Tür rollte zurück. Die beiden Besucher benötigten zwanzig Minuten, um festzustellen, daß alles in den Ständern und Regalen der Waffenkammer war, wie es sein sollte und wie es immer war. Nach beendeter Inspektion folgte Alexander dem Dauerbefehl, indem er das gegengezeichnete Inspektionsblatt zum Schwadronsschreiber zurückbrachte.

Um 14:30 Uhr ließ Unteroffizier Ulmanis die Schar antreten und machte Alexander Anwesenheitsmeldung. Weil das Regiment fast die Hälfte seines ausgebildeten Personals für Neuaufstellungen hatte abgeben müssen, erreichte die Schar mit zwanzig Mann gerade die Hälfte ihrer Sollstärke: einen Offizier, einen Unteroffizier, einen technischen Unteroffizier, vier Obergefreite, vier Gefreite und neun Soldaten, darunter Alexanders Burschen, der Schreibstubendienst hatte. Die Befehle zum Aufsitzen und Abmarsch wurden gegeben und befolgt. In ihren derben dunkelgrauen Interimsuniformen und dem stumpfgelben Koppelzeug bot die 8. Schar keinen eindrucksvollen Anblick, aber ein geübtes Auge hätte die entspannte Haltung der Reiter und den guten Zustand ihrer Pferde bemerkt. Ein solches Auge, oder sein Eigentümer, hätte auch die ungewöhnliche Zusammensetzung der kleinen Streitmacht bemerkt: mit Ausnahme des Fähnrichs und der beiden Unteroffiziere führte jeder Reiter ein Packpferd mit sich, in jedem Fall ein starkes walisisches Halbblut, speziell ausgebildet für das Tragen schwerer Lasten im unebenen Gelände. An diesem Tag entsprachen die Traglasten nicht ganz dem, was sie im Gefecht gewesen wären, aber sie waren von gleichem Gewicht und gleicher Verteilung. Brust- und Schwanzriemen hielten die Traglasten selbst im vollen Galopp genau an Ort und Stelle.

Der Trupp zog im Schritt zum Haupttor hinaus und einige Kilometer die Straße und verschiedene Feldwege entlang; für die geplante Übung war unvertrautes Gelände erforderlich, das nicht von früheren Übungen her bekannt war. Schließlich erreichte Alexander, der vorausritt, einen

Aussichtspunkt, gab mit erhobener Hand das Zeichen zum Halten und ließ die Unterführer zu sich kommen.

»Sie sehen die Kirche dort?«

»Jawohl, Herr Fähnrich.«

»Gut. Vergessen Sie nicht, daß jeder, der bei Benutzung einer Straße angetroffen wird, ohne Umstände ins Protokoll kommt. Die Schar entwickelt sich in offener Reihe nach rechts und erwartet mein Signal. Vorwärts!«

Kurze Zeit später hatte die Schar mit fünfundzwanzig Metern Abstand zwischen den einzelnen Reitern in langer Kette auf einem niedrigen Höhenzug Aufstellung genommen. Alexander, am äußersten rechten Flügel, stieß in die Trillerpfeife, und alles stürmte im Galopp den Hang hinunter. Die Packpferde folgten nicht den Reittieren, sondern hielten sich, wie sie es gelernt hatten, links neben ihnen auf gleicher Höhe, um ein besseres Gesichtsfeld zu haben. Man hätte denken können, daß ein Blick auf die Karte ein paar Minuten Verzögerung gerechtfertigt hätte, und jeder erfahrene Offizier hätte im Ernstfall sicherlich darauf bestanden, daß jeder derartigen Bewegung ein sorgfältiges Kartenstudium vorauszugehen habe, aber erregbare, wetteifernde junge Männer, überzeugt von ihrer Tüchtigkeit und begierig, sie zur Schau zu stellen, sind nicht dafür bekannt, daß sie vor einem Hindernisrennen Landkarten zu Rate ziehen. Dieses Hindernisrennen aber war bei alledem eine nützliche Aktivität, die den Blick für das Gelände schärfte, jenes sine qua non für jeden Kavalleristen, und daneben die Fähigkeiten übte, die vonnöten waren, um zwei Pferde gleichzeitig zu lenken.

Der Hang war sanft geneigt und wurde noch sanfter, hervorragend geeignet für einen lebhaften Galopp, aber Alexander ließ sich ein wenig hinter die rechte Flanke zurückfallen. Wenn ein Trupp dieser Art die gegenwärtige Übung ausführte, fiel es dem befehlshabenden Offizier zu, die Leistung der Reiter und ihrer Pferde auf seiner Seite im Auge zu behalten, während der technische Unteroffizier die Mitte und der Truppenunteroffizier den linken Flügel überwachte. Dies war jedoch nicht der wahre Grund seines Zurückbleibens. Ein einzelner unbehinderter Reiter mit seinem ausgezeichneten Orientierungssinn mußte das Ziel zwangsläufig eher erreichen als die durch die mitgeführten Tragtiere gehemmten Kavalleristen, ein Sieg, den sogar er (wie manch einer es ausdrücken mochte) schal finden würde. Da ihm so verwehrt war, was er am liebsten gehabt hätte, nämlich ein faires oder weniger unfaires Hindernisrennen bis zum Ziel, entschädigte er sich durch mehrere kleinere Rennen, in denen er – meistens erfolgreich – versuchte, den einen oder den anderen Reiter bis zu irgendeiner unbedeutenderen Landmarke ein paar hundert Meter voraus zu überholen, worauf er sich wieder zurückfallen ließ, um einem anderen Reiter mit Tragtier für die nächste Runde einen Vorsprung zu geben. Es war schwierig, dieses Verhaltensmuster von dem eines gewissenhaften Offiziers zu unterscheiden, der seine Männer sorgfältig überwachte, ohne sich jedoch einzumischen oder ein Aufhebens zu machen; von Alexanders Männern war niemals einer hinter dieses Spiel gekommen. Ganz ähnlich verhielt es sich mit seiner simplen Liebe zum Soldatenspielen, die ihn veranlaßte, seine Schar so oft wie möglich ins Gelände zu führen und in der Praxis bedeutete, daß er gut im Ersinnen von allerlei Prüfungen und Übungen der Ausdauer, Geschicklichkeit und Initiative war – von Spielen, genau genommen. Die Folge davon war, daß die körperliche Leistungsfähigkeit, der Ausbildungsstand und die allgemeine Moral seiner Reiter im ganzen Regiment unübertroffen waren; und es wäre seltsam gewesen, wenn sie ihren Offizier wegen dieser Vorteile nicht geschätzt hätten. Die Armee mit ihren vielen Möglichkeiten, kindischen Interessen Ausdruck zu verleihen und sie zu Verhaltensregeln zu erheben und auszubauen, war für Alexander Petrowsky eine ausgezeichnete Berufswahl gewesen.

Das Gelände wurde eben, um allmählich zur nächsten Bodenwelle anzusteigen. Der ganze Trupp war in strahlendem Sonnenschein über den Gegenhang ausgebreitet und galoppierte auf eine ausgedehnte Pappelpflanzung zu. Der linke Flügel ließ die Packpferde für die Passage durch den Baumbestand bereits hinter die Reitpferde zurückfallen, während die Reiter auf dem rechten Flügel ausschwenkten, um die Ecke der Anpflanzung zu umgehen. Von Alexanders Standort zu dieser Ecke waren es etwas mehr als dreihundert Meter. Er gab Polly die (stumpfen) Sporen und jagte in gestrecktem Galopp auf einem Diagonalkurs einem Punkt zur Rechten der Pflanzung entgegen, um vor den Reitern seines rechten Flügels dort zu sein. Der Boden war hier ideal, kurzes Gras, ebener Boden, trocken, aber nicht hartgebacken; er holte rasch auf. Als sein Kurs mit dem der anderen konvergierte, sah er den Gefreiten am rechten Flügel über die Schulter blicken, ihm zugrinsen und seinem Nachbarn zur Linken etwas zurufen, der gleichfalls grinste und energisch nickte. Knappe zehn Meter vor dem unsichtbaren Ziel schätzte Alexander, daß er mit einem Kopf in Front lag, und verlangsamte zum Trab.

Die Pappelpflanzung war offensichtlich dichter, als es von der anderen Bodenwelle den Anschein gehabt hatte, und diejenigen, die sie durchreiten mußten, um den Zusammenhalt des Trupps zu wahren, blieben zurück, als sie auf der anderen Seite herauskamen, war das Feld sowohl in der Tiefe als auch seitlich weit auseinandergezogen. Durch die nächste Senke führte eine von dichten Hecken gesäumte Landstraße. Als Alexander sich ihr näherte, sah er die vier Grauschimmel der Unterabteilung D – der sehnige Wallach des Gefreiten war unverwechselbar – beinahe gleichzeitig in elegantem Schwung über die diesseitige Hecke setzen und dann vor der viel höheren jenseitigen anhalten. Vielleicht würde der Gefreite die Regeln mißachten und auf der Suche nach einer Lücke oder einem niedrigeren Stück die Straße entlangreiten; aber nein, ohne einen Augenblick zu zögern, zogen er und sein Kamerad ihre Reitersäbel, saßen ab und begannen auf das Hindernis einzuhauen. (Die Säbel wurden nur aus Pietät so genannt; tatsächlich waren sie mehr wie Buschmesser oder schwere Bajonette und gehörten zur

Ausrüstung der Männer mit Werkzeug und anderem Gerät, das ihnen in einem sehr wichtigen Aspekt ihrer Funktion im Kampf helfen sollte, der schnellen Durchquerung schwierigen Geländes.)

Die beiden hatten eine Bresche in die Hecke geschlagen und waren wieder aufgesessen und durch die Lücke davon, bevor Alexander die Stelle erreichte. Es war Zeit, wieder vorzupreschen, aber das würde in dem unübersichtlichen, buschigen Gelände voraus nicht einfach sein; an Rennen war einstweilen nicht zu denken. Nach einigen Minuten frustrierender Arbeit lichtete sich das Buschwerk, und bald erreichte er den Rand eines Weizenfeldes. Die Unterabteilund D oder eine andere hatte es ungefähr fünfzig Meter zu seiner Linken durchritten, und er folgte trotz des Zeitverlustes in ihren Spuren, um den Flurschaden auf das notwendige Mindestmaß zu begrenzen. Vor ihm waren jetzt Reiter, zwei Gruppen, die eine Viehweide überquerten, wo die Kühe sich ängstlich zusammendrängten. Er folgte in vollem Galopp, kam an eine Hecke, die den höchsten Hindernissen, die er je übersprungen hatte, in nichts nachstand, stellte sich vorgebeugt in die Steigbügel, die Knie eingezogen, ließ sich dann in den Sattel zurücksinken und landete unbeholfen aber sicher auf einer freien Fläche zwischen zwei Gebäuden, galoppierte durch ein Gatter und um eine Ecke und befand sich mitten in einem Bauernhof zwischen hoch steigenden Maultieren, flatternden Hühnern und fluchenden Engländern; jemand riß ein Kind aus seinem Weg, dann war er durch und wieder im Freien.

Die Kirche lag vierhundert Meter entfernt auf dem Rükken eines steileren Hügels. Eine Unterabteilung – es war die A, wie sich herausstellte – kämpfte sich den Hang hinauf; von den anderen war noch nichts zu sehen. Dieses Rennen war also einfach: Alexander saß neben dem Kirchturm ab, beglückwünschte Polly zu ihrer Schnelligkeit und Beweglichkeit und saß auf einem Grabstein und rauchte eine Zigarette, als die zwei Männer und ihre vier Pferde in das Friedhofsgeviert getrappelt kamen. Alle zeigten Zeichen von Erschöpfung, aber auch von Selbstzufriedenheit, die Männer mit breitem Lächeln, die Pferde dadurch, daß sie kaum schnauften und die Köpfe schüttelten.

»Für diesmal die Besten eines schlechten Haufens«, sagte Alexander leichthin.

Der Gefreite, ein hochgewachsener, melancholisch aussehender Bursche namens Ljubimow, lachte glucksend; er war abgesessen und lockerte die Gurte seiner Tiere. »Für diesmal, Herr Fähnrich? Dies ist das dritte Mal von vieren, daß Lomow und ich beinahe vor Ihnen und Ihrem Karrengaul hereingeschlendert wären.«

»Natürlich wissen wir, daß Polly eine schwere Last zu tragen hat«, sagte der kleine Lomow, der die Stimmung seines Offiziers genau einzuschätzen wußte.

»Ihr Glück, Lomow, daß ich diese Bemerkung ignoriere. Was Sie angeht, Ljubimow, so mögen Sie mit Ihrer Statistik wohl recht haben, die allerdings wenig eindrucksvoll scheint. Nur dreimal von vieren? Wie es ihrem Rang gebührt, müßte Unterabteilung A jedesmal zuerst ins Ziel kommen. Und wo ist Unterabteilung B, um die Sie sich auch kümmern sollten, Gefreiter Ljubimow? Na, wollen wir das auch ignorieren. Und nun, damit Sie nicht mit juckenden Handflächen und heraushängenden Zungen dastehen, will ich dem einzigen Motiv Anerkennung zollen, das Sie und Ihre elenden Klepper zu dieser Anstrengung befeuert hat, und Ihre Geldgier befriedigen.« Er zog seine Geldbörse hervor. »Für Sie, Ljubimow, großmütige 10 000 Pfund ...« – die beiden Banknoten wurden mit einer Verbeugung angenommen – »und 5 000 Pfund für Lomow, wie es seinem noch niedrigeren Rang zukommt. Und gut gemacht, ihr zwei! Gute Arbeit!« Es hätte zweier sehr viel weniger stolz gemachter Soldaten als dieser bedurft, um an dem Vorausgegangenen Anstoß zu nehmen.

Bald waren überall Männer und Pferde. Warsky, der technische Unteroffizier, traf als letzter ein und meldete, daß er Unterabteilung E eine Straße habe benutzen sehen. Der verantwortliche Gefreite behauptete, er habe die Straße nur in einem schiefen Winkel überquert. Angesichts dieses kleinlichen Streites verflog Alexanders gute Laune. Er erklärte knapp, daß er die Angelegenheit bis zum Morgenappel entscheiden werde, warnte Ulmanis, daß der Trupp sich bereithalten müsse, in zehn Minuten weiterzureiten, und ging über den Friedhof zur Kirchentür. Hier war ein zweisprachiger Zettel mit den Öffnungszeiten angebracht; der gegenwärtige Augenblick fiel in diese. Er konnte sich nicht erinnern, schon einmal an diesem Ort gewesen zu sein, und hatte keine Ahnung von der Natur des Geschäfts, das hier betrieben wurde, Fleisch- oder Gemüsemarkt, kommunales Speiselokal, Bäckerei oder, was am häufigsten war, Verwaltungsbüro. Ein Aushängeschild war nirgends zu sehen: die alte englische Fremdenfeindlichkeit, dachte er bei sich. Nach all den Jahren noch immer lebendig. Aus Neugierde beschloß er, einen Blick ins Innere zu tun; vielleicht gab es sogar etwas zu trinken.

Er stieß die schwere Tür auf und hörte sofort leises Orgelspiel, eine in mahnendem Ton erhobene Stimme und das Gemurmel einer größeren Versammlung. Das war nicht, was er erwartet hatte. In der kleinen Vorhalle stand ein Tisch, auf dem vier oder fünf gleichartige Bücher lagen. Er sah genauer hin und las verständnislos die Worte *Allgemeines Gebetbuch*. Im weiteren Vordringen sah er, daß die Orgel, auf einer Empore über dem Zugang zum Kirchenraum, ausprobiert oder gestimmt oder vielleicht repariert wurde. Die Stimme, die er gehört hatte, beendete eine kurze Ansprache über die Notwendigkeit, in bestimmten Punkten ihren Eigentümer zu konsultieren, und die Versammlung, die sich doch nicht als so groß erwies, wie er zuerst vermutet hatte, war sehr aktiv, wenngleich Alexander nicht gleich klar war, was sie tat. In der kurzen Zeit seines Aufenthalts gelang es ihm auch nicht, diese Aktivitäten mehr als in groben Umrissen zu verstehen. Er war offenbar während einer Zwangspause vergleichsweisen Stillschweigens eingetreten, die ganz plötzlich in einem lärmenden Durcheinander von Hämmern, Sägen und Winseln altmodischer Bohrer unterging, als er den Kirchenraum betrat. Allenthalben waren quadratmetergroße Kopien derselben Fotografie; sie zeigte einen großen Innenraum, den er jedoch noch nicht identifiziert hatte, als der Mann, der zuvor gesprochen hatte, offenbar ein Russe und eine Art Aufseher, anscheinend ohne großes Vergnügen die Uniform bemerkte und herbeieilte. Ein Alter, mit dem er gerade gesprochen hatte, weißhaarig, rundrückig und offensichtlich ein Vorkrieg, warf Alexander einen unfreundlichen Seitenblick zu und wandte sich weg.

»Ist etwas nicht in Ordnung, Herr Offizier?« fragte der Aufseher. Er war ungefähr fünfzig, bleich und trug einen grauen Overall.

»Nicht daß ich wüßte. Was geht hier vor?«

»Was vorgeht, Herr Offizier? Nun, wir fangen an, die Dinge an Ort und Stelle auszustellen, Sie hätten sehen sollen, wie es zuerst aussah. Diese Stufen zur Kanzel – es wäre einfacher, wenn ich es auf englisch erklären ...«

»Einfacher für wen?« Alexander fiel verspätet ein, daß er es hier mit einer Person ohne jede Bedeutung zu tun hatte, und fing in schrofferem Ton von vorn an: »Für Sie mag es einfacher sein, aber gewiß nicht für mich. Sie haben mir noch nicht den Zweck von alledem verraten.«

Der Mann runzelte die Stirn in unwilliger Verwunderung. »Der Zweck? Wir restaurieren die Kirche. Das heißt, wir versetzen sie wieder in den Zustand, in welchem sie sich befand, bevor sie in eine Eisenwarenhandlung umgewandelt wurde. So daß ...«

»Ja, ja, natürlich, aber ... was tun diese Männer da?«

»Sie richten das Chorgestühl her, Herr Offizier, die Sitze.«

»Ich verstehe. Und das Becken da?«

»Das ist das Taufbecken.« Gerade zur rechten Zeit, um seine Vorderzähne zu retten, fuhr der Aufseher fort: »Für das Weihwasser, Herr Offizier.«

»Gut«, sagte Alexander, erleichtert, wie es schien, daß diese wichtigen Details nicht übersehen worden waren. »Und so, vermute ich, war es ursprünglich.«

»Richtig, Herr Offizier. Bis 1993, wie Sie sehen. Sie war schon einige Jahre vorher außer Gebrauch, aber noch nicht entweiht.«

Alexander nickte. Wie seltsam alles aussah, wie das Zeugnis einer anderen Zivilisation, ohne jede Ähnlichkeit mit den noch bestehenden Theatern oder anderen öffentlichen Hallen jener Zeiten. Selbst solche Einrichtungen, deren Funktion offensichtlich war, wie etwa die Bankreihen, wo die Kirchenbesucher gesessen haben mußten, wirkten in ihrer Erscheinungsform beinahe widernatürlich seltsam. Vielleicht konnte man diese Formen auf die östlichen Ursprünge des Christentums zurückführen, aber wenn es so war, dann mußten alle Abkömmlinge jener Familie, wenn es je eine solche gegeben hatte, ausgestorben sein. Als kleiner Junge war Alexander einmal in eine Kirche in Sewastopol geführt worden, und er glaubte sich jetzt zu erinnern, daß er damals das gleiche Gefühl des Fremden, beinahe Unmenschlichen verspürt hatte. Und doch hatte dies alles den Menschen vieler Länder einmal genug bedeutet, daß sie bereit gewesen waren, dafür zu sterben – und einander die Schädel einzuschlagen. Vor langer Zeit, wie Mets gesagt hatte. Von welcher Art das Bewußtsein der Menschen auch gewesen sein mochte, es mußte sich im Laufe der Zeit bemerkenswert verändert haben.

Die zehn Minuten mußten bald um sein, aber als er gehen wollte, kam ein kahlköpfiger Kerl mit einer Schürze zum Aufseher geeilt und sagte aufgeregt und mit starkem englischen Akzent:

»Herr, draußen sind eine Menge Soldaten. Ich glaube, Sie sollten lieber ...«

»Das ist schon in Ordnung, guter Mann«, sagte Alexander sanft. »Das sind meine Jungs.«

An der Tür entdeckte er zu seiner Überraschung, daß er die Mütze abgenommen hatte; er konnte sich nicht daran erinnern. Bei seinem Wiedererscheinen gab Ulmanis den Männern Befehl, die Sattelgurte festzuziehen und sich zum Abmarsch bereitzuhalten, und Warsky verscheuchte behutsam die Dorfkinder, die sich eingefunden hatten, um in den Sätteln zu sitzen und Zehnpfund-Münzen zu erbetteln. Alexander erläuterte eine taktische Übung für den Ritt zurück und nannte einen Bezugspunkt auf der Karte als Versammlungsort; diesmal wurden für diejenigen, die den Treffpunkt als Erste erreichten, keine Preise ausgesetzt. Innerhalb einer Minute war der Kirchhof leer, und die Hufschläge verloren sich in der Ferne. Plötzlich erklang ein Glockenton vom Kirchturm, wurde drei- oder viermal wiederholt und verstummte dann, und die Dorfkinder wunderten sich auf dem Heimweg, was das Läuten zu bedeuten habe.

SIEBEN

Als seine Tagesarbeit getan war, ging Fähnrich Petrowsky langsam durch den Park zur Offiziersmesse seiner Schwadron, die in einem kleinen Bauernhaus aus der Mitte des neunzehnten Jahrhunderts untergebracht war. Im Erdgeschoß gab es ein Speisezimmer, das für die sieben Offiziere gerade groß genug war und allenfalls noch drei Gäste aufnehmen konnte, ferner ein gemütliches, niedriges Gesellschaftszimmer mit einer kleinen Bar in der Ecke und eine geräumige Küche nebst Vorratskammer. Das ausgebaute Obergeschoß enthielt gute Unterkünfte für den Schwadronskommandeur, Major Yakir, seinen Stellvertreter, dazu fünf Schlafkammern für Subalternoffiziere. Als einer, der nicht im Quartier schlief, wenn er nicht zu betrunken oder träge oder mit seiner Familie zerstritten oder angesichts schlechter Wetterverhältnisse abgeneigt war, nach Haus zu reiten, hatte Alexander die schlechteste Schlafkammer, die ihm auf eigenen Wunsch zugewiesen worden war, wie er sich gern einredete, obwohl tatsächlich der Major so verfügt hatte, ohne ihn zu konsultieren.

An diesem Abend wie an allen derartigen Abenden hatte der Bursche eines Offerzierskameraden ihm gegen Bezahlung seine Ausgehuniform zurechtgelegt. Er duschte in dem winzigen Bad, legte die Uniform an und ging hinunter in den Gesellschaftsraum. Nach seinem abwechslungsreichen und anstrengenden Tag fühlte er sich körperlich so wohl wie selten zuvor. Sein geistiger und emotionaler Zustand war, wenn überhaupt, kaum komplizierter: Theodor Markow sollte diesen Abend herunterkommen, und Alexander wußte schon jetzt eine Menge Fragen, die er ihm stellen sollte.

Eine angenehme Brise bewegte die blauweißen Baumwollvorhänge des Gesellschaftsraumes. Als Alexander hereinkam, blickte ein stattlicher dunkelhaariger junger Mann seines Alters von dem langen zitzbezogenen Sofa auf, das dem Fenster gegenüberstand, und seine Miene wechselte von mißmutiger Trübsal zu einer etwas gezwungenen Munterkeit. Auf der Armlehne des Sofas neben ihm stand ein leeres Glas.

»Guten Abend Viktor, alter Knabe, wie geht's?«

»Hallo – würdest du so gut sein und mir einen Wodka holen? Gegen Bezahlung, versteht sich. Der Major hat wegen meiner Getränkerechnung im letzten Monat ein Theater gemacht.«

»Freundliche Worte und gute Ratschläge würden bei dir auf taube Ohren stoßen, nicht wahr?«

»Völlig, fürchte ich.«

»Dann werde ich mir die Mühe ersparen.« Alexander wandte sich zu dem Gefreiten, der Meßdienst tat. »Einen Wodka und ein Bier.« Heute war kein Anlaß, viel zu trinken. Als der Gefreite die Getränke brachte, signierte er den Bon, brachte dem anderen Offizier ein Glas mit Dill gewürztem Ochotnitscha und nahm einen durstigen Zug von seinem Bier. Dieses ähnelte nur sehr allgemein dem vormaligen Erzeugnis der Brauerei Northampton, das eine berühmte Spezialität gewesen war, unter dänischer Leitung nach einem dänischen Rezept gebraut und im ganzen damaligen Königreich beliebt. »Das macht 600 Pfund.«

»Ich werde sie dir morgen geben; anscheinend habe ich mein Bargeld oben gelassen. Und es ist einfacher, wenn wir alles auf einmal regeln.«

»Was? Ach so, du meinst, du möchtest noch einen.«

»Einstweilen, ja.«

»Ist das nur ein allgemeines Prinzip, oder ist etwas Ungewöhnliches passiert?«

»Beides, um genau zu sein«, sagte Viktor und fiel in seine Schwermut zurück. »Alle Tage stinken, aber der heutige stank besonders.«

»Ich dachte, auch das gelte für alle Tage.«

»Dieses Schwein Rjumin – heute morgen sagte er mir, daß

er um seine Versetzung einkommen würde, wenn ich mich nicht zusammenrisse, wie er sich ausdrückte. Ich hatte ihm mehr oder weniger freie Hand mit meiner Schar gelassen, weil ich dachte, das würde einem Mann in seiner Position gefallen. Schließlich ist er schon länger Unteroffizier als ich Offizier. Nun aber sagt er, die Schar sei die am schlechtesten berittene im Regiment, und das sei allein meine Schuld. Und bevor er fertig war, kam einer der Gefreiten herein, was Rjumin aber nicht daran hinderte, mir weiter die Leviten zu lesen.«

»Das war sehr ungerecht von ihm.«

»Es war alles sehr ungerecht von ihm. Lieber Gott, vielleicht auch nicht, vielleicht hatte er ganz recht. Ich kann es nicht erwarten, aus diesem abscheulichen Land wegzukommen.«

»Machst du Witze? Es ist ein schönes Land. Brauchst bloß aus dem Fenster zu sehen.«

»Alle sind erbärmlich.«

»Unsinn, so kommst du dir im Augenblick selbst vor, das ist alles. Wenn du in der rechten Stimmung bist, wirst du sehen, daß dem Land überhaupt nichts fehlt.«

»Alexander, nicht alles, was gesagt und getan wird, geschieht aus Stimmungen heraus. Unteroffiziere haben keine Stimmungen.«

»Natürlich nicht; was, meinst du, macht sie zu Unteroffizieren? Bei uns ist es etwas anderes; Stimmungen sind auch nur eine Art, die Dinge zu sehen. Ich sehe, du bist schon wieder fertig. Willst du noch einen? Diesmal spendiere ich ihn. – Ach, Boris, wie immer kommst du genau im rechten Augenblick. Was kann ich dir zu trinken bringen?«

Der Neuankömmling war dreißig Jahre alt, mit kurzgeschnittenem Haar und einem Gesicht, das wie kein zweites als der Charaktertyp des Ostslawen in einem illustrierten Band der Rassenkunde geeignet gewesen wäre. Die Achselstücke seiner Uniform, die in Schnitt und Material nicht an jene der zwei anderen heranreichte, zeigte einen Rhombus zwischen zwei Balken, denn er war der Intendanturoberleutnant der Schwadron. Er beantwortete Alexanders Frage mit einer tiefen, bedeckten Stimme. »Das ist sehr nett von dir, aber meinst du, daß du das tun solltest? Der Major mißbilligt das Freihalten.«

»Ach, es macht ihm wirklich nichts, solange es nicht vor seiner Nase stattfindet. Komm schon!«

»Na gut. Ich bitte um Entschuldigung, Alexander, natürlich meine ich vielen Dank. Ich trinke ein Bier.«

»Zwei Bier, Gefreiter, und einen Ochotnitscha. Doppelt. – Du bist heute früh dran, nicht wahr, Boris?«

»Kann sein, ja.«

»Du solltest dir mehr Freizeit nehmen, wirklich. Ich habe es dir schon mal gesagt.«

»Ich bin dankbar, daß du dich um mich sorgst, aber das ist nicht immer möglich, schon gar nicht jetzt, während Georg Urlaub hat.« Der Intendanturoberleutnant bezog sich auf seinen Stellvertreter.

»Du hast recht, Bo, du kannst es nicht. Ich glaube, jeder andere, den ich kenne, würde sich eher einen guten Tag machen als du. Es ist eine gute Sache, daß die Armee zu dumm ist, deinen Wert zu erkennen, sonst würdest du zum Generaloberst befördert, und wir würden dich nie wiedersehen.«

Boris bedachte Alexander mit einem halb dankbaren und halb belustigten Blick, der in Viktor das Verlangen weckte, jeden von ihnen in den Hintern zu treten. Das Dumme war, daß Alexander schmerzhaft zurücktreten und Boris nichts tun würde als sich in vornehmer Großmut abzuwenden. Glücklicherweise war nicht Zeit genug, daß diese Gefühle weiter in ihm fressen konnten, denn gerade in diesem Augenblick brachte ein Wachsoldat einen Gast zum Vordereingang.

Beim Betreten des Gesellschaftsraumes verbarg Theodor Markow mit Erfolg seine Befangenheit. In den meisten gesellschaftlichen Zusammenkünften von natürlicher Ungezwungenheit, hatte er frühzeitig die Erfahrung machen müssen, daß die Kulturkommission unter den Zivilisten der

Verwaltung wenig liebenswürdige oder respektvolle Gefühle weckte, und seine Erfahrung im militärischen Bereich war noch nicht ausreichend, sich ein Urteil zu erlauben, ob man der Kommission hier mehr geneigt war oder nicht. Wie sich bald zeigte, hatte keiner der drei Offiziere, mit denen Alexander ihn bekanntmachte – der dritte war unmittelbar nach ihm gekommen –, mehr als eine höchst nebelhafte Vorstellung von der Arbeit der Kommission. Dieser dritte Offizier, Mitte der Zwanzig und bereits zur Korpulenz neigend, machte mit seinem schlaff hängenden Mund und der Gewohnheit, ihn ohne erkennbaren Grund zu einem mehr oder weniger spöttischen Lächeln zu verziehen, einen ziemlich unerfreulichen Eindruck. Alexander nannte ihn Leo und fügte hinzu, daß in der Offiziersmesse alle per du seien, ausgenommen natürlich der Major, und weil ein Mann Urlaub hatte und ein anderer als Offizier im Dienst an der Geselligkeit nicht teilnehmen konnte, war die Gesellschaft bald darauf komplett, wieder mit Ausnahme des Majors. Als dieser einige Zeit später eintraf, hatte er einen weiteren Zivilisten bei sich, dessen Name Theodor Markow bei der Vorstellung entging. Gastgeber und Gast waren bemerkenswert ähnlich anzusehen, beide klein und untersetzt, beide mehr oder weniger kahlköpfig, beide schnauzbärtig, der Gast jedoch auf der rechten Wange durch ein purpurnes Muttermal verunstaltet, welches dem Gastgeber fehlte. Keiner der beiden schien den vier jüngeren Männern viel zu sagen zu haben.

Zum Abendessen wurde Markow zwischen Alexander und den Fähnrich namens Viktor placiert. Gefragt, wie er die Reise von Northampton gemacht habe, antwortete er wahrheitsgemäß, wenn auch vielleicht unnötig ausführlich, daß er mit einem der Fahrräder mit Hilfsmotor gekommen sei, die den Mitgliedern der Kulturkommission zu Erholungszwecken in geringer Zahl zur Verfügung stünden. Daraus entwickelte sich ein Gespräch über Energiepolitik und die Aussichten der Treibstoffversorgung. Alexander legte sich auf die Meinung fest, daß die neuen synthetischen

Treibstoffe in der Herstellung unverhältnismäßig kostspielig seien, daß man in Moskau mit dem Latein am Ende sei und daß der Kraftverkehr bald vollends zum Erliegen kommen werde, wahrscheinlich schon bis zum Ende des Jahrzehnts, worin Viktor ihm zustimmte. Dies alles wurde offen und freimütig vorgebracht, wie es natürlich war und sogar erwartet wurde; niemand dachte sich heutzutage etwas dabei. Was Viktor betraf, so war er vielleicht nicht so sehr der gleichen Meinung, sondern fand es vielmehr zweckdienlich, durch aktive Teilnahme am Gespräch von dem Umstand abzulenken, daß er den gebotenen Getränken kräftiger zusprach als von seinem Vorgesetzten gebilligt werden konnte. Leo, der auf seiner anderen Seite saß, schien ähnlich zu denken, urteilte man nach den geringschätzigen Blicken, die er seinem Offizierskameraden zuwarf. Boris, der Intendanturoberleutnant, welcher die Ehre hatte, zur Linken des Majors zu sitzen, sprach wenig und trank noch weniger; Major Yakir war schweigsam und nickte hin und wieder zu dem, was sein Gast in leisem, für die anderen unhörbarem Ton sagte. Als die Ordonnanzen abgeräumt hatten, sagte Leo mit lauter, herausfordernder Stimme:

»Hat jemand Lust zu einem Spielchen?«

Es war Theodor Markow augenblicklich klar, daß diese Bemerkung nicht für bare Münze genommen werden durften, und daß es darauf ankam, ihre wahre Bedeutung vor dem Major zu verbergen. Ein Blick zu Alexander zeigte ihm, daß es sich empfahl, nichts zu sagen. Nach kurzem Stillschweigen sagte Viktor:

»Gut, ich bin dabei, wenn sonst niemand will.«

»Bist du sicher, daß dir nach Glücksspiel zumute ist?«

»Absolut.«

»Nun gut, auf deine Verantwortung. Alexander, bist du auch dabei?«

»Nein danke, Leo, ich muß an meinen Gast denken.«

»Er ist mehr als willkommen, mitzutun.«

»Das kann ich nicht erlauben, er hat ein schlechtes Kartengedächtnis.«

»Dann werden wir wohl auf ihn verzichten müssen. Aber du machst mit, Boris, ja?«

»Tut mir leid, ich habe noch Verschiedenes zu erledigen.«

»Du hast immer irgendeinen verdammten Vorwand. Ich glaube, du hast Angst, dein Geld zu verlieren.«

»Du weißt, daß es das nicht ist«, sagte Boris in verletztem Ton.

»Natürlich ist es nicht das«, sagte Viktor verdrießlich. »Die Sache ist die, daß man in Kursk nicht spielt, und was man in Kursk nicht tut, darf anderswo auch nicht getan werden. Das ist es, nicht wahr, Boris?«

Einen Augenblick lang hatte es den Anschein, als sei Boris schwankend geworden, dann aber schüttelte er energisch den Kopf. »Nein, ich muß noch arbeiten.«

»Spielverderber«, sagte Viktor. »Nun, dann also nur wir zwei, Leo.«

In diesem Augenblick blickte der Major auf und sagte: »Sie können jetzt den Tee nehmen«, augenscheinlich eine Redensart, die den jüngeren Offizieren das Verlassen des Tisches gestattete.

»Danke, Herr Major. Gute Nacht, Herr Major.«

Leo, Viktor und Boris standen auf, schlugen die Hacken zusammen und verließen das Speisezimmer. Theodor wollte sich ihnen anschließen, aber Alexander legte ihm die Hand auf den Arm und sagte, sie hätten noch Wein in den Gläsern. Nach wenigen Minuten verließen auch Major Yakir und sein Gefährte den Raum, und Alexander entließ die wartende Ordonnanz.

»Nun?« fragte Markow.

»Sobald es ganz dunkel ist, werden Viktor und Leo hinausgehen und mit altmodischen Revolvern aufeinander schießen.«

»Schießen ... Auf welche Distanz?«

»Hm; dreißig Meter? Zwanzig Meter? Es ist nicht der sichere Tod – man zeigt sich nicht, zumindest nicht absichtlich: man ruft, und der andere feuert auf die Stimme. Aber die treiben es noch so lange, bis jemand getötet wird, einer von ihnen oder ein Passant.«

»Wo tun sie das? Das Krachen der Schüsse ...«

»Schalldämpfer. Ich ging einmal mit, dachte, es sei ein Scherz. Aber es war keiner. Wir waren zu viert, ich und diese beiden und der andere Subalternoffizier, der heute abend Dienst hat. Als ich das erste Mal rief, stand ich im tiefen Schlagschatten an der Ecke eines Gebäudes. Eine Kugel traf die Wand neben mir, und ein herausgerissener Splitter schnitt mir in die Wange, und eine zweite Kugel hörte ich ungefähr in Schulterhöhe und weniger als einen Meter vorbeizischen. Da fing ich an zu laufen und blieb erst wieder stehen, als ich in der Offiziersmesse war. Wenn das Feigheit ist, dann bin ich ein Feigling.«

Theodor schüttelte den Kopf. »Nur ein Dummkopf sucht die Gefahr.«

»Sie mögen sich fragen, warum sie einander nicht jede Nacht töten oder verletzen, wenn die Schüsse, die sie auf mich abfeuerten, Durchschnitt waren. In meiner Naivität hatte ich nicht gemerkt, daß die jedem Teilnehmer abverlangte ehrenwörtliche Versicherung, nach dem Ruf stocksteif stehenzubleiben, nicht allzu buchstäblich genommen werden darf. Aber als ich meinen Fehler erkannte, versuchte ich es nicht noch einmal. Ich mache mir Sorgen um Boris. Er ist der Typ, der es so lange buchstäblich nimmt, bis es ihn erwischt. Natürlich mag es sein, daß sie ihn nicht dazu überreden können, seine Ausbildung und sein Temperament sind strikt gegen derlei Unfug, aber er hat die Schwäche, daß er schneidig und flott sein möchte, und da setzt Viktor den Hebel an. Viktor ... bald wird er dort draußen herumschleichen und drauflosballern. Wenigstens ist Leo nüchtern. Aber das verschlimmert die Sache womöglich.«

»Warum verständigen Sie nicht den Major?«

»Bevor sie mir das Spiel erklärten, nahmen sie mir auch in diesem Punkt das Ehrenwort ab. Ein schönes Spiel!«

»Und wenn Sie es anonym machten?«

»Sie würden trotzdem wissen, daß ich es war. Ich mache mir in einer anderen Weise auch Sorgen um den Major. Sie kennen ihn nicht, aber in der Regel ergreift er gern das Wort, und er scheint uns alle zu mögen, selbst Leo. Nun, Sie sahen, wie schweigsam er war, und ich weiß nicht, ob Sie den Blick bemerkten, den er mir zuwarf, als er gute Nacht sagte. Was er auch war, freundlich war dieser Blick nicht.«

»Vielleicht ärgert er sich, diesen Gast ertragen zu müssen.«

»Der arme Major«, sagte Alexander. »Immer muß er Gastfreundschaft erwidern, auf die er nie Wert gelegt hatte.«

Kaum hatte er geendet, wurde die Tür aufgestoßen, und der Mann mit dem Muttermal kam herein und marschierte zu dem Platz, den er beim Essen eingenommen hatte. Dabei sprach er mit monotoner Stimme und erkennbarem Akzent, den Theodor für tschechisch oder polnisch hielt. »Es tut mir leid, so hereingeplatzt zu kommen, meine Herren, aber dummerweise ließ ich mein Brillenetui hier liegen – oder bilde es mir zumindest ein. Ach ja, da liegt es unter dem Tisch neben meinem Stuhl. Welch eine Erleichterung. Und nun bitte ich für mein Eindringen um Entschuldigung und lasse Sie in Frieden und wünsche Ihnen noch einmal eine gute Nacht.«

»Gute Nacht.«

Die Tür wurde mit einigem Nachdruck geschlossen.

»Meinen Sie, daß er etwas gehört hat?« fragte Theodor Markow.

»Und wenn schon. Er kann uns den Buckel hinunterrutschen.«

»Ganz gewiß, aber ich fürchte, damit wäre die Sache nicht ausgestanden.«

»Wieso?« sagte Alexander ziemlich unwillig.

Ohne zu antworten, stand Markow auf, drehte den zuletzt von dem fraglichen Mann benutzten Stuhl um und begann Stuhlbeine und Sitzunterseite eingehend zu untersuchen.

»Wie romantisch!« Alexanders Stimme klang jetzt erheitert. »Feindagenten pflanzen versteckte Mikrophone. Oder ist es eine Zeitbombe? Das erinnert mich an die Geschichte, die ich als Junge gelesen habe. Geben Sie es zu, Theodor: Sie haben den letzten Teil Ihrer Anreise mit dem Fallschirm gemacht.«

»Es ist kein Scherz, fürchte ich. Es besteht eine Gefahr, daß Vanags Leute sich für mich interessieren, nicht sehr, aber immerhin. Also, der Stuhl ist sauber.«

»Was ist mit dem Tisch?«

»Den hat er nicht angerührt. Ich habe ihn beobachtet. Ich werde mir den Boden vornehmen.« Und Markow ließ sich auf alle viere nieder und untersuchte den Teppich.

Alexander kicherte. »Tut mir leid, aber ich kann das nicht ernst nehmen. Versteckte Mikrophone in einer ...«

»Können Sie mir sagen, was er tat, wenn er nicht irgend etwas deponierte?«

»Er wollte sein Brillenetui holen.«

»Reden Sie keinen Unsinn!« Anscheinend war auch der Teppich sauber.

»Also gut, vielleicht hat er etwas anderes geholt, was nicht sein Brillenetui war.«

Theodor Markow blickte stirnrunzelnd auf. »Warum sagen Sie das?«

»Es ist die einzige andere Möglichkeit.«

»Aber was könnte er geholt haben?«

»Keine Ahnung. Das ist Ihre Abteilung. Warum sollten Vanags Leute sich für Sie interessieren?«

»Gestern abend wurde ein Mädchen aus meiner Abteilung festgenommen. Ich kenne sie, weil sie eine Mitarbeiterin ist. Nichts weiter. Was sie verbrochen haben soll, ob sie sich strafbar gemacht hat, oder wer sie festnahm – sehr wahrscheinlich die gewöhnliche zivile Polizei und nicht die Sicherheitsabteilung –, und was es sonst noch an Fragen gibt: keine Information. Aber es besteht die Möglichkeit. Mehr ist nicht daran.«

»Ich verstehe.«

Theodor zog seine Pfeife hervor und schaute sie unfreundlich an. »Ich muß das Rauchen aufgeben; es ist viel zu kostspielig. Sind Sie hier der jüngste Offizier?«

»Ja, Viktor ist um sechs Wochen dienstälter als ich«, sagte Alexander in ernsthaftem, sachlichem Ton, dessen er sich immer bediente, wenn es nachfolgende Fragen zu beantworten gab. Sein Verhalten war das eines Zeugen, der ohne jede Voreingenommenheit darauf aus ist, der Wahrheit zum Sieg zu verhelfen. Wenn er argwöhnte, daß Teile der Information, die er gab, bereits bekannt seien, ließ er es sich nicht anmerken.

»Aber Sie haben Leute unter sich?«

»Ja, wir alle, ausgenommen Boris. Eine Schwadron des Gardekorps ist tatsächlich eine doppelte Schwadron, mit vier Zügen, die bei uns Scharen genannt werden. Die Fünfte ist die Älteste; sie wird von Leo geführt. Ein Schützenzug, obwohl es im strengen Sinn keine Gewehre sind, mit denen die Leute ausgerüstet sind. Sechs und sieben sind gleich.«

»Und Ihr Zug?«

»Acht ist ein Geschützzug; jede Schwadron hat einen. Aber was wir haben, sind im eigentlichen Sinn keine Geschütze.«

»Was dann?« fragte Theodor, damit beschäftigt, den Tabak in den Pfeifenkopf zu drücken.

»Acht Raketenwerfer, die einzeln oder paarweise eingesetzt werden können. Sie können jedes sichtbare, von Menschen gemachte Ziel zerstören, und zwar selektiv, durch das verbesserte Infrarotsuchgerät.«

»Mein lieber Freund, sollten Sie mir das sagen?«

»O ja, warum nicht? Sollte es jemand geben, der mit dem Gedanken umgeht, ob es eine gute Idee sei, uns zu bekämpfen oder zu neutralisieren, dann ist es für alle Beteiligten nur von Vorteil, wenn er die Feuerkraft kennt, der er sich gegenübersehen würde. Es ist offizielle Politik, in diesen Angelegenheiten nicht allzu geheimniskrämerisch zu sein.«

»Angenommen, ich wäre eine solche Person? Könnte ich

nicht versuchen, eines oder mehrere von Ihren Projektilen zu stehlen?«

»Falls Ihnen das gelänge, was wirklich sehr unwahrscheinlich sein würde, wäre es Ihnen dennoch unmöglich, das Geschoß scharfzumachen, zu zielen und abzufeuern, weil Sie die notwendige Spezialausbildung nicht haben, an welche äußerst schwierig heranzukommen ist. Sie könnten mit einem unserer Projektile auch dann nichts anfangen, wenn Sie das zugehörige Abschußgerät hätten.«

»Das ist eine Erleichterung. Aber die ganze Sache ist eine schwere Verantwortung, nicht wahr, und Sie der jüngste Offizier. War es wegen ...?« Er brach ab.

Alexander lachte unbekümmert. »Meines Vaters Stellung? Nun ja, in gewisser Weise, obwohl es verwickelter ist. Es kann demnächst zu einer Umbesetzung kommen, wenn Viktor sich entschließt, seine Versetzung in die Heimat zu beantragen.«

»Ist das so einfach? Heimatdienst auf Antrag?«

»Nach zwei Jahren im Ausland, ja. In ein paar Monaten könnte auch ich den Wunsch äußern. Aber was das angeht, so habe ich bereits Heimatdienst: England ist meine Heimat.«

»Dann haben Sie überhaupt nicht den Wunsch, zurückzukehren?«

»Für mich wäre es keine Rückkehr, Theodor. Ich habe ungefähr ein Viertel meines Lebens in Rußland verbracht, und diese Zeit entfiel hauptsächlich auf meine ersten Kindheitsjahre und auf Besuche, die zu kurz waren, als daß ich mich hätte eingewöhnen können. Und wenn man in der Ausbildung ist, gewöhnt man sich am Standort nicht ein. Ich bin dort ein Fremdling; ich habe dort keine Verantwortlichkeiten.«

»Sie sprechen, als ob Sie hier welche hätten, oder ...«

»Das denke ich doch. Wir alle haben sie, durch unsere Positionen in diesem Land.«

»Daraus könnte man entnehmen, daß Sie den Engländern etwas schuldig seien. Ich frage mich, wieviel, und wie weit

Sie gehen würden, dafür zu sorgen, daß diese Schuld zurückgezahlt wird.«

»Es ist nicht einfach, zum ersten Teil Ihres Gedankens eine klare Aussage zu machen; eine Verpflichtung kann man nicht messen. Aber vielleicht wird ausreichen, was ich zum zweiten Teil sage. Ich würde so weit wie nötig gehen.«

Theodor bemühte sich, ruhig zu atmen. Eine aus Freude und Furcht gemischte Erregung ergriff von ihm Besitz. In gewissem Sinne war dies der bisherige Höhepunkt seines Lebens; in einem anderen hätte er alles Gute, was ihm in der Zukunft widerfahren könnte, dafür gegeben, nicht zu sein, wo er jetzt war. Die Wärme war vergangen; sehr bald würde es ganz dunkel sein, und Leo und Viktor könnten ihr gefährliches Duellspiel beginnen. Er starrte auf das geflickte gelbliche Tischtuch, die Weinflasche mit ihrem pseudoeleganten Etikett, sein leeres Glas, Alexanders noch viertelvolles Glas, den rötlich purpurnen Bogen, wo Viktors unsicher gehaltenes Glas auf dem Tischtuch gestanden hatte. Diese Gegenstände und ihre Betrachtung hatten für ihn eine unheilvolle Qualität angenommen, als ob etwas Bevorstehendes – eine Explosion oder ein Erdbeben – im Begriff wären, sie ganz und gar zu verändern, wie Gegenstände in einem Traum, die mit ihrer sich wandelnden Bedeutung neue Gestalten annehmen. Eine halbe Minute verstrich, ehe ihm klar wurde, daß er auf ein Geräusch wartete – einen Schritt, das Schlagen einer Uhr –, die Stille zu unterstreichen. Diese Idee schien ihm absurd, aufgeblasen; er runzelte die Stirn und ergriff das Wort.

»Sie erinnern sich an unser Gespräch vom gestrigen Abend, als ich Ihnen das Eingeständnis des Ehebruchs mit Frau Korotschenko abzuringen versuchte und Sie dazu brachte, daß Sie bereit waren, auf die Ehre und alles zu schwören, was Ihnen heilig ist.«

»Und?«

»Sie leisteten damit einen Meineid. Geht es dagegen um Ihr Ehrenwort, dem Major diesen Unfug mit den nächtlichen Schießereien zu verheimlichen, so halten Sie es. Sie deuteten an, daß Sie es gern melden würden, aber keinen Weg sähen, es zu tun, ohne in den Verdacht des Wortbruchs zu geraten. Erwarten Sie wirklich von mir, daß ich das glauben soll? Jemand von Ihrer niedrigen Verschlagenheit, wie Sie es, glaube ich, ausdrückten? Nein, Sie hielten den Mund, weil Sie Ihr Ehrenwort gegeben hatten.«

»Was wollen Sie damit sagen?« fragte Alexander gereizt.

»Ich möchte wissen, wie Sie den Widerspruch auflösen. Auf die Ehre Ihres Landes oder Ihrer Familie einen Meineid zu leisten, bedeutet Ihnen nichts, aber wenn es an Ihre eigene Ehre geht, scheinen Sie empfindlich zu sein.«

»Sie sind eben ein Intellektueller, Theodor. Man muß ein Intellektueller wie Sie sein, um einen Widerspruch zu sehen, wo ein gewöhnlicher Mensch einen einfachen Unterschied sieht. Leiste ich einen Meineid auf die Ehre meines Landes, so tut es diesem nicht weh; es erfährt nicht einmal davon. Ich ziehe daraus insofern Nutzen, daß ich den Glauben anderer in meine Behauptung stärke und niemand darunter leidet. Wenn ich aber auf meine Ehre verspreche, nicht zu sagen, was ich weiß, und es dann doch tue, kommen Leute zu Schaden – durch strenge Disziplinarmaßnahmen –, und ich erleide bestenfalls einen Verlust an Wertschätzung. Und das ist ein Unterschied, wie Sie sehen.«

»Ja, ich sehe.« Markow hatte so aufmerksam gelauscht, daß seine Pfeife darüber ausgegangen war; er brachte sie wieder in Gang. »Ich sehe, daß das sehr plausibel ist. Bis ich mich eines weiteren Unterschieds erinnere, nämlich zwischen der Möglichkeit, meinen Offiziersrang zu verlieren und der weniger wahrscheinlichen Möglichkeit, zu guter Letzt die Hälfte meines Kopfes zu verlieren. Dann sehe ich, daß es doch irgendwo einen inneren Widerspruch gibt.«

»Wollen Sie sagen, ich sollte trotz allem zum Major gehen?«

»Nein, ich will sagen, daß Ihnen der Umstand, bei Ihrer persönlichen Ehre genommen zu sein, mehr bedeutet als alles sonst. Darum glaube ich nicht, daß Sie ganz aufrichtig zu mir waren, als Sie vorhin sagten, Sie hätten bei diesem mörderischen Spiel aus Naivität stillgestanden, nachdem Sie Ihren Standort durch einen Ruf verraten hatten. In Wirklichkeit blieben Sie stehen, weil man Sie bei Ihrer Ehre genommen hatte. Ein Davonstehlen hätte Ihnen als Verrat erscheinen müssen.« Mit seiner Pfeife beschäftigt, übersah er den versteckten Blick und das leise Lächeln des anderen. »Und Sie ergriffen in jenem Augenblick die Flucht, weil Sie andernfalls bis zum nächsten Schußwechsel hätten stehenbleiben müssen, oder bis zum übernächsten, wenn es zu einem solchen noch gekommen wäre. Sehr vernünftiges Verhalten.«

»Unsinn, Mann! Passen Sie auf, mir ist gerade etwas durch den Kopf gegangen, was Sie gestern abend sagten. Nachdem Sie mich wegen Frau Korotschenko vor Ihr Inquisitionstribunal gezerrt hatten, beglückwünschten Sie mich zu etwas wie Standfestigkeit im Feuer – vielen Dank dafür – und entschuldigten sich gleichzeitig, daß Sie es hätten tun müssen. Ich vergaß, Sie zu fragen, was, zum Teufel, Sie damit meinten.«

»Sie werden bald sehen. Nun, Fähnrich Petrowsky, nehme ich Sie bei Ihrer Ehre, keinem Menschen zu sagen, was ich Ihnen anvertrauen werde. Nachdem ich Sie sorgfältig geprüft habe, weiß ich bereits, daß Sie eine hohe Widerstandskraft gegen gewöhnliche Verhöre haben, was selbstverständlich nichts über die Widerstandsfähigkeit gegen außergewöhnliche Verhöre aussagt. Ich bitte Sie nur um Ihr Wort, aus freien Stücken nichts zu sagen.«

»Sie haben es. Sie haben auch meine Gratulation, nicht zur Standhaftigkeit unter Feuer, sondern dazu, daß Sie mich beinahe eine Minute lang die Geschichte von dem verhafteten Mädchen glauben machten.«

»Nicht länger? Aber lassen Sie mich mit einer Frage anfangen. Vor einer Weile sagten Sie, Sie würden so weit wie nötig gehen, um den Engländern zurückzuzahlen, was Sie ihnen schuldig zu sein glaubten. Sollte Töten notwendig werden, würden Sie sich dazu hergeben?«

»Ja«, sagte Alexander ohne zu zögern.
»Auch wenn es Ihre Freunde hier betreffen würde? Den Major? Ihre Leute?«
Diesmal dauerte es ein wenig länger. »Ja.«
»Sehr gut. Ich lade Sie nun ein ... Was war das?«
»Ich habe nichts gehört.«
»Wahrscheinlich war es nichts. Verzeihen Sie, Alexander, aber ich habe eine Abneigung dagegen, diese Dinge an Orten zu besprechen, wo man belauscht werden kann; es ist mir zur zweiten Natur geworden. Gibt es keinen anderen Ort, wohin wir gehen könnten? Ihre Schlafkammer?«
»Die ist schon überfüllt, wenn ich allein darin bin. Wir könnten ... Ah, ich weiß, wohin wir gehen könnten.«
»Könnte ich vorher etwas trinken? Etwas Kräftiges? Ich weiß nicht, warum, aber plötzlich ist mir danach zumute.«
Das Gesellschaftszimmer lag verlassen. Alexander schenkte zwei Gläser Johnnie Walker ein und füllte den Bon aus. Dann gab er Markow das Glas, der ihm zuzwinkerte und sagte:
»Willkommen in der Musikvereinigung Northampton!«
»Auf den Erfolg Ihrer Konzerte!«
Sie tranken ihre Gläser aus, sahen einander an und warfen sie nach kurzem Zögern wie auf Verabredung in den offenen Kamin. Dann legten sie die Arme umeinander.
»Das hätten wir vielleicht nicht tun sollen«, sagte Theodor Markow und nickte zu den verstreuten Scherben. »Ihre Ordonnanzen werden nicht viel Freude daran haben, das zusammenzufegen.«
»Ach, für solche Sachen haben sie ein paar englische Hausknechte«, sagte Alexander. Er nahm ein paar Kissen vom Sofa. »Kommen Sie mit – ich bin neugierig auf den Rest Ihrer Geschichte.«
»Wohin gehen wir?«
»Hinaus. Wohin sonst?«
»Ich dachte, wir laufen Gefahr, erschossen zu werden, wenn wir hinausgehen.«
»Nicht in der Nähe der Messe. Wenn schon jemand er-

schossen wird, dann wollen wir jedenfalls vermeiden, daß es Major Yakir ist, der zum Pinkeln vor die Tür geht.«

Die Nacht war ruhig und angenehm warm und erfüllt vom schwachen Duft trockener Vegetation. Der Mond schien hell, und da und dort drang Licht aus den Fenstern der verstreut liegenden Gebäude. Drei uniformierte Gestalten kamen die Stufen vor dem Hauptgebäude herunter; ihre Schritte waren aus der Entfernung gerade noch vernehmbar. Alexander führte den Gast zu einem kleinen dorischen Tempel, der annähernd zweihundert Jahre alt sein mußte und die Kopie eines hellenistischen Originals aus dem kleinasiatischen Pergamon war. Es hieß, der Erbauer habe zwei Reisen dorthin unternommen, um die Originaltreue seiner Nachahmung zu gewährleisten.

»Was ist das?« fragte Theodor Markow, als sie zwischen den Säulen des Portikus dahinschlenderten.

»Eine Art Sommerpavillon, denke ich mir. Ein angenehmer, luftiger Ort an heißen Tagen.«

Tatsächlich machte die angenehme Wärme sogleich einer ebenso angenehmen Kühle Platz. Wenige Meter im Inneren des eigentlichen Tempels stieg der Boden in einer hohen Stufe an, die mit der notwendigen Hilfe eines Polsters eine anspruchslose Sitzgelegenheit abgab. Die beiden Männer befanden sich im Schatten, aber ringsum lagen Streifen mondbeschienenen Pflasters. Zwischen den Steinplatten wuchs, was sie Unkraut genannt hätten, andere in einer stärker naturverbundenen Zeit Kamille und Pimpernelle genannt hätten.

»Daraus, was Sie zu Ihrem Vater sagten«, begann Markow, »entnehme ich, daß Sie England sozusagen in einem Stück den Engländern zurückgeben wollen, ohne irgendwelche Übergangsphasen oder Probezeiten; ist das richtig?«

»Ja – wenn es nicht so geschieht, wird es nie geschehen.«

»Gut, das wäre der notwendige erste Schritt. Es muß also mit einem Schlag ein vollkommener politischer Machtwechsel stattfinden. Und jemand muß ihn vollziehen. Jemand muß die Macht den Gruppierungen nehmen, die sie jetzt innehaben, und den Engländern übergeben. Und wer immer das tut, muß Russe sein – die Engländer können nicht aus eigener Kraft an die Macht kommen; sie werden folgen, aber am Anfang können sie nicht führen. Von dieser Einsicht geleitet, wurde vor vier Jahren in Moskau die Gruppe 31 gegründet. Ihr erstes Ziel bestand darin, so viele ihrer Anhänger wie möglich in die Kulturkommission einzuschleusen und von dort aus zu versuchen, weitere Anhänger zu gewinnen. Diese Strategie hat sich als sehr erfolgreich erwiesen. Heute sind zwei Drittel des Personals entweder von uns oder aktiv auf unserer Seite, darunter alle Abteilungsleiter und ihre Stellvertreter, und von den übrigen, zu denen übrigens der Beauftragte Mets gehört, werden keine ernstlichen Schwierigkeiten erwartet.«

»Wollen Sie damit sagen, daß die ganze Kommission und die Neue Kulturpolitik für England nichts als die Fassade einer geheimen revolutionären Bewegung seien?« fragte Alexander skeptisch.

»Nein, so dürfen Sie es nicht sehen; es ist alles ganz echt. Die zwei gehen zusammen. Nachdem wir die Engländer an die Macht gebracht haben, werden wir mit unserer Arbeit fortfahren.«

»Wenn sie das wollen.«

»Davon bin ich überzeugt. Sie müssen. Wenn ich fortfahren darf: wir haben alle Abteilungen der Verwaltung infiltriert. Die Zivilpolizei hat sich als ein besonders günstiger Nährboden erwiesen – ihre Angehörigen sind unterbezahlt, haben keine Privilegien und hassen die in allem bevorzugte und übergeordnete Sicherheitsabteilung Direktor Vanags –, und ihre Unterstützung wird unsere Aufgabe entscheidend erleichtern. Die Zivilpolizei wird alle Entscheidungsträger der anderen Seite einfach festnehmen.«

»Um wieviel würden Sie wetten, daß Vanags Leute Ihre Seite nicht längst infiltriert haben?«

»Ich dachte, es sei auch Ihre Seite, Alexander.«

»Tut mir leid: unsere Seite. Ich muß diese Frage stellen, weil ...«

»Nein, nein, Sie haben absolut recht, vorsichtig zu sein. Alles ist möglich, aber unsere Führung ist der vorsichtig optimistischen Ansicht, daß bisher keine Infiltration stattgefunden hat. Nun gut, man kann es nicht beweisen; dennoch gibt es eine auffallende und überzeugende Tatsache. Was tut ein kluger Mann, wenn er sich unter seinen Feinden bewegt? Er blickt öfter über die Schulter, um zu sehen, ob er verfolgt wird. Auch wir haben über die Schultern geblickt, und es ist niemand da. Keiner von uns hat das geringste Zeichen unerwünschten Interesses an ihm bemerkt, wie es sein könnte, wenn man zufällig hört, daß jemand dagewesen ist und Erkundigungen eingeholt hat. Und wir glauben den Grund zu kennen. Natürlich haben wir bestimmte Leute aus Vanags Abteilung sorgfältig beobachtet und gehört, was sie am Wirtshaustisch von sich geben. Danach scheint die Unzufriedenheit so groß zu sein, daß sie, sollten sie Hinweise auf die Vorgänge erhalten, diesen nicht weiter nachgehen und die Information nicht einmal an ihre Vorgesetzten weitergeben würden, welche sie bloß zur Förderung ihrer eigenen Karrieren gebrauchen würden. Etwas dergleichen mag bereits ...«

Er verstummte, als in einem der Gebäude an der Zufahrt jäher Aufruhr losbrach. Weibliche Stimmen erhoben sich in Protest und schriller Feindseligkeit; männliche Stimmen mischten sich ein, versuchten offenbar zu beruhigen. Gekreisch folgte, dann ein dumpfer Schlag und ein splitterndes Krachen. Männerstimmen begannen durcheinanderzubrüllen.

»Ist es erlaubt, Frauen ins Kasernengelände zu bringen?« fragte Markow.

»Selbstverständlich nicht, aber es wird nichts getan, um die Einhaltung dieser Vorschrift zu kontrollieren, es sei denn, etwas wie dies geschieht. Es ist die alte Militärdevise: man kann sich alles mögliche erlauben, darf sich aber nicht erwischen lassen. Nun wird die Wache einschreiten müssen.«

Der Lärm dauerte an, aber nicht so laut oder so nahe, daß

er ihr Gespräch behindert hätte, wären sie darauf aus gewesen es fortzusetzen; statt dessen beobachteten beide aufmerksam das weitere Geschehen. Die Ähnlichkeit mit einer Bühnenaufführung wurde verstärkt durch den Umstand, daß ihr Blickfeld von zwei Säulen des Tempels eingerahmt war und die Helligkeit des Mondscheines, die zugenommen zu haben schien, seit sie herausgekommen waren, jedes Detail klar erkennen ließ. Hinter den Fenstern im Obergeschoß waren gestikulierende Gestalten zu sehen, einige davon halbnackt, die durcheinanderliefen oder miteinander rangen und wieder verschwanden. Einmal bewegte sich die Gestalt eines Mannes rasch rückwärts über die gesamte Breite des sichtbaren Raumes, ohne Zweifel infolge eines Schlages. Zu den Geräuscheffekten gehörten wiederholtes Splittern von Glas und regelmäßig wiederkehrende dumpfe Schläge oder Stöße, als rammte jemand Möbelstücke gegen die Wand. Kleine Gruppen Soldaten aus anderen Gebäuden liefen zusammen, um die Ereignisse aus der Nähe zu beobachten, und so hatte sich ein Publikum versammelt, als endlich vier Mann der Wache unter einem Unteroffizier eintrafen und bald darauf drei Frauen aus dem Haus zerrten, die inzwischen alle laut weinten. Der Unteroffizier verweilte noch einen Moment lang, um den Bewohnern des Hauses im Kasernenhofton Bestrafungen zu versprechen, dann folgte er den Wachsoldaten.

»Was geschieht diesen Mädchen?«

Alexander machte ein geringschätziges Geräusch. »Den Mädchen? Sie werden zum Haupttor hinausgeworfen, sobald die Wache mit ihnen fertig ist.«

»Das scheint ein wenig grob.«

»Kein bißchen; sie können von Glück sagen, daß es eine mondhelle Nacht ist.«

»Wie werden sie nach Haus kommen?«

»Entweder zu Fuß, oder sie bekommen einen Pferdebus. Warum all die Sorge? Sie sind Tiere. Woher ich das weiß? Weil diese Kerle da unten nicht besser und nicht schlechter sind als meine Leute, und jede Frau, die sich von einem meiner Leute zum Bumsen abschleppen läßt, muß ein Tier sein – das hoffe ich jedenfalls um ihrer selbst willen. Sie sprachen von der ... Revolution.« Er war selbst überrascht, als er das Wort aussprach.

»Ja.« Es kostete Theodor Markow fast eine halbe Minute, bis er seine Gedanken gesammelt hatte. »Nun ... am Abend des 21. September, am letzten Abend des Kulturfestivals, wenn überall Feiern stattfinden und die allgemeine Aufmerksamkeit abgelenkt sein wird, schlagen wir zu. Wir besetzen den Sender, die Post, die Verwaltungsgebäude und die anderen Nervenzentren. Und wir inhaftieren Vanag und seinen Stab und andere prominente Gestalten, einschließlich Ihres Vaters, wie ich fürchte, aber der wird gut behandelt und sehr bald in seiner Bewegungsfreiheit auf sein Haus und den Park beschränkt werden, was keine große Härte ist.«

»Würde nicht viel ausmachen, wenn es eine wäre. Und ich soll den Rest des Regiments in Schach halten? Ein Glück, daß Sie mich gefunden haben, nicht?«

»Wir hatten und haben etwas für das ganze Regiment, Sie mit eingeschlossen, in Vorbereitung. Kurz bevor wir losschlagen, wird eine unechte Botschaft aus London Ihren Oberst erreichen und Anweisungen geben, daß er alle Truppen in den Quartieren zusammenzieht. Gleichzeitig unterbrechen wir seine Fernsprechverbindung nach Northampton. Dann, wenn der Zeitpunkt gekommen ist, lassen zwei von uns TK in das Kasernengelände.«

»Allmächtiger! Wie sind Sie daran gekommen? Und die Windmaschine?«

»Aus Moskau«, sagte Markow, als sei es nichts Besonderes. »Wir erhalten fortlaufend Sendungen von Vorräten, Kulturgütern und sonstigen Waren.«

»Wissen Sie, wenn unser Regiment das einzige in England wäre, könnte das Vorhaben vielleicht gelingen.«

»Entschuldigen Sie, ich bin so sehr mit unserer örtlichen Bewegung beschäftigt, daß ich vergaß, Ihnen die größeren Zusammenhänge zu erklären. Wir sind hier nur Teil einer

Organisation, die das ganze Land überzieht. Sicherlich wissen Sie, daß das Festival auf landesweiter Ebene stattfinden soll.«

»Nein, wußte ich nicht. Ich wußte überhaupt nichts von alledem. Und hätte es im Regiment das leiseste Geflüster gegeben, ich hätte davon gehört.«

»Die Moral des Gardekorps ist bekanntermaßen hoch. Und in ländlichen Gebieten wie diesem ist das Militär isoliert, ohne Kontakt mit den Strömungen außerhalb. Es wurde beschlossen, daß es außerhalb der größeren Städte, wo die Umstände anders sind, am sichersten sei, diese Garnisonen in Ruhe zu lassen und dann zu neutralisieren.«

»Mit gewissen Ausnahmen.«

»Sie sind ein Sonderfall, Alexander, das müssen Sie zugeben. Sohn des Verwaltungschefs, Liebhaber der Frau des stellvertretenden Direktors – übrigens, wann sehen Sie sie wieder?«

»Morgen nachmittag.«

»Wir werden gleich auf sie zurückkommen – und nun jemand mit den Mitteln, halb England in die Luft zu jagen. Wir müssen Sie haben.«

»Was soll ich in die Luft jagen?«

»Das läßt sich jetzt noch nicht sagen. Sie müssen sich nur bereithalten. Haben Sie die Möglichkeit, an diese Projektile heranzukommen?«

»Wenn alle anderen zwölf Stunden bewußtlos liegen, sollte es möglich sein, ja.«

»Welche Chance haben die Leute, rechtzeitig ihre Gasmasken aufzusetzen?«

»Überhaupt keine. Ein Hauch, und man bricht zusammen, so plötzlich, daß es häufig zu Sturzverletzungen kommt. Das jedenfalls steht im Instruktionshandbuch.«

»Ausgezeichnet.«

Nach einer kurzen Pause sagte Alexander: »Am nächsten Tag die ganze russische Armee und Luftwaffe abzuwehren, dürfte mich allerdings in Verlegenheit bringen.«

»Schon wieder ein Versäumnis meinerseits. Ich hätte Ihnen viel früher sagen sollen, daß es in Moskau einen Regierungswechsel geben wird, der zeitlich mit all diesen Dingen koordiniert sein wird.«

»Ein Staatsstreich in Moskau? Lieber Himmel! Was wird das nächste sein?«

»Mir wurde es als ein Regierungswechsel beschrieben. Die neue Führung wird einem autonomen, neutralisierten England gewogen sein. Das ist alles, was ich weiß.«

Eine längere Pause folgte. Markow hörte, wie Alexander sich das Kinn oder die Wange rieb. In der Ferne zerbarst plötzlich eine Glasscheibe.

»Unsere Freunde. Offenbar sind sie noch am Leben. Nun, ich glaube, dieser Plan hat einige sehr interessante Möglichkeiten.«

»Dann sind Sie nun, da Sie mehr über uns wissen, immer noch auf unserer Seite?«

»Ja«, sagte Alexanders Stimme entschlossen aus der Dunkelheit.

Als er seine Pfeife wieder in Gang brachte, konnte Theodor Markow den Gesichtsausdruck seines Mitverschwörers nicht genau sehen. Diesmal war er von einem leichten Achselzucken begleitet.

ACHT

Das Alte Pfarrhaus erwies sich als ein ziemlich großes, würfelförmiges und rosa getünchtes Gebäude. Vor dem Haus verlief ein Bretterzaun, auf den eine wenig talentierte Person vor kurzem mit Kreide einen erigierten Penis mit anhängenden Hoden gezeichnet hatte. Als Alexander durch das Tor ritt, überlegte er, daß wahrscheinlich ein großzügiger Nachbar und nicht die Dame des Hauses selbst verantwortlich war, daß aber die letztere Hypothese nicht völlig ausgeschlossen werden konnte. Auf der anderen Seite des Zaunes, außer Sicht von der Straße, gab es einen unordentlichen Rasen mit immergrünen Sträuchern. Er saß ab, machte Polly beim Tor fest und begann sich vorsichtig dem Haus zu nähern, die Augen offen für alternative Fluchtwege, als erwarte er einer kambodschanischen Selbstmordabteilung zu begegnen und nicht einer vermutlich unbewaffneten Frau.

Die Eingangstür stand angelehnt. Er zögerte und drückte den Klingelknopf daneben, hörte es im Haus läuten und wartete. Nichts geschah, auch nicht auf ein zweites und drittes Klingelsignal. Er drückte die Tür auf und sah sich in einer Diele mit Fliesenboden im Schachbrettmuster, zu beiden Seiten die Zimmer hinter Türen mit Glaseinsätzen, einen rechtwinklig anschließenden Korridor und den Fuß einer Treppe. Im weiteren Vordringen fand er zur Linken ein Speisezimmer, zur Rechten einen Salon. Beide waren leer. Als er den abzweigenden Korridor erreichte, war er beinahe sicher, daß auf dem Treppenabsatz oder am Kopf der Treppe jemand stand, doch als er eine Sekunde später nachsah, entdeckte er nichts. Auf der linken Seite, anschließend an das Speisezimmer, bemerkte er eine weitere Tür, die nicht ganz geschlossen war. Sie führte in eine Küche, wo jemand war: Frau Korotschenko lehnte nackt an der Wand ihm gegenüber.

Alexander war nicht der Mann, sich bei solchem Anblick den Kopf zu zerbrechen oder lange aufzuhalten; eilig ging er auf sie zu und umarmte sie inbrünstig. Dann stieß er hervor:

»Laß uns nach oben gehen!«

»Nein. Hier!«

»Komm schon, Liebling, sei nicht albern, es ist viel bequemer.«

»Ich sagte, *hier!*«

Er umfaßte ihre Taille und versuchte sie mit sanfter Gewalt von der Wand fortzuziehen; ihre Reaktion darauf war, daß sie die Arme hob und mit beiden Händen die Stange eines Rollhandtuches ergriff, das hinter ihr hing und an dem sie – statt an der Wand selbst – gelehnt hatte. So gestützt, war sie in einer ausgezeichneten Position, ihn mit den kräftigen Beinen abzuwehren, und er gab seinen Versuch bald auf. Jetzt sah er sie mit einer Neugierde an, und sie erwiderte seinen Blick mit weit geöffneten Augen, geblähten Nasenflügeln und gebleckten Zähnen.

»In Gottes Namen«, sagte sie durch die Zähne und streckte die Hand nach ihm aus. In diesem Augenblick erinnerte er sich, daß sie sich bei ihrem letzten Treffen nicht eben als Freundin zärtlicher Vorspiele erwiesen hatte, und machte sich in der kürzestmöglichen Zeit daran, ihren Wunsch zu erfüllen. Einmal oder zweimal fand er ihren Mund mit dem seinigen, aber jedesmal wich sie ihm mit einer Kopfdrehung aus. Sie hatte sich offenbar an der Handtuchstange festgehalten und überraschte ihn bald mit der Kraft ihrer Arme und Schultern. Mittlerweile waren seine eigenen Kräfte einer harten Probe unterworfen; sie hielten den Anforderungen jedoch stand, selbst am Schluß als außer der Erleichterung, die ihre lehnende Haltung gewährte, ihr ganzes Gewicht auf ihm ruhte. Ihr seltsamer Schrei ertönte in seiner ungedämpften Form (obendrein nah an seinem Ohr ausgestoßen), nicht gerade geeignet, die Toten zu erwecken, aber allemal imstande, jeden im Haus aufzuschrecken, der vielleicht geschlafen hatte oder anderweitig beschäftigt war. Diesmal schienen die Obertöne von Hilflosigkeit oder Hoffnungslosigkeit Alexander klar zu sein; weitere Anklänge entzogen sich seinem Gespür noch immer.

Als Stille eintrat, vermeinte er wieder ein Geräusch hinter sich zu hören, ein unterdrücktes Hüsteln oder vielleicht Kichern. Er blickte schnell über die Schulter, sah aber niemand.

»Was war das?« fragte er.

»Was war was?« Ihr Ton war gleichgültig.

Er schüttelte den Kopf und sagte nichts. Sie bewegte sich seitwärts und lehnte sich mit aufgestützten Ellbogen über eine Anrichte, die an der Wand entlang zur Tür verlief. Diese stand offen; er konnnte sich nicht erinnern, ob er sie geschlossen hatte oder nicht, und schob den Gedanken beiseite, als Frau Korotschenko seine Hände an sich zog, wie sie es schon einmal getan hatte.

»Das war herrlich, Liebling«, sagte er, und es war nicht übertrieben, obwohl er seine eigenen Empfindungen genauer ausgedrückt hätte, wenn er das Vorgegangene als so seltsam beschrieben haben würde, daß man es kaum glauben könne. Er blickte in ihr Gesicht, konnte dort aber keine Emotionen finden, nur Zeichen ihres körperlichen Zustandes. Ihr Blick streifte ihn und wanderte weiter, als ob er ein Fremder auf einem öffentlichen Platz wäre.

»Wollen wir jetzt hinaufgehen?«

»Wozu?«

»Es ist bequemer. Wie ich sagte.«

»Ja, aber warum willst du jetzt da hingehen? – Na gut«, fuhr sie fort, bevor er antworten konnte, vielleicht in Erinnerung ihres Gesprächs im Park seines Vaters. Sie richtete sich auf.

»Was ist mit deinen Kleidern?«

»Welchen Kleidern?«

Er wandte den Kopf und blickte in der Küche umher. Es traf zu, daß nirgendwo Kleider von ihr zu sehen waren.

»Die du anhattest, bevor ich kam.«

»Was? Meine Kleider sind oben«, sagte sie und ging zur Tür.

»Es ist niemand in der Nähe, oder? Dienstpersonal oder was? Ich hätte schwören mögen, daß ich jemand hörte.«

»Du irrst dich, außer uns ist niemand da.«

Sie gingen hinaus und durch die Diele zum Fuß der Treppe. Als sie die Treppe erstiegen, legte er ihr den Arm um die Taille; sie blickte über die Schulter hinab, um zu sehen, was diese übertriebene Geste zu bedeuten habe, dann kratzte sie sich ungeniert den Bauch. Das Zimmer, das ihr Ziel war, lag am Ende des oberen Korridors, eine schmale Mansarde. Es war nicht sehr hell darin, weil die Fenster klein und halb verdeckt von schweren Brokatvorhängen waren, die aus einem viel größeren Stück geschnitten sein mußten; die in stumpfem Weinrot gehaltene Tapete und die dunkelbraune Farbe des Teppichs ließen es noch dunkler erscheinen. Auch die Bilder hatten nichts Heiteres; es waren Aquarelle und Pastellzeichnungen von Landschaften und Gestalten, alle von derselben erstaunlich untalentierten Hand, die Zeichnungen ungelenk, die Farben der Aquarelle blaß und verfließend. Andere Gegenstände zeigten verwandte Aspekte derselben wahrhaft kindlichen Unfähigkeit: ein bauchiger Tonkrug, ein Stück schmutziger Strickarbeit von jämmerlicher Unvollkommenheit, eine unscharfe Fotografie eines etwa zehnjährigen Mädchens, ein Bucheinband aus irgendeinem künstlichen Material, auf dem die Beschriftung schlecht spationiert und ausgerichtet war. Nichtsdestoweniger verkündete sie klar genug, daß das Buch in dem Schutzeinband ›Anna Karenina‹ von Leo Tolstoj war, und wenn Alexander interessiert gewesen wäre, hätte er leicht feststellen können, daß es wirklich dieses Buch war, und daß die Seiten überdies bis zur Mitte des ersten Teils eselsohrig und fleckig von Speisen und Getränken waren, während die danach ganz glatt und sauber lagen. Aber natürlich war er daran nicht im mindesten interessiert, noch an den Bildern oder irgendeinem der Gegenstände im Raum, abgesehen vom Bett, dessen Abmessung und Umgebung zeigten, daß es kein Ehebett war, seinen Zweck aber gut genug erfüllen würde.

Er schlug die billige, mit irgendwelchen Kunststofflocken gefüllte Steppdecke zurück und zog sich rasch aus, während Frau Korotschenko ihn von einem Hocker aus beobachtete, der vor einem großen, mit Bildpostkarten und weiteren Pastellzeichnungen besteckten Spiegel stand. Als er sich weiter umsah, bemerkte er, daß ihre Kleider, in dem Sinne, wie er es gemeint hatte, auch hier nicht zu sehen waren, obwohl da und dort Artikel aus Stoff herumlagen. Zweifellos ging sie zu Hause nackt, solange das Wetter es zuließ. Als er sich endlich auf das Bett niedersetzte und sie aufforderte, zu ihm zu kommen, tat er es halb in der Erwartung, daß sie irgendeinen anderen ungewöhnlichen Ort vorschlagen oder ihn wenigsten fragen würde, wozu er das wolle, aber sie kam schweigend und bereitwillig herüber. Dennoch war ihre Reaktion weder warm noch freundlich, als er sich der Aktivität widmete, an die er gedacht hatte und die einfach in der eingehenden Erforschung dessen bestand, was er bisher nur in Umrissen hatte sehen können. Sie schickte sich mit Anstand in Perversitäten wie geküßt und liebkost zu werden, wo jede normale Frau es natürlich vorgezogen haben würde, sich im Gras zu wälzen oder von einer Wand zu hängen. Ihr Körper war für Alexander so interessant, daß er anfangs ihre Gleichgültigkeit ignorieren konnte, aber nach einiger Zeit begann jenes Gefühl darunter zu leiden, was er seine Selbstachtung genannt haben würde. Sie nach ihrem Namen zu fragen, schien ihm ein guter Gedanke, um so mehr, als er ihn nie erfahren hatte.

Sie antwortete wie ein Kind: »Sonja Korotschenko.«

»Ich heiße Alexander«, sagte er aus Höflichkeit, denn er war überzeugt, daß sie ihn kenne.

»Ach ja? Alexander wie?«

»Mein Nachname ist genau der gleiche wie der meiner Eltern.«

»Und was ist der?«

»Petrowsky. Sie waren vorgestern deine Gastgeber.«

»Ach, ich behalte niemals die Namen der Leute, zu denen mein Mann mich ausführt.«

»Was geschieht, wenn du die Gastfreundschaft erwiderst?«

»Das tun wir nicht, weil mein Mann zu geizig ist«, sagte sie wie jemand, der das Gebrechen eines Kranken erwähnt. »Wenn er anderen etwas zu trinken geben muß, lädt er sie in den Klub ein.« Im gleichen Atemzug fragte sie ihn: »Hast du schon viele Mädchen gehabt?«

»Das kann man sagen. Aber keine von ihnen war so gut wie du es bist, Sonja.«

»Magst du junge Mädchen?«

»Nicht besonders«, sagte er, um nach kurzer Pause hinzuzufügen: »Sie sind so unreif, die meisten. Viel lieber ist mir eine ...«

»Wie alt war die Jüngste, die du gehabt hast?«

»Dreizehn, glaube ich; ich habe ziemlich jung angefangen. Wie schön du bist. Du hast die schönste ...«

»Hast du schon mal zwei Mädchen auf einmal gehabt?«

»Zwei Mädchen auf einmal ... Ich verstehe, was du meinst. Nein, habe ich nicht. Eine Person ganz für sich zu haben, das ist, finde ich, worauf es wirklich ankommt, nicht wahr? Es sei denn, du ...«

»Würdest du es gern versuchen?«

Dies alles schienen ihm völlig geziemende Fragen zu sein, aber er hatte nicht das geringste Verlangen, sich jetzt mit ihnen zu beschäftigen. Mit mehr Zartheit, als er empfand, sagte er: »Aber Liebling, was hat es dir zu sagen? Warum willst du es wissen?«

»Ich bin sicher, daß es dir gefallen würde. Hast du es schon mal mit einem Mann gemacht? Ich wette, du hast.«

»Nein, ich habe nicht – Männer ziehen mich nicht im mindesten an«, sagte Alexander wahrheitsgemäß und ärgerlich. Ein Teil des Ärgers war real und beruhte auf der Durchkreuzung seiner Gesprächswünsche, aber mehr davon war affektiert und beruhte auf seiner plötzlichen Erkenntnis, daß hier mehr und anderes als Mißvergnügen am

Platze sei. Was sie vielleicht wollte – und bekommen sollte –, war eine große Schau theatralischer Mißbilligung und Ablehnung. Er packte sie bei den Schultern, blickte ihr mit zorniger Intensität ins Gesicht und fuhr mit unnatürlich tiefer Stimme fort: »Wie kannst du es wagen, so zu mir zu sprechen! Ich bin so freundlich und liebevoll zu dir, wie man nur sein kann, und das ist der Dank dafür – du stellst mir die intimsten Fragen, machst widerwärtige Anspielungen und unterstellst mir schließlich widernatürliche Praktiken mit anderen Männern! Und dies, nachdem ich mich herabgelassen habe, auf deine schamlosen, ausschweifenden Einfälle einzugehen! Es ist ungeheuerlich, obszön! Du bist eine abscheuliche, schlechte Frau, eine verkommene Hure!«

Er hatte noch nicht ausgeredet, als sie sich in seinem Griff zu regen und zu winden begann und schnaufte, als leide sie unter akuter Erkältung. Während er sie betrachtete, verloren ihre Augen den Glanz, ihr dünner Mund erschlaffte, und ihr ganzes Gesicht wurde teigig und plump, ein völlig anderer Ausdruck als der, wie sie ihn in der Küche gezeigt hatte. Aber er dachte nicht daran, sich über die mögliche Bedeutung dieser Veränderung den Kopf zu zerbrechen, und wollte sich nicht ein drittes Mal drängen lassen, und bald knurrte und ächzte und heulte sie in seinen Armen. Als sie fertig waren, schlief sie sofort ein, noch in seinen Armen. Sie war keine ruhige Schläferin und ließ beim Ausatmen Seufzer und kleine Grunzlaute hören, aber Alexander war zufrieden. Er streichelte ihr kurzes Haar, das, vielleicht unerwartet, vor nicht langer Zeit gewaschen worden war, und ließ seine Gedanken schweifen.

Seit seiner Schulzeit hatte Esmé Latour-Ordschonikidses ›Gedanken und Aussprüche‹ zu seinen Lieblingsbüchern gehört. Große Teile des Abschnitts über die Liebe wußte er noch immer auswendig.

Es ist der vulgärste aller Irrtümer, anzunehmen, daß eine Leidenschaft, die uns rasch überkommt, damit zugleich anzeige, daß sie nicht von Dauer sein könne. Wird ein augenblicklicher, in-

stinktiver Abscheu eher aufgegeben als eine begründete Antipathie?

Die Mystiker sagen uns, die Liebe Gottes sei unendlich fremd, bisweilen grausam, beängstigend, selbst empörend ... Wir dürfen nicht vergessen, daß Er es war, der uns lehrte, einander zu lieben.

Wer behauptet, daß wir nicht mehr als eine Person zur Zeit lieben könnten, würde sicherlich nicht leugnen, daß wir zwei oder mehr Personen zugleich fürchten, bewundern, hassen oder zum Gegenstand unserer Fürsorge machen können. Ein volles Herz ist keine Speisekammer oder Bank.

»Liebe ist ein Spiel mit (nur) einer Regel: daß der Umstand, ein Spiel zu sein, niemals in Wort oder Tat eingestanden werden darf, und so selten wie möglich in Gedanken«, sagte Archilochus, und die Menschen verhöhnten ihn seiner Weisheit wegen.

Wahre Leidenschaft erfaßt uns stets überraschend, stößt uns sogar in Verwirrung. Engel treffen unerwartet ein; niemand war je verblüfft, einen Steuereintreiber zu sehen.

Wer rückhaltlos zu lieben wünscht, frei von allen eigennützigen Gedanken und ohne Blick auf die Zukunft, kann hoffen, daß die Fee den Wunsch gewährt.

Zu lieben ist wieder wie ein Kind werden und die Immunität eines Kindes genießen. Selbst Juristen anerkennen einen Zustand verminderter Zurechnungsfähigkeit.

Diese und andere Maximen gingen Alexander durch den Kopf, einige sogar wortwörtlich, als er in dem schmalen Bett lag, Frau Korotschenko in den Armen. Seine Lage war glücklicherweise eine, die er relativ lange ohne Unbequemlichkeit aushalten konnte, ein seltener Zufall in einer solchen Situation. Sie mochte zu einem guten Teil seinen augenblicklichen Empfindungen zuzuschreiben sein, die Wohlbefinden und Liebenswürdigkeit in einem Einklang vereinten, der ihm neu, teilweise neu oder relativ neu schien. Er glaubte, daß er eine Art Ahnung von Frau Korotschenko gehabt hatte, als er vor ihrer ersten Begegnung zu Hause in der Eingangshalle gestanden hatte. Übernatürliche

Ereignisse dieser Art waren oft mit bedeutsamen emotionalen Erfahrungen verbunden, wie Latour-Ordschonikidse bemerkt hatte (unter Geistern, nicht Liebe). Er war dankbar für die Gelegenheit, ihr Vergnügen zu bereiten oder sie zu befriedigen oder wenigstens zu tun, was sie von ihm gewollt hatte. Und er war ihr in einer anderen Weise dankbar: wie immer man eine gute Nummer definieren sollte (und nach einem halben Dutzend Jahren extensiver und verschiedenartiger Erfahrungen hatte er darüber noch immer keine Gewißheit gefunden), sie war eine. Plötzlich sah er sich in seinen Gedanken bei Kitty. Natürlich liebte er sie auch, aber nicht ganz im gleichen Sinne: mehr impulsiv, weniger verschiedenartig, weniger bemerkenswert. Es hatte mit ihrem unterschiedlichen Alter zu tun. Er wollte von der älteren Frau lernen und die jüngere lehren und damit seine Fähigkeiten zur Liebe in einer ganz und gar erlaubten Art erweitern: Latour-Ordschonikidse hatte darüber eine kluge Bemerkung gemacht, wenn Alexander sich auch nicht an den genauen Wortlaut erinnern konnte.

Zeit verging. Er schlief ein. Als er aufwachte, war auch Frau Korotschenko wach und schaute ihn erwartungsvoll an.

»Wieviel Zeit haben wir noch?« fragte er.

»Mein Mann«, sagte sie mit ironischer Betonung, »wird erst nach sechs Uhr kommen.«

»Jedenfalls muß ich vorher auf und davon sein. Verstehe ich richtig, daß du ihn nicht so zärtlich liebst, wie es der Fall sein könnte?«

»Ich hasse ihn, aber das weiß er nicht, dafür sorge ich. Ich würde alles tun, um ihn lächerlich zu machen, ihn zu demütigen.«

»Wie zum Beispiel ihn glauben machen, du hättest mich wollen und ich wäre dir nicht gefällig gewesen?«

»Ich weiß nicht, wovon du redest.«

»Nein, natürlich nicht. Warum haßt du ihn? Warum hast du ihn geheiratet?«

»Ich heiratete ihn, weil ich dachte, er sei eine Art von

Mann, und ich hasse ihn, weil ich entdeckte, daß er in Wirklichkeit eine andere Art von Mann ist.«

»Welche Art ist das?«

»Welche?«

»Mir egal, welche du willst. Also gut, die Art von Mann, die er ist.«

»Ein gewöhnlicher Mann.«

»Ich verstehe«, sagte Alexander, der einsah, daß er nach der falschen Art von den beiden gefragt hatte und die Sache nicht weiter verfolgte, weil er nicht neugierig auf ihre Vorstellung von einem außergewöhnlichen Mann war. »Wie würdest du ihn gern lächerlich machen? In welchem Zusammenhang?«

»Durch seine Arbeit. Sie ist das einzige in seinem Leben, was ihm etwas bedeutet.«

»Dann wird er die ganze Zeit davon erzählen«, sagte er arglos.

»Nicht ein Wort, er ist verschlossen wie eine Auster. Er redet über nichts. Wie du bemerkt haben wirst.«

»Hm ... äh ... willst du ihn als unfähig hinstellen, etwas in der Art?«

»Ja, als untauglich, um mit dem englischen Widerstand fertig zu werden.«

Er war völlig unvorbereitet, und sein Gesichtsausdruck mußte ihn oder etwas verraten haben. Glücklicherweise rieb sie sich gerade ein Auge und blickte mit dem anderen unkonzentriert an ihm vorbei. »Welcher englische Widerstand? Ich wußte nicht ...«

»Es muß einen geben. Ich weiß wirklich nichts, aber es kann nicht sein, daß es keinen gibt, und wahrscheinlich sind eine Menge unserer Landsleute darin verstrickt. Leute wie du.«

»Wie ich? Wieso?«

»Jung. Impulsiv, ohne Furcht, ein paar Risiken einzugehen.« Sie musterte ihn kritisch; die asiatische Form ihrer Augen schien auf einmal betont. »Ritterlich. Du mußt dabei sein.«

»Ich habe bloß noch nie gehört, daß es etwas gibt, wo man dabei sein könnte.«

»Ich würde selbst mitmachen, wenn ich die Chance hätte. Die Bande in jeder Weise bekämpfen. Und wenn ich sterben müßte, es würde mir nichts ausmachen.«

Dazu gab es nicht viel zu sagen, zumindest fiel ihm nichts ein. Schließlich sagte er: »Ich werde darüber nachdenken. Wie wir deinen Mann bloßstellen können. Mal sehen, ob ich mir einen Plan ausdenken kann.«

Später, als er sich angezogen hatte (sie traf keine Anstalten dazu), nahm er ihre Stola aus seinem Brotbeutel und reichte sie ihr. »Ich fürchte, sie ist ein wenig zerknittert.«

»Danke.« Sie schien verlegen.

»Warum hast du sie dort liegenlassen?«

»Ich muß sie vergessen haben.«

»Nein. Du hast gerade deine zweite Chance verpaßt, zu fragen, wo sie gefunden wurde, was du hättest wissen wollen, wenn du sie wirklich vergessen hättest. Du ließest sie absichtlich im Garten liegen, und ich möchte wissen, warum. Es war ein Glückszufall, daß ich dazu kam, bevor sie meiner Mutter gebracht wurde; wäre das geschehen, so wäre ich in eine peinliche Lage geraten, denn man hätte mir eine Erklärung abverlangt. Und nehmen wir einmal an, sie hätte bemerkt, daß du die Stola trugst, als du kamst. Oder dein Mann hätte es bemerkt; das hätte einen schönen Ärger geben können.«

»Er bemerkt nie etwas an mir.«

»Er würde etwas an dir bemerken, wenn er jetzt in dieses Zimmer käme. Und an mir auch – den Umstand, daß ich hier bin. Woher soll ich wissen, daß du die Sache mit der Stola nicht arrangiert hast, um dir einen Spaß zu machen?«

»So etwas würde ich nicht tun. Denkst du, ich sei verrückt?«

»Ich weiß nicht, was du bist, Sonja, aber wenn du mir sagtest, warum du diese Stola auf dem Rasen zurückließest, würde ich vielleicht einen Anhaltspunkt haben.«

»Es war eine Art Scherz«, sagte sie in ihrer lieblosen Art.

»Scherz! Auf wessen Kosten? Auf meine, nehme ich an.«

»Nun, über ... über alles, eigentlich. Ich wollte bloß etwas aufrühren, in kleinem Maßstab. Ich wußte, daß nichts Ernstliches geschehen konnte. Aber natürlich hätte ich es nicht tun sollen; das sehe ich jetzt ein. Tut mir leid.«

»Freut mich, das zu hören«, erwiderte Alexander. »Es sollte dir wirklich leid tun; das war ein Beispiel absolut schändlichen Verhaltens. Du bist ein unartiges Mädchen, Sonja.«

Was folgte, war mehr als eine Überraschung. Sie lächelte ein wenig, etwas, was er niemals von ihr erwartet hätte, und ein Anflug von Lebhaftigkeit war in ihrer Stimme, als sie sagte: »Meinst du, daß ich vielleicht verdiene, bestraft zu werden? Es ist noch Zeit.«

NEUN

Ungefähr zur gleichen Zeit, als Alexander das Haus der Korotschenkos verließ, lenkte Theodor Markow sein Fahrrad mit Hilfsmotor die Zufahrt zu einem weitläufigen Gebäude auf der anderen Seite von Northampton hinauf. Mehrere ähnliche Fahrzeuge standen nahe der Säulenvorhalle, ebenso zwei Motorwagen: er erkannte darin die Dienstfahrzeuge des Verwaltungschefs Petrowsky und des Beauftragten Mets. Außerdem standen eine Anzahl Pferdekutschen verschiedener Art herum. Theodor stieg ab und ging zur Seitenfront des Gebäudes, wo ein von blühenden Sträuchern gesäumter Fußweg ihn in einen großen offenen Garten führte. Hier standen und saßen einige Dutzend Leute in Gruppen um zwei Allwetter-Tennisplätze, auf denen gespielt wurde. Weißgekleidete Diener, die Tabletts mit Wein, alkoholfreien Getränken, Früchten, Gebäck und kalten Fleischpasteten trugen, bewegten sich von einer Gruppe zur anderen; in einem großen Zelt wurden gehaltvollere Erfrischungen vorbereitet. Jenseits der Plätze, auf denen außer den Spielern vier englische Balljungen nach Bedarf hin und her liefen, war ein kleiner Musikpavillon, wo ein Holzbläserensemble Galoppe und Walzer aus einer Zeit spielte die eineinhalb Jahrhunderte zurücklag, während zwei oder drei Paare auf dem umgebenden gepflasterten Platz tanzten. Alles sollte stilvoll vor sich gehen, denn dies war eine der regelmäßig stattfindenden Sommergesellschaften, die von Igor Swaniewicz gegeben wurden, dem Heeresproviantmeister für die Überwachungseinheiten.

Und alles sah aus hinreichender Entfernung stilvoll und richtig aus; auch den Anwesenden erschien alles richtig. Niemand dachte, niemand sah, daß die Kleider der Festgäste aus minderwertigen Stoffen schlecht geschnitten waren, schlecht verarbeitet, schlecht sitzend, daß die Frisuren der

Damen unordentlich und die Fingernägel der Männer schmutzig waren, daß die Oberflächen der Tennisplätze uneben und unzureichend geharkt waren, daß die weißen Jakken der Diener nicht sehr weiß waren, daß die Gläser und Teller, die sie trugen, nicht ordentlich gespült waren, oder daß das Pflaster, wo die Paare tanzten, hätte gefegt werden müssen. Niemand dachte, niemand nahm mit anderen Sinnen wahr, daß der Wein dünn war, die alkoholfreien Getränke voller Konservierungsstoffe und die Gebäcksorten fade, oder daß die Musik des Orchesters holperig und leblos war. Niemand dachte sich etwas bei alledem, weil niemand jemals etwas anderes gekannt hatte.

In Theodor Markows Augen nahm es sich wahrhaft großartig aus, sogar in einem einschüchternden Grad, und er hielt eifrig nach einem freundlichen oder gar bekannten Gesicht Ausschau. Er hoffte Nina zu sehen, um den glücklichen Zufall zu nutzen, der ihm zu einer Einladung hierher verholfen hatte, wo ihre Eltern und sie regelmäßige Gäste waren. Zwischen der Rückfront des Gebäudes und den Tennisplätzen war jedoch nichts von ihr zu sehen – oder vielleicht doch, nämlich in der Gestalt ihrer Eltern, die im Gespräch mit Oberst Tabidze und seiner Frau und dem Beauftragten Mets beisammenstanden. Nachdem er ein Glas Wein von einem dargebotenen Tablett genommen hatte, ging er zu ihnen und machte seine Aufwartung, einstweilen stumm, weil der Oberst gerade dabei war, eine Ansicht vorzutragen, die ihm offensichtlich etwas bedeutete.

»In welche Zeit sollen wir seinen Tod datieren?« sagte er in einem nicht sehr fragenden Ton. »Das Jahr 2000? 2020? Das ist für die Sache nicht wichtig: als aktive Wirkkraft, als eine breitenwirksame Ideologie, mit der gerechnet werden muß, hat der Marxismus aufgehört zu existieren. Seine Anhänger sind gestorben, dem Zynismus anheimgefallen oder in Hilflosigkeit verstummt. Aber was hätte ihn ersetzen können? Ah, guten Abend, lieber Freund.«

»Guten Abend, Oberst«, sagte Markow und begrüßte der Reihe nach die anderen, einschließlich Frau Petrowsky, die ihm für seinen Dankesgruß nach ihrer Abendeinladung wiederum dankte. Als die Begrüßung vorüber war, sagte er: »Bitte lassen Sie sich von mir nicht unterbrechen, Oberst!«

»Ach, ein kluger junger Mann wie Sie mag die Faseleien eines alten Tropfes nicht hören«, sagte Tabidze.

»Die Stimme der Weisheit«, sagte seine Frau. »Hören Sie auf sie!«

»Ich versichere Ihnen, daß ich äußerst interessiert bin«, sagte Markow aufrichtig.

»Nun gut, Sie haben es sich selbst zuzuschreiben ... Wo war ich stehengeblieben?«

»Was den Marxismus ersetzt hat.« Petrowskys Miene zeigte interessierte Erwartung.

»Richtig. Was ihn ersetzt hat, ist nichts, ein Vakuum. Keine Theorie sozialistischer Demokratie, kein Liberalismus oder dergleichen, nicht einmal ein unpolitischer Kodex des Anstands oder Mitleids. Hinter der ausgehöhlten alten Fassade hatten sich keine neuen Ideen gebildet. Und mit den ökologischen Folgen der ungehemmten industriellen Entwicklung brach der Fortschrittsglaube ebenso zusammen wie die Hoffnung auf eine allgemeine Aufwärtsentwicklung. Das Christentum war längst abgetan, und keine der neuen Sektenreligionen konnte Fuß fassen. Wie stellte sich der Russe dazu? Kein Glaube, kein Zukunftsoptimismus, kein Vorbild. Unsere in einer anderen Zeit für andere Verhältnisse geschriebenen Bücher sagen uns nichts mehr. Wovon leben wir also? Die Befriedigung des Eigennutzes ist den meisten Menschen nicht genug, es gibt zu viele Gebiete, auf denen er keine Entfaltung findet. Sinnliche Genüsse – ein noch begrenzteres Feld. Also schauspielern wir; wir wählen eine Rolle, die mit unserem Alter und unserer Position nicht allzu unvereinbar ist, und spielen sie nach bestem Können. Freilich können wir sie nicht die ganze Zeit aufrechterhalten, aber sie ist da, wenn wir sie brauchen, und Russe zu sein, ist eine große Hilfe.«

»Gerade sagtest du, Russe zu sein, sei nicht gut oder sei verschwunden oder was«, sagte Frau Tabidze.

»Nein, nein, mein Liebes, das war die Idee des Russen als eines Teils in einem System von ideologischer Gebundenheit und Lebensführung. Jetzt spreche ich von der Tatsache, daß Russe sein eine nützliche Hilfe zur Schauspielerei ist. Das Wesen des russischen Charakters ist im Leben wie in der Literatur immer theatralisch gewesen. Natürlich haben einige von uns mehr Schwierigkeiten als andere mit der unerreichbaren Rolle. Ich gehöre zu den Glücklichen – meine Rolle ist die des aufrechten Soldaten: loyal, arbeitsfreudig, seinen Männern ein Vater, streng, aber gerecht, alles das, und einer geheimnisvollen Reliquie ergeben, die Regimentsehre genannt wird.«

»Ich bin überzeugt, daß du wirklich alles von dem bist, Nikola«, sagte Petrowsky ernst.

»Dank dir, mein lieber Sergej, ich muß sagen, ich hoffe, du hast recht, weil ich aus der Rolle fallen würde, wenn ich sagte, daß die Frage ganz nebensächlich ist, weil das Schauspiel offensichtlich bis zum Schlußvorhang ausgespielt werden muß.«

»Wie ist es möglich, daß du eine Rolle spielst?« fragte Frau Tabidze. »Wenn du wirklich hart arbeitest, und ich weiß, daß du das tust, gibst du nicht vor, hart zu arbeiten, sondern du tust es wirklich.«

»Was ich mir selbst zu allem sage, was ich tue, unterscheidet sich sehr von dem, was ein wirklich aufrechter Soldat sich sagen würde.«

»In meinem ganzen Leben habe ich niemals so dummes Zeug gehört, mein Lieber. Wie groß der Unterschied auch sein mag, er kann nichts ausmachen.«

»Aber wie paßt all dies Philosophieren in die Rolle?« Petrowsky fuhr fort, Neugier zu zeigen, während er einem Kellner winkte. »Ein aufrechter Soldat beschränkt sich gewiß auf ehrliches Soldatentum.«

»Das ist alles, was du über aufrechte Soldaten weißt, Sergej. Das Kultivieren unvermuteter Interessen ist unerläßlich für den Typ. Mein Schwadronskommandeur in Indien war eine Autorität auf dem Gebiet der Fauna des Balchaschsees.«

»Das ist nicht ganz das gleiche, nicht wahr?«

»Nein, aber es ist beinahe das gleiche.«

Während er sprach, verhalf Tabidze sich zu einem Glas Wein, seinem vierten seit der Ankunft vor vierzig Minuten; es war wieder ein heißer Tag, und er war durstig gewesen. Die einzige Wirkung des schwachen Weines auf seinen harten Kopf war ein genießerischer Unterton in seiner Stimme. Wenn er sich an diesem Abend dazu hinreißen ließ, den gebotenen Speisen und Getränken mit unverminderter Aufnahmefähigkeit zuzusprechen, würde er am nächsten Tag nicht mit einem Katzenjammer geplagt sein, sondern mit dem Bemühen, das zusätzliche Gewicht wieder abzuarbeiten. Nicht einmal seine Frau wußte die harte Selbstdisziplin, durch die er seine Figur bewahrte, voll zu würdigen. Sie wußte, daß er sein graues Haar schwarz färbte. Dies und die Einhaltung der Diät, die er sich auferlegte, erklärte sie sich irrtümlich als harmlose Eitelkeit: in Wahrheit waren sie notwendige Begleiterscheinungen seiner Entschlossenheit, auch nach außen hin den Anschein jener besonderen Spielart des aufrechten Soldaten zu wahren, für den er sich vor dreißig Jahren entschieden hatte. Diese Spielart zog er allen anderen vor, ganz besonders aber dem beleibten, grauhaarigen und im allgemeinen wenig intelligenten Typ, den man in anderen Offiziersmessen überall zu sehen bekam.

»Ich frage mich, wie du deine Theorie auf andere Mitglieder dieser Gesellschaft anwenden würdest«, sagte Petrowsky gedankenvoll. »Welche Rolle spiele ich, zum Beispiel? Tue dir keinen Zwang an!«

»Warum sollte ich? Du bist der rundum liberale Typ, rückhaltlos tolerant, nicht abgeneigt dem, was andere verdammen, für die Gleichbehandlung von Ungleichen, gegen die Ausübung von Autorität über die eigenen Kinder, der geduldige, aber feste Meister und Herr, freilich mehr geduldig als fest, wo ich streng, aber gerecht bin, freilich mehr streng als gerecht. Die größte Furcht deiner Bühnengestalt ist es, der Mißbilligung von etwas überführt zu werden.«

Als Theodor Markow am Ende des Abends auf dem

Heimweg über diesen Augenblick nachdachte, fiel ihm auf, daß Tabidze eigentlich nicht mehr getan hatte als die anderen mit der Behauptung zu beeindrucken, wie unähnlich er einem aufrechten Soldaten sei, während er tatsächlich das Gegenteil bekräftigte. Aber an Ort und Stelle war sein Empfinden von dem Gesagten, daß er niemals eine Äußerung gehört habe, die in einem feineren Gleichgewicht zwischen Kompliment und Beleidigung schwebte. Er hielt den Atem an, als Petrowskys interessiertes Lächeln auf seinem hübschen Gesicht starr wurde. Es war eine Erleichterung, als Mets mit seiner klaren Stimme das Wort ergriff.

»Das ist gut, aber ziemlich offensichtlich, Oberst, wenn ich so sagen darf. Was ist mit meiner Rolle? Ich kann kaum erwarten, von Ihnen zu hören, worin sie besteht.«

»Ich glaube nicht, daß ich Sie gut genug kenne, Herr Regierungsbeauftragter. Das heißt, nicht gut genug, um zu sehen, ob es hinter dem uns allen sichtbaren Administrator mit Phantasie noch etwas anderes gibt. Ich meine natürlich, etwas in der Art einer weiteren Rolle, nicht etwas anderes als Ergänzung Ihres tatsächlichen Selbst.«

»Sie meinen, es sei möglich, mehr als eine Rolle zu spielen?«

»O ja, es ist üblich. Einbahnschauspieler wie ich mit meinen Soldaten und Sergej mit seinem Liberalen sind nicht allzu häufig.«

»Laß diesen Unsinn, Nikola; du glaubst selbst nicht daran.«

»Manchmal nicht, mein Liebes, und manchmal doch.«

»Manchmal glaube ich auch daran – ich meine, in diesem Augenblick«, sagte Petrowsky.

Er nickte Theodor Markow zu, der, nachdem er eine Weile stocksteif dagestanden und zugehört hatte, nun Nina entgegeneilte, die mit Elizabeth Cuy näherkam. Beide Mädchen trugen Tenniskleidung und Schläger.

»Was siehst du darin, Sergej?«

»Niemand in der Position dieses jungen Mannes, niemand, der so intelligent ist wie er, ist beim Anblick eines

Mädchens, das er so wenig kennt, wirklich so hingerissen, auch dann nicht, wenn das Mädchen so anziehend ist wie meine Tochter. So hingerissen, meine ich, daß er tatsächlich die Existenz älterer und vermutlich höhergestellter Leute vergißt und ohne ein Wort davonrennt. Wirklich nicht, oder? Also scheinen wir in ihm nicht nur den gewissenhaften Forscher zu haben, sondern zugleich den romantischen Liebhaber.« Er wandte sich zu Mets. »Damit meine ich natürlich nicht, daß seine Forschertätigkeit nur Schauspielerei sei und er nicht wirklich ein gewissenhafter Forscher genannt werden könne.«

»Nein nein, lieber Petrowsky, ich habe schon verstanden.« Mets blickte zu Boden und fuhr fort: »Es muß Fälle geben, wo Rollen übernommen werden.«

Zu Theodor Markows Ehrenrettung muß gesagt werden, daß er die Ratsamkeit, ein angeregtes Gespräch zwischen wichtigen Personen zu unterbrechen, kurz abgewogen und sich dagegen entschieden hatte; es war sein Pech, daß niemand die kleine Verbeugung und Handbewegung bemerkt hatte, mit der er sich entschuldigt hatte. Nun stand er vor Nina und schaute sie an. Sie trug ihre seidenähnliche Weste über einer weißen Bluse mit hellvioletten Säumen und den weißen Kniehosen, die gegenwärtig zur Sportausübung bevorzugt wurden. Er bemerkte die Sommersprossen an ihrem Halsansatz. Nach einigem Zögern schüttelten sie einander unbeholfen die Hand, als gelte es einen Streit beizulegen. Beide schwiegen. Elizabeth klopfte mit dem Schläger an ihre Wade, dann auf den linken Handballen.

»Ich scheine unsichtbar geworden zu sein«, sagte sie. »Ich hoffe, es wird nicht noch schlimmer.«

»Es tut mir schrecklich leid, Elizabeth; ich wollte noch zu Ihnen kommen.«

»Natürlich, nach Ihrem eigenen Dafürhalten.«

»Warum sind Sie nicht zum Tennisspielen angezogen?« fragte Nina anklagend.

»Nun, das hätte nicht viel Sinn gehabt, weil ich nicht spielen kann. Sehen Sie, in Rußland ist es nie wirklich populär geworden«, fügte er hinzu, »und seit ich hier bin, war einfach keine Zeit, es zu lernen. Trotzdem, ich ...«

»Lieber Gott, es ist kein Verbrechen, nicht Tennis zu spielen«, sagte Elizabeth. Sie sah aus, als hätte sie einen leichten Sonnenbrand davongetragen.

»Keine Notwendigkeit, mildernde Umstände zu zitieren.«

»Ich hatte nur ...«

»Ich glaube, ich werde gehen und versuchen, einen Vierten für uns aufzutreiben; da ist ...«

»Nein, bleib!« sagte Nina, diesmal mit übertriebener Dringlichkeit, um etwas natürlicher hinzuzufügen: »Gehen wir; suchen wir uns einen Platz, wo wir sitzen können.«

»Es tut mir leid, aber ich kann mehr davon nicht aushalten.« Elizabeth war nun gleichermaßen erregt. »Warum zwei erwachsene Menschen gaffen und mit den Augen rollen und Unsinn plappern müssen, nur weil sie ... ich glaube, ich sage lieber: miteinander schlafen wollen, kann ich einfach nicht verstehen ... Wenn jemand mich sucht, ich werde beim hinteren Platz sein.«

Theodor blickte beunruhigt. »Ich hoffe, es war nichts, was ich sagte oder tat.«

»Nein. Sie müssen nachsichtig mit ihr sein. Vor ungefähr einem Jahr ist sie Alexanders wegen in eine schlimme Krise geraten – sie meinte es sehr ernst mit ihm, und daran hat sich nichts geändert, aber soweit es ihn betraf, war sie natürlich bloß eines von vielen Mädchen. In gewisser Weise nicht einmal das. Er mag keine Mädchen, die ihn schelten und sich über ihn lustig machen, die ihm irgendeine Art von Opposition entgegenbringen. Ich verstehe nicht, warum sie das nicht sehen kann, wenn sie wirklich hinter ihm her ist; sie fängt es ganz falsch an. Er möchte gern hören, daß er wundervoll ist, nicht, daß er in sich selbst verliebt ist. Ich begreife es nicht, sonst ist sie in solchen Dingen so einfühlsam und klug. Aber darüber läßt sie nicht mit sich reden. Wie dem auch sei, sie ist entschieden gegen ...« Nina brach ab.

»Starke Gefühle in anderen?«

»Ja.«

»Ich verstehe. Alexander erzählte mir, er habe sie zu überreden versucht, ein Verhältnis mit ihm anzufangen, aber sie habe ihn abgewiesen. Vor ungefähr einem Jahr.«

»Sie dürfen nicht alles glauben, was er sagt«, sagte Nina, unbefangener nun, da das Gespräch von starken Gefühlen abgekommen war.

»Ich versichere Ihnen, daß ich weit davon entfernt bin, das zu tun, aber ich glaube ihm in diesem Fall, weil es ihn gewissermaßen in einem nicht vorteilhaften Licht zeigt.«

»Oder vielmehr in einem einnehmenden Licht von Offenheit und Bescheidenheit. Bei ihm muß es immer das eine oder das andere Licht geben, darin er sich sonnen kann. Sie werden es noch merken.«

»Offensichtlich kennen Sie ihn sehr gut.«

Theodor hatte seine Ansicht von der Wahrheit des fraglichen Tatbestandes nicht geändert. Er hatte bereits bemerkt, daß Alexander manchmal um des Effekts willen sprach, war aber zuversichtlich, solche Fälle zuverlässig genug identifizieren zu können, jedenfalls besser als Nina, deren Verhalten bei ihrem letzten Zusammentreffen ebenso wie jetzt einen unboshaften Neid auf den sexuellen Erfolg ihres Bruders erkennen ließ. Dieser Neid mochte sie dazu verführen, in Fragen, die sich auf diesen Erfolg bezogen, die weniger günstige Ansicht zu übernehmen. Viel interessanter aber war, wie in aller Welt sie dazu kam, etwas beneiden zu müssen. Wenn innere Spannung die Liebenswürdigkeit aus ihren Zügen vertrieb, war sie so schön, wie die meisten Männer es sich nur erträumen konnten. Sie spürte die Richtung seiner Gedanken und sagte schnell:

»Wissen Sie, ob er heute abend kommt? Sie haben ihn erst vor kurzem gesehen.«

»Nein, ich weiß es nicht«, antwortete er nicht wahrheitsgemäß, aber zweckmäßig zur Unterdrückung der Abschweifung. »Wollen Sie nicht Tennis spielen?«

»Wir können noch nicht. Zuerst kommen die Älteren und Bedeutenderen an die Reihe.«

»Gut. Sagen Sie mir, wann Sie spielen wollen?«

»Ja, aber ich möchte eigentlich nicht spielen«, sagte sie.

Sie hatten sich von dem Zelt und den Tennisplätzen entfernt, und niemand war in der Nähe. Diesmal ergriff er ihre Hände und küßte sie und ließ sie los. Dann sagte er:

»Ich bin ganz aufgeregt; Sie nicht?«

»Ja, aber auch sehr zuversichtlich. Bis vor ein paar Sekungen dachte ich, daß ich es nie sein könnte.«

»Und glücklich.«

»Ja.«

Später spielten Nina und Elizabeth Tennis, und Nina verlor beinahe jeden Punkt und vergaß immer wieder Dinge wie ihren Aufschlag, womit sie Elizabeth verärgerte. Noch später gingen die beiden Mädchen und Theodor und ein weiterer junger Mann, der sich an Elizabeth herangemacht hatte, zum Haus hinauf, um ihrem Gastgeber die Aufwartung zu machen. Von Igor Swaniewicz ging die Rede, daß er der reichste Mann im Distrikt sei; es hieß, er habe sein Vermögen durch den illegalen Verkauf von Militärgütern gemacht. Aber er war großzügig – er gab nicht nur festliche Empfänge wie diesen, die allgemein gelobt wurden, sondern gestattete angeblich den Müttern seiner illegitimen Kinder, zu Vorzugspreisen bei ihm zu kaufen; und schließlich mußte jemand ein System dieser Art betreiben, wie sogar Direktor Vanag eingeräumt haben würde. Ferner gab es die Überlegung, daß praktisch jeder russische Haushalt inoffizielle Geschäfte mit ihm hatte. Den ersten Teil der fünf Minuten, die den jungen Leuten an Gesprächszeit zugestanden waren, verbrachte er mit einer Beschreibung des Hauses, das er sich in Cornwall bauen ließ, und im zweiten Teil gab er seinen Zuhörern Rätsel mit obszönen, aber ansonsten undurchdringlich geheimnisvollen Antworten auf. Zum Abschluß erklärte er ihnen, daß jeden Tag ein Dutzend Engländer erschossen werden sollte, um den anderen Respekt beizubringen.

Als das getan war, begaben sie sich zum Abendessen ins Zelt. Der Lärm glich dem einer Menschenmenge, die ständig drauf und dran ist, eine Polizeikette zu durchbrechen. Die gewaltigen Schwaden von saurem Schweißgeruch, gemildert von dichtem Zigarrenrauch, trieben durch die stikkige Luft. Es war nicht einfach, vier Plätze nahe beisammen zu finden; ein Kellner kam zu Hilfe, indem er eine bewußtlose Frau unter den Achseln packte und hinausschleifte. Ihre Absätze machten ein aufgeregt winselndes Geräusch auf dem Segeltuchboden. Am anderen Ende des Zeltes stieg ein sehr fetter Mann auf einen Tisch und fiel sofort wieder hinunter auf ein großes Tablett mit leeren Flaschen und schmutzigen Gläsern, das in diesem Augenblick von einem Kellner vorbeigetragen wurde. Zwei jüngere und weniger fette Männer, jeder mit den Händen an der Gurgel des anderen, kamen unter dem selben Tisch außer Sicht, und die in der Nähe Sitzenden bewegten die Beine zur Seite und fuhren im übrigen ohne Pause fort zu essen, zu trinken, zu rauchen und Anekdoten, Behauptungen oder Beleidigungen zu brüllen. Das Hauptgericht, dem eine kalte Nesselsuppe mit Kapern vorausgegangen war, bestand aus Boeuf Stroganoff, komplett mit Messer und Gabel auf dem Teller serviert; die Beschaffenheit von Theodors Portion, von denjenigen der anderen zu schweigen, war von einer Art, daß leicht ein verirrter Tennisball hätte dabei sein können, mit dem Fleisch zerschnitten und mit Soße übergossen. Auf dem Tisch standen Weinflaschen, außerdem wurde Wodka und Brandy getrunken, in vielen Fällen gleich aus der Flasche. Nach einer weiteren kurzen Pause wurden Schüsseln mit unansehnlichen Früchten und Tassen Kaffee aufgetragen, nicht weil die englischen Kellner tüchtig und fleißig gewesen wären, sondern weil sie die Arbeit hinter sich bringen und nach Haus gehen wollten; dieses Verhalten ließ Igor Swaniewiczs Vorschlag zur Hebung der Arbeitsmoral in milderem Licht erscheinen.

»Es war muffig da drinnen«, sagte Nina, als sie nach der Mahlzeit wieder ins Freie kamen.

»Ja«, pflichtete Theodor ihr bei. »Auch laut.«

Sie verließen das hellbeleuchtete Gebiet im Umkreis des

Hauses und schlenderten durch das sommerliche Dämmerlicht bis zu dem verlassenen Musikpavillon. Hier machten sie halt. Wären sie noch ein Stück weiter gegangen, würden sie auf die Unzucht treibenden Paare gestoßen sein, die in jenen Teilen des Gartens verstreut umherlagen. Bald saßen sie bequem im trockenen Gras.

»Als wir uns das letzte Mal trafen«, begann Theodor in seinem angenehm ruhigen Ton, »sagten Sie etwas, das mir den Eindruck vermittelte, Sie hätten eine sehr starke Abneigung gegen Direktor Vanag. War dieser Eindruck richtig? Warum mögen Sie ihn nicht?«

»Er ist ein Tyrann.«

»Und Sie hassen Tyrannei. Was würden Sie tun, um dagegen zu kämpfen?«

»Ich weiß nicht, ich habe nicht darüber nachgedacht. Was kann ich tun?«

Er setzte es ihr auseinander. Sein Bekenntnis endete mit den Worten:

»Ich bin kein romantischer Revolutionär in dem Sinne, wie Alexander es zur Hälfte ist, obwohl er mit der anderen Hälfte Soldat ist. Ich weiß, daß Wunden schmerzen und Kälte das Blut gefrieren macht und Gefangenschaft Verstand und Seele verzehrt. Aber in dieser Lage ...« Er stockte.

»Alexander, sagten Sie?« sagte Nina nach einer Pause von mehreren Sekunden. »Soll das heißen, daß er ein Teil dieser Bewegung ist?«

»Er ist im Begriff ...«

»Aber das kann er nicht!« sagte sie heftig. »Er ist völlig ungeeignet. Sie können sich auf ihn nicht verlassen. Er würde Sie verraten, wenn es ihm paßte. Er würde alles verraten, wenn er meinte, es würde ihm helfen, bei einer Frau zum Ziel zu kommen.«

Auf diese letzte Bemerkung schüttelte er bekümmert den Kopf. »Zugegeben, Sie kennen ihn in gewissem Sinne besser als sonst jemand, aber ...«

»Wie Sie zuvor schon sagten.«

»Aber er hat auch andere Seiten. Er besitzt Qualitäten, von denen Sie nichts wissen, die ihn aber absolut ...«

»Er hat eine Qualität, von der Sie nichts wissen können, sonst hätten Sie seine Nähe gemieden: alles, was er tut, hängt allein von seinem eigenen Willen ab, davon, ob es ihm paßt oder nicht. Wenn er ein Versprechen hält, dann tut er es, weil er Ihnen zeigen möchte, wie er ... Sie hören mir nicht zu.«

»Meine liebe Nina, ich verstehe sehr gut, was Sie beschreiben – es gibt da ein Ungestüm, das gefährlich sein könnte, es muß im Auge behalten werden, aber es ist potentiell auch sehr wertvoll für uns. Wenn Alexander dazu gebracht werden kann, sich selbst mit der Revolution zu identifizieren, sich ihre Ziele vollständig zu eigen zu machen, und wenn Sie Ihren Teil dazu beitragen – dann, das verspreche ich Ihnen, werden wir eine Waffe haben, vor der selbst Vanag sich fürchten sollte. Und ich bin nicht erst gestern nachmittag in diese Sache hineingestolpert; ich habe mich seit Jahren darauf vorbereitet, und ich bin ausgebildet worden. Das macht mich nicht unfehlbar, aber ich könnte recht haben, nicht wahr?«

»Ja«, sagte Nina. In der halben Minute, seit sie zuletzt gesprochen hatte, war ihr Ausdruck von Bedrängnis und Unruhe ganz verschwunden, und als sie wieder sprach, klang es beinahe zerstreut. »Ich nehme an, es läßt sich nicht auf friedlichem Wege machen, die Revolution, meine ich.«

»Nein, darauf wollte ich noch zu sprechen kommen. Wenn ich der Meinung wäre, daß in zwanzig, dreißig oder in fünfzig Jahren Reformen durchgeführt würden, ich schwöre, daß ich dafür arbeiten würde. Aber das wird nicht sein. Man kann einen Monolithen nicht umformen, man kann ihn nur umstürzen. Wir werden Gewalt anwenden, und das heißt, daß Menschen eingesperrt werden, daß Zwang angewendet und wahrscheinlich geschossen werden muß. Eine schreckliche Sache, so schrecklich, daß nur eines sie rechtfertigen kann: Unser Ziel: Freiheit – Freiheit für Russen und Engländer.«

Sie waren beide aufgestanden, während er sprach, und standen einander nun in der Dunkelheit gegenüber; Wolken hatten den Mond verdeckt. Langsam legte er die Arme um sie und küßte sie auf die Lippen.

Zögernd sagte sie: »Ich glaube, es muß sein ...« – und konnte nicht weitersprechen.

»Es ist«, sagte er.

ZEHN

»Aber was kann ein Offizier des Gardekorps von einem alten Geistlichen wollen?«

»Nach seiner Auskunft tut er es nicht in seiner Eigenschaft als Offizier des Gardekorps, sondern um dem Beauftragten Mets gefällig zu sein.«

»Das sagten Sie bereits. Ich meinte, was will dieser spezielle Barbar, der ihre Gardesoldaten befehligt, von mir?«

»Es tut mir leid, Sir – nach meiner Meinung möchte er diesen Mets mit seinen diplomatischen Fähigkeiten und seiner Kenntnis der Engländer beeindrucken. Er hält sich einiges darauf zugute, warum, weiß ich nicht genau.«

»Wie? Wie will er seinen Freund beeindrucken?«

»Indem er Sie überredet, nach Mets Wünschen zu verfahren und zu diesem Festival beizutragen, das ich erwähnte.«

»Wozu beitragen?«

»Zum Festival englischer Kunst und ...«

»Ach ja, ja. Wenn das der Fall ist, kann es mit seinen Kenntnissen der Engländer nicht weit her sein.«

Dr. Joseph Wright wollte sagen, daß nicht alle Engländer gleich seien, verzichtete aber darauf. Im Verlauf ihrer erst seit kurzem wieder erneuerten Bekanntschaft hatte er den Reverend Simon Glover als einen eher schwierigen Mann kennengelernt, wenn auch nicht schwieriger als die meisten nahezu blinden, ziemlich tauben, rheumatischen und sehr alten Männer wohl sein müssen. Dieser hier, der in früheren Zeiten offensichtlich robust und stattlich gewesen sein mußte, worauf eine aggressiv vorspringende Nase hindeutete, wohnte bei seiner Enkelin und ihrem Mann, dem Inhaber eines Dorfwirtshauses, und weil die beiden sich nach ihren Möglichkeiten um ihn kümmerten, ging es ihm nach den Maßstäben der Einheimischen recht gut. Das kleine Haus war gut möbliert: der Sessel, in welchem Glover saß und den er heutzutage nur noch selten freiwillig verließ, es sei denn, um sich ins Bett zu begeben, war zu gut verarbeitet, um nicht aus der Zeit vor der Pazifizierung zu stammen. Er trug sorgfältig gebügelte graue Flanellhosen, ein kariertes Hemd mit offenem Kragen – keinen Klerikerkragen, schon seit fünfzig Jahren nicht mehr – und eine marineblaue Wollweste, die seine Enkelin gestrickt hatte. Sein Gesichtsausdruck kündete von einer leisen, aber festgefügten Verachtung für alles, was außerhalb seiner unmittelbaren Umgebung war.

»Was werden Sie zu diesem Burschen sagen?« fragte Wright mit erhobener Stimme.

»Das hängt davon ab, was er zu mir sagt.«

»Ich meinte«, sagte Wright in einem neuen Versuch, »ich nehme an, Sie werden seinen Vorschlag ablehnen.«

»Na, ich werde mir anhören, was es ist, aber es stimmt, daß ich keinen Grund sehen kann, einen solchen Vorschlag anzunehmen. Das heißt, solange es beim Vorschlag bleibt. Wenn er Druck anwendet, werde ich es mir noch überlegen müssen.«

»Um gerecht zu sein, muß man sagen, daß sie sich heutzutage nicht mehr so benehmen, Reverend.«

»Glauben Sie, die werden sich zurückhalten, wenn sie etwas wirklich dringend benötigen? Vielleicht bin ich sehr wichtig; das ist einer der Punkte, worüber wir nichts wissen. Ich kann mir nicht vorstellen, warum ich ihnen wichtig sein sollte, aber so ist es immer, wenn man mit ihnen zu tun hat. Man weiß nicht, was sie als nächstes tun werden, weil sie es auch nicht wissen. Man sieht es ihren Gesichtern an – besorgt, verwundert, wie Kinder, die plötzlich gezwungen sind, an einer Aktivität von Erwachsenen teilzunehmen. Ich erinnere mich ...«

Der alte Mann verstummte. Die knotigen Finger seiner gefalteten Hände krümmten und streckten sich. Seit mehreren Jahren hatte er weder das Gesicht eines Russen noch einer anderen Person in irgendwelchen Einzelheiten gesehen;

dennoch hörte es sich nicht wie ein Phantasieprodukt an, was er sagte. Der Doktor schaute auf seine Uhr.

»Er hat sich verspätet.«

»Wahrscheinlich wird er überhaupt nicht kommen. Sind Sie sicher, daß Sie ihn richtig verstanden haben?«

»O ja, Sir, er drückte sich ganz klar aus.«

»Es scheint ein wenig seltsam, daß er all diese Mühe auf sich nehmen sollte, um einen guten Eindruck zu machen, der ihm nicht viel nützen kann.«

Ähnlich dachte Alexander selbst, der um diese Zeit das Dorf erreichte. Seit Theodors Revolution seine Gedanken und Tagträume beherrschte, schien es ihm noch weniger wichtig als zuvor, sich mit dem Beauftragten Mets gut zu stellen. Aber er konnte sich diesem Abendbesuch nicht entziehen; zu sagen, er habe es sich anders überlegt, einfach nicht zu tun, was er beschlossen hatte, war undenkbar. Sein Fehler hatte darin bestanden, daß er überhaupt zugestimmt hatte, Mets zu sprechen; er hätte voraussehen können, daß seines Vaters alberner Stolz auf irgendeine lächerliche Aufgabe hinauslaufen würde, die sich gleichwohl nicht abschütteln ließe, tatsächlich sogar so rasch und perfekt wie möglich ausgeführt werden mußte.

Er fand das Haus ohne Schwierigkeiten. Es stand schräg gegenüber der Dorfkirche, aus der Akkordeonmusik und der Lärm singender Stimmen und grölenden Gelächters drangen. Als er gleichauf war, wurde die schwere Tür aufgestoßen, und der Lärm verstärkte sich. Zwei Männer mittleren Alters kamen laut durcheinanderbrüllend herausgeschwankt, schon am Nachmittag betrunken. Als sie die russische Uniform sahen, wurden sie still und versuchten sich aufrecht zu halten, und einer von ihnen schloß hastig die Tür, eine unnötige Anstandsgeste, denn die Tage waren längst vorbei, da ein Soldat der Überwachungseinheiten englisches Fehlverhalten mit Reitpeitsche oder Gewehrkolben korrigiert haben würde. Diese zwei mußten ihre Lektion in der Jugendzeit gründlich gelernt haben.

Auf Alexanders Klopfen hin öffnete eine dunkelhaarige junge Frau. Sie war angenehm genug anzuschauen, aber nicht so, daß es sein Verlangen geweckt hätte und nicht mehr als eine beliebige Frau ihres Alters es getan haben würde, was unter den Umständen genausogut war. Sie hatte einen kleinen Jungen von fünf oder sechs Jahren an der Hand. Nachdem er sie freundlich auf Russisch begrüßt hatte, hob Alexander den kleinen Jungen hoch – wenigstens er zeigte kein Mißtrauen – und setzte ihn in den Sattel. Ein kurzes Spiel, das offenbar ihm und seiner Mutter annehmbar erschien. Als es um war, erschien ein Mann, der offenkundig der Vater des Jungen war, nahm Polly am Zügel und führte sie hinter das Haus. Alexander wurde in einen langen, schmalen Raum eingelassen, der die ganze Tiefe des Hauses einnahm und am anderen Ende einen Fenstererker hatte. Als er eintrat, standen zwei Männer, die dort beisammen gesessen hatten, ohne Dienstfertigkeit auf und wandten sich ihm zu. Mit einer Verärgerung, die er zu verbergen suchte, erkannte er Dr. Wright; was vor ihm lag, versprach schon ohne eine solche Flankenbedrohung schwierig genug zu werden. Er enthob ihnen einen guten Abend, wiederum auf russisch, eine Wahl, die Wright überraschte und beinahe einen Funken von Respekt in ihm entflammt hätte.

»Bitte bleiben Sie sitzen«, fuhr Alexander fort. »Es ist nett von Ihnen, daß Sie sich zu diesem Gespräch bereiterklärt haben, Reverend. Es wird nicht lang dauern.«

»Was sagt er?« fragte Glover.

»Nur Höflichkeiten.« Zu Alexander gewandt, sagte Wright: »Sagen Sie, was Sie auf dem Herzen haben, und sprechen Sie langsam und deutlich; sein Russisch ist nicht sehr gut.«

»Sehr gut. – Dr. Wright wird Ihnen gesagt haben, warum ich hier bin, Reverend. Darf ich fragen, wie Sie zu einer Teilnahme an dem Festival stehen, von dem er Ihnen auch berichtet haben wird?«

»Genauso, wie ich zu allem stehe, was Sie und Ihre

Landsleute von mir fordern.« Glover sprach mit schwerem Akzent und geriet immer wieder ins Stocken, weil er nach Worten suchen mußte. »Wenn ich Ihnen widerstehen kann, werde ich es tun.«

»Ich bedauere das zu hören. Es trifft zu, daß wir in der Lage sind, Ihre Kooperation zu verlangen und notfalls zu erzwingen. Aber es geht hier nicht um unsere Forderungen und Ihre Verweigerung oder Nichtverweigerung. Was wir wünschen, wird auch für Ihre Landsleute von bedeutendem Nutzen sein, und Sie sind einer der wenigen, die es ihnen vermitteln können.«

»Was wissen Sie von diesem ›es‹, das ich meinen Landsleuten vermitteln kann?«

»Aus erster Hand natürlich nichts, aber befinde ich mich im Irrtum, wenn ich es für bedeutend halte?«

»Sie haben kein ... Sie wissen nicht, was Bedeutung ist. Oder Wahrheit. Ihr Russen habt einfach ein unbehagliches Gefühl, weil ihr uns unsere Kultur und Religion weggenommen habt.«

»Vielleicht meinen Sie ein unruhiges Gewissen. Das wäre eine ausgezeichnete Beschreibung.«

»Warum dabei stehen bleiben? Warum nicht anfangen, uns unsere Geschichte zurückzugeben? Die Wegnahme unserer Güter war ein ebenso schweres Verbrechen wie die Wegnahme unserer Kirchen. Bis zum Jahr vor Ihrer Besetzung waren wir noch frei. Wir wählten unsere Regierungen und wählten sie wieder ab, wenn sie unbefriedigend waren; innerhalb gewisser Grenzen konnten wir sagen und schreiben, was wir wollten, die Gerichtshöfe waren unabhängig, wir konnten kommen und gehen ... Und wir hatten für unsere Freiheit gekämpft, immer und immer wieder. Das Wissen darum mußten Sie wegnehmen, weil unser Nationalstolz darin verwurzelt war. Es wird jetzt nicht mehr sehr lange dauern, bis niemand mehr weiß, wie wir mehr als ein Jahr lang allein gegen Hitler standen, wie Ihr kostbares Vaterland besiegt worden wäre, wenn nicht wir und die Amerikaner geholfen hätten. Sie selbst kennen nicht einmal die bloße Tatsache, daß wir und die Amerikaner 1944 in Westeuropa eingedrungen sind ... Ich weiß es, weil mein Großvater dabei war, in einer Stadt namens Arnheim. Sie wissen nicht einmal, wie wir uns wehrten. Sie glauben, es sei alles in drei Tagen vorüber gewesen, Sie armer, unwissender, analphabetischer, desinteressierter Nichtswisser ...«

Der alte Mann sagte noch einiges mehr in demselben Sinne. Alexander lauschte respektvoll, oder vielmehr mit einer Schaustellung von Respekt. Sein Englisch war gut genug, daß er den allgemeinen Sinn dessen verstand, was die fistelnde Greisenstimme haßerfüllt hervorkeuchte, außerdem war er vertraut mit dem Material, insbesondere dem Teil über die ›Invasion‹ von 1944, wie der übliche Vorkriegsbegriff lautete, überraschend hochtrabend für einen Überfall auf eine nicht sehr bedeutende Hafenstadt, berücksichtigte man die allgemeine englische Tendenz zur Untertreibung. Wie der Rest seines Gefasels – dem Gerede von frei gewählten Regierungen, während man nur die Wahl zwischen zwei Garnituren von Kapitalistenknechten gehabt hatte, von Pressefreiheit, während die Presse dem Kapital gehört hatte, von Bewegungsfreiheit, die für die meisten tatsächlich nichts anderes bedeutet hatte als ungehinderten Zugang zu jedem Slum oder ethnischen Ghetto – war es ein tröstlicher Mythos, wichtig für eine stolze Nation, die Indien und weite Teile Afrikas beherrscht hatte, bevor sie von den empörten Einwohnern verjagt worden war. (Nicht, daß es diesen Einwohnern heutzutage viel besser ging.)

Diese Mythen bedeuteten Glover offenbar sehr viel, denn als er seine Tirade beendet hatte, rannen seine wäßrigen Augen, als ob er weinte. Wright trat zu ihm und legte ihm die Hand auf die Schulter. Zu Alexander gewandt, sagte er mit gedämpfter Stimme:

»Ich glaube, Sie sollten jetzt lieber gehen, meinen Sie nicht auch? Sie werden ihn nicht umstimmen.«

»Wir werden sehen.«

»Warum tun Sie das?« fragte Wright.

»Aus keinem persönlichen Grund. Mein Vater gab die Anregung dazu, und mir fiel keine Ausrede ein, um mich davon zu drücken.«

»Ich nehme an, das könnte sogar wahr sein.«

Alexander ließ ihm diese Beleidigung durchgehen. Er dachte angestrengt nach. Nach einer Weile hob er die Stimme und sagte zu dem Alten:

»Wie steht es mit Ihren Pflichten als Christenmensch, Mr. Glover?«

»Meiner was?«

»Ihrer Pflicht als Christenmensch«, sagte Wright.

»Was wissen Sie davon, Sie gottloses Schwein?«

»Nichts, aber Sie müssen mehr als ein wenig darüber wissen.«

»Meine Pflicht als Christenmensch ist eine Sache, die ich mit meinem eigenen Gewissen auszumachen habe.«

»In diesem Fall schlage ich vor, daß wir uns etwas Zeit ersparen. Dies ist ein sehr anziehendes Häuschen, und Ihre Enkelin – Ja? – ist eine liebliche junge Dame. Es wäre schrecklich, wenn ein Trupp betrunkener Soldaten eindringen, die Einrichtung zerschlagen und Ihre Enkelin vergewaltigen würde. Und ihrem Mann könnte übel mitgespielt werden, wenn er sich einzumischen versuchte, oder wenn sie glaubten, er wolle es tun. Sogar der Junge – ein netter kleiner Kerl, nicht wahr? – na, Sie wissen, was für brutale Kerle diese einfachen russischen Soldaten sein können; manche von ihnen sind nicht einmal Russen, sondern Tataren, Usbeken und so weiter – Asiaten eben. Niemand würde vor ihnen sicher sein. Außer Ihnen, Reverend. Sie haben zuviel Respekt vor dem Alter, um Ihnen ein Haar zu krümmen. Abgesehen davon, daß sie natürlich dafür sorgen würden, daß Sie alles zu sehen bekommen. Nun, wenn ...«

»Ach du lieber Gott!«

»Und Sie könnten das ziemlich einfach in die Wege leiten, nicht wahr?« sagte Dr. Wright.

»Was meinen Sie, Doktor?«

»Ich denke, Sie könnten und würden es tun, allein aus

Verärgerung darüber, daß man sich Ihnen in einer Angelegenheit verweigert, die Ihnen zugegebenermaßen sogar ziemlich gleichgültig ist.«

»Gut«, sagte Alexander. »Wenn Sie so denken, dann werden andere es auch tun. Aber ich könnte nichts dergleichen in die Wege leiten, Reverend, selbst wenn ich es wollte. Angenommen, ein derartiger Überfall würde nichtsdestoweniger stattfinden. Jemand würde in der Lage sein, diese Soldaten zu identifizieren – das Tragen von Zivilkleidung würde die Dinge nur ein wenig verzögern. Jeder Russe im Distrikt würde einvernommen und die Schuldigen herausgesucht und in die Arktis verbannt. Aber es würde niemals zu einem solchen Vorfall kommen. Würde ich meinen Leuten einen derartigen Befehl geben, so würden sie ihn einfach nicht ausführen, zuversichtlich in dem Wissen, daß ich es niemals wagen dürfte, sie der Befehlsverweigerung anzuklagen. Sie wissen Bescheid. Die Engländer wissen nicht Bescheid und würden auch nicht geneigt sein, es zu glauben, wenn man es ihnen sagte. Wenn Ihre Freunde also indirekt erfahren, daß man Sie mit der Vergewaltigung Ihrer Enkelin, der Verwüstung des Hauses und anderen schrecklichen Dingen bedroht hat, werden sie verstehen, warum Sie sich bereitgefunden haben, mit dem Beauftragten Mets zusammenzuarbeiten und infolgedessen werden Ihre Landsleute nicht tun, wovor Sie sich so fürchten, und Sie nicht nach Coventry schicken. Ja, ich habe im Laufe der Jahre ein wenig über euch Vorkrieger gelernt. Ich bin hier aufgewachsen, müssen Sie wissen. Vielleicht hat Doktor Wright das Ihnen schon gesagt.«

Glover hatte das Gescht mit den Händen bedeckt. Er sagte etwas in einem mitleiderregend winselnden Ton zu Wright, der nachdenklich zu Alexander blickte. Als er sprach, war seine Stimme hart und kalt.

»Er sagt, es sei schlimmer, einsam zu sein, wenn man achtzig ist, und schwerer, mutig zu sein.«

»Das glaube ich ihm. Aber ich verstehe nicht ganz, warum Sie in diesem gespannten Ton zu mir sprechen, Doktor. Reverend Glover steht in meiner Schuld. Er kann jetzt seine Pflicht tun, ohne etwas befürchten zu müssen.« Als Wright nicht antwortete, fuhr Alexander mit vermehrter Lautstärke fort: »Darf ich Ihre Antwort so verstehen, daß der Regierungsbeauftragte Mets eingeladen ist, Ihnen einen Besuch abzustatten?«

Wright wandte den Kopf, um diese Botschaft weiterzugeben, aber Glover nickte bereits. Alexander stand auf und zog seinen Uniformrock zurecht.

»Also haben Sie erhalten, was Sie wollten«, sagte Wright, nicht ganz so kalt wie zuvor.

»Es scheint so. Und was ich wollte, liegt im allgemeinen Interesse. Ausnahmsweise. Ist Kitty zu Hause?«

»Ich hoffe es. Sie soll das Abendessen kochen.«

»Dann werde ich sie besuchen. Keine Bange, ich werde nicht länger bleiben.«

»In einer Stunde werde ich zu Hause sein. Warum sind sie nicht zu dem großen Fest gegangen, das Ihr diebischer Heereslieferant gibt?«

»Es ist kein Fest nach meinem Geschmack.«

»Wirklich, ich hätte gedacht, daß es genau das sei.«

»Außerhalb meines heimatlichen Territoriums fällt es mir schwer, so zu glänzen, wie ich es gern tue, mit all den wichtigen Leuten, die dort zusammenkommen. Vielleicht schaue ich später hinein, wenn die meisten von ihnen gegangen sind.«

Wright lachte ohne Heiterkeit. »Sie sind ein Schwindler, Petrowsky, aber ein ziemlich gerissener.«

»Ich betrachte das als ein Kompliment von Ihnen, Doktor. Und was den Schwindler angeht, so könnte ich Sie noch eines Tages überraschen.«

»Alles ist möglich.«

Alexander nickte, klappte mit den Hacken und rief: »Gute Nacht, Reverend Glover.«

Nach einer langen Pause sagte der alte Mann: »Gute Nacht. Danke.«

Kurze Zeit später saß Alexander mit Kitty im Wohnzimmer von Wrights Haus. Sie küßten und liebkosten einander, bis sie beide außer Atem waren.

»Ach, Liebling, du machst mich so glücklich«, sagte sie. »Ich liebe dich.«

»Und ich liebe dich, aber das wird noch ein Weilchen warten müssen. Vorher muß ich den Bohnensalat vom Herd nehmen und anrichten, solange er noch warm ist.«

Nicht lange danach lagen sie Seite an Seite in Kittys Bett im Obergeschoß.

»Woran denkst du?« fragte er.

»Ich überlege nur, was aus uns werden wird. Ich meine, wirst du in einem Jahr noch kommen und mich so besuchen wie jetzt, oder in zehn Jahren? Werden wir verheiratet sein? Ich frage dich nicht danach, bitte dich auch nicht, sondern überlege nur, was wohl geschehen wird.«

»Liebling, ich könnte dich nicht heiraten – ich kann es nicht. Die Gesetze verbieten es.«

»Die Gesetze könnten geändert werden. Es hat schon verschiedene Erleichterungen gegeben.«

»Ja. Nun, sollten die Gesetze jemals geändert werden, so werden wir natürlich heiraten«, sagte Alexander, dem es nie etwas ausmachte, diese Art von Versprechungen abzugeben, oder irgendwelche anderen, was das anging. In aufmunterndem Ton fügte er hinzu: »Das heißt, wenn du dann noch willst.«

»Oh, natürlich will ich, natürlich will ich! Wo würden wir leben?«

»In einem prächtigen Haus irgendwo.«

»Wo?«

»Ich weiß nicht«, sagte er ziemlich gereizt; diese Art von Phantastereien langweilte ihn. »Wo würdest du es gern haben?«

»Lach nicht, Liebster, aber am liebsten hätte ich es in Moskau.«

Er starrte sie in ungespieltem Erstaunen an.

»Ich weiß, daß es niemals sein könnte«, fuhr sie wehmütig fort, »aber ich stelle es mir so gern vor. Der Kreml und die

Kitajgorod und der Rote Platz und das Lenin-Mausoleum und die Himmelfahrtskathedrale. Es vergeht kein Tag, daß ich nicht an alles das denke und wünschte, ich wäre dort.«

»Warum? Für dich ist es eine fremde Stadt am anderen Ende Europas, wo du nie gewesen bist.«

»Das ist es ja gerade: es ist so entlegen und geheimnisvoll und romantisch. Die große Stadt im Schnee. Die letzte Zitadelle auf dem Weg nach Asien. Und nicht zuletzt ist sie der Mittelpunkt der Welt.«

ELF

Obschon zur Zeit der Pazifizierung wie alle anderen öffentlichen Versammlungsorte geschlossen, war das Theater niemals einem anderen Zweck zugeführt worden. Erst drei Jahre vor jenen Ereignissen war es umgebaut und mit neuen Sitzen versehen worden, so daß es annähernd vierhundert Besucher aufnehmen konnte. Das Beleuchtungssystem war modernisiert und eine Vorbühne eingebaut worden. Das Mauerwerk war gesund und trocken. Darum hatte die Theaterabteilung, der das Gebäude unterstand, wenig mehr zu tun gehabt als eine gründliche Säuberung durchzuführen und die beweglichen Einrichtungen zu ersetzen, die beschlagnahmt oder geplündert worden waren. Als Alexander das Theater sah, wurde bereits seit drei Wochen geprobt.

Er ging in den Zuschauerraum, wo ein schwacher, angenehmer Duft des zwanzigsten Jahrhunderts überdauerte. Auf der Bühne standen zwei Männer mittleren Alters, deren Haltung und Aussehen etwas Akademisches hatten, ein dritter, jüngerer Mann und ein Mädchen Mitte der Zwanzig, das ein Buch in der Hand hielt und den Erklärungen lauschte, die bald der eine und bald der andere der Männer machte. Alexander blickte angelegentlich umher und hielt ohne Ergebnis nach Theodor Markow Ausschau, dann wandte er seine Aufmerksamkeit dem Mädchen zu. Sie war, was Nina seinen Typ genannt hätte, ließ man außer Betracht, daß ihr Gesichtsausdruck weniger schmollend oder mißgelaunt als vielmehr reserviert und wachsam war, was ihm nicht viel ausmachte; sie war auch ziemlich groß, etwas stupsnasig und dunkelhaarig. Er ging nach rechts zur Mitte des Zuschauerraumes und räusperte sich in der Hoffnung, ihre Aufmerksamkeit zu gewinnen, doch blieb sein Bemühen einstweilen ohne Erfolg, und so ließ er sich auf einem Platz am Mittelgang nieder. Von den paar Dutzend anderen Leuten, die über den Raum verstreut saßen oder standen, schenkte ihm niemand Beachtung, ohne Zweifel, weil er Zivilkleidung trug. Die Beratung auf der Bühne ging zu Ende, das Mädchen verschwand in den Kulissen, kam gleich darauf wieder zum Vorschein und las aus seinem Buch:

»Hinab, du flammenhufiges Gespann,
Zu Phöbus Wohnung. Solch ein Wagenlenker,
Wie Phaeton jagt euch gen Westen wohl,
Und brächte schnell die wolk'ge Nacht herauf. –
Verbreite deinen dichten Vorhang, Nacht!
Du Liebespflegerin! Damit das Auge
Der Neubegier sich schließ', und Romeo
Mir unbelauscht in diese Arme schlüpfe!«

Daß sie bei ›Wagenlenker‹ den Ton senkte, das ›schnell‹ zu stark betonte, das Schwergewicht der fünften Zeile auf ›dichten‹ legte und an mehreren anderen Stellen Mißverständnisse erkennen ließ, machte ihm so wenig aus wie die Nuancen ihres Ausdrucks; er hörte nur mit halbem Ohr hin, mehr war nicht nötig, um sich zu versichern, daß ihre Stimme für eine junge Frau geeignet war. So konzentrierte er seine Aufmerksamkeit ganz auf ihr Aussehen und Benehmen. Nach ein paar Minuten hielt sie inne und blickte erwartungsvoll zu den Männern. Einer der Akademiker sagte mit warmer Zustimmung in Stimme und Haltung:

»Das war sehr gut, Sarah. Denken Sie daran, einzelnen Wörtern nicht zuviel Bedeutung beizulegen – es ist die Gesamtwirkung, auf die es ankommt.«

»Ich verstehe. Aber ich bin mir über Phöbus und Phaeton noch nicht ganz im klaren. Wie sind meine Empfindungen zu ihnen?« Das Russisch des Mädchens war ausgezeichnet.

»Ich meine, Sie betrachten beide mit großem Respekt«, sagte der andere Akademiker. »Sie sind stolz darauf, eine Mitbürgerin und Nachbarin zweier solch vorzüglicher und berühmter Gestalten zu sein.«

In diesem Augenblick wurde eine unauffällige Tür neben der Bühne geöffnet, und Theodor Markow kam die Stufen zum Zuschauerraum herab. In seiner Begleitung war ein hochgewachsener Mann von ungefähr vierzig Jahren mit kurzgeschnittenem schwarzen Bart und großen, sehr dunklen Augen, die alles, was sie ansahen, in den Bann ihres Blickes zogen. Alexander kannte ihn vom Ansehen als Aram Sevadian, der eine leitende Stellung in der Kommission bekleidete, und wie es sich bald zeigte, tatsächlich Chef ihrer Theaterabteilung war. Alexander stand auf und schloß sich den beiden an. Unter Sevadians Führung gingen sie zum rückwärtigen Teil des Zuschauerraumes, wo sie sich am Ende einer Sitzreihe niederließen und mit rücksichtsvoll gedämpften Stimmen konferierten. Auf der Bühne war eine ältere Frau zu dem Mädchen getreten.

»Was halten Sie von unserem Stück?« fragte Sevadian.

»Ich bin noch nicht lang hier«, sagte Alexander, »aber es scheint vielversprechend.«

»Es freut mich, daß Sie so denken. Wir haben viel Mühe damit, wissen Sie. Ich schlug vor, daß wir ein anderes vom selben Autor versuchen sollten; anscheinend gibt es eins über einen dänischen Aristokraten, der verrückt wird und sich einbildet, er sehe einen Geist, der ihm die Ermordung seines Onkels befiehlt. Schlichter und gerader als dieses Stück, dachte ich, aber der Direktor, dieser junge Mann hier, schwört Stein und Bein, daß jetzt keine Zeit mehr für einen neuen Anfang sei, es müsse dieses Stück sein oder nichts. Also gut ... Es ist so schwierig, die Charaktere zu verstehen und sich darüber klar zu werden, was man von ihnen denken soll. Ein junger Mann lernt auf einer Gesellschaft ein Mädchen kennen und küßt und befühlt es nach den ersten Worten in aller Öffentlichkeit, vor ihren Eltern sogar. Wir alle wissen, daß so etwas vorkommt, aber statt ein Verhältnis mit ihr zu haben, heiratet er sie, und nach nur einer Nacht zusammen begeht er Selbstmord, weil er meint, sie sei tot – sehr schwach, dieser Teil –, und sie begeht Selbstmord, als sie ihn tot liegen sieht. Der Autor versucht gar nicht erst, den Grund zu erklären; ich meine, die beiden sind nicht verrückt oder etwas dergleichen. Wahrscheinlich versuche ich das Stück zu buchstäblich zu nehmen, und dieser Teil soll symbolisch für ein Paar sein, das aneinander den Verstand verliert und stirbt, nachdem die beiden sich erst vor ein paar Tagen mächtig voneinander angezogen fühlten, aber das kann man dem Publikum nicht sagen. Immerhin gibt es ein gewisses Maß an Gewalttätigkeit, die wir hochspielen können, und die Kostüme und das Bühnenbild werden Aufsehen erregen; ich bin überzeugt, daß das Stück trotz seiner Schwächen ein Erfolg wird. Es ist der Anlaß, auf den es ankommt. Nun, Sie sind nicht hierhergekommen, um mich über ein altes Schauspiel schwatzen zu hören. Erlauben Sie mir, Sie in Gruppe 31 willkommen zu heißen, Petrowsky.«

»Ich danke Ihnen, Herr Sevadian, aber ist es klug, das an einem Ort wie diesem zu tun?«

»Die Antwort auf Ihre lobenswert vorsichtige Frage ist: ja. Von den Garderoben und Büroräumen läßt sich Gleiches nicht sagen. Daß man hier sicherer sprechen kann, geht aus der Überlegung hervor, daß man in der Sicherheitsabteilung der verständlichen Meinung ist, ein Publikum hört zu und redet nicht. Gleichwohl schlage ich vor, daß wir unsere Aufmerksamkeit von Zeit zu Zeit den Ereignissen auf der Bühne zuwenden.«

Sie sahen nach vorn zur Bühne, wo das Mädchen laut und mit häufigen Versprechern deklamierte:

»Hat Romeo sich selbst ermordet? Sag du nur ›ja‹
Und dieses bloße Wörtchen ›ja‹ soll mehr vergiften
Als des Basilisken todverheißend Auge.
Ich bin nicht ich, wenn's geben sollt ein solches ›ja‹
Und schlafend jene Augen, die dir das ›ja‹ entreißen!«

Sevadian schmunzelte anerkennend. »Ich muß sagen, die komischen Partien haben immer noch ihren Charme. Doch nun zur Sache! Unser Ausschuß hat Ihren Zugang zu Frau

Korotschenko besprochen. Die Mitglieder waren sehr im Zweifel und nahmen bereits an, daß Theodor hier unter Verdacht stehe, bis ich darauf hinwies, daß Sie und er bis zu dem fraglichen Abend, als Frau Korotschenko sich an Sie heranmachte, nur beim Pferderennen, einem Krocketspiel und einer Abendgesellschaft miteinander Kontakt hatten, und da in allen drei Fällen und zu allen Zeiten in Anwesenheit anderer. Wenn der Gegner also nicht so viele seiner Sache treu ergebene Frauen hat, daß jeder verführt werden kann, der auf zwanzig Meter an jeden beliebigen von unseren Leuten herankommt, dann müßten ihre Motive eigennützig gewesen sein. Darum machen wir weiter. Ihr Auftrag ist nichts Geringeres als die Beschaffung einer Liste aller Zuträger und Geheimagenten der Sicherheitsabteilung im Distrikt, aber Sie dürfen auch weiterhin niemals auch nur den leisesten Verdacht aufkommen lassen, daß Sie für irgendeine Art von Widerstandsbewegung arbeiten, gleich welcher Größe. Man war der Meinung, daß das Risiko einer anonymen Anzeige zu groß sei.«

»Warum? Warum sollte Frau Korotschenko mich anonym oder nicht anonym anzeigen?«

»Es gibt ein Dutzend Gründe. Um sich selbst zu schützen. Um Sie loszuwerden, wenn ein Nachfolger in Sicht kommt. Um sich nach einem Streit an Ihnen zu rächen. Oder irgendein anderes unvorhersehbares Motiv. Sie ist eine heftige, impulsive Dame. Ich kann mir nicht vorstellen, wie Sie es anfangen sollten, die Frau zur Beschaffung dieser Liste zu bringen, ohne ihr etwas zu verraten, aber vielleicht gelingt es Ihnen.«

»Es wird gelingen. Ich weiß einen Grund, der für ihre Psychologie geradezu maßgeschneidert ist.«

»Ich bin wirklich froh, das alles Ihnen und Ihrem Fingerspitzengefühl überlassen zu können. Wann sehen Sie sie wieder?«

»Erst in zehn Tagen. Sie nannte den Grund nicht, war aber sehr entschieden.«

»Wie ärgerlich von ihr.«

»Es wird noch mehr als ärgerlich sein, wenn sie uns danach wieder ein paar Wochen warten läßt.«

»Es würde immer noch Zeit sein. Sie müssen Ihre Faszinationskraft üben«, sagte Sevadian und wandte sich zur Bühne.

> »O Schlangenherz (las das Mädchen), von Blumen überdeckt!
> Wohnt' in so schöner Höhl' ein Drache je?
> Holdsel'ger Wüterich! Engelgleicher Unhold!
> Ergrimmte Taube! Lamm mit Wolfesgier!
> Verworfne Art in göttlicher Gestalt!
> Das rechte Gegenteil des, was mit Recht
> Du scheinest: ein verdammter Heiliger!
> Ein ehrenwerter Schurke! ...«

Sevadian, der aufmerksam zugehört hatte, zog die Stirn in Falten, seufzte und schüttelte den dunklen Kopf. »Der Text muß entstellt sein – sicherlich ist es ein verdammter Schurke, ein ehrenwerter Heiliger«, murmelte er. Dann wandte er sich wieder zu Alexander. »Ihr Vater genießt großen Respekt im Distrikt. Nach meinen geringen persönlichen Kenntnissen scheint er jedenfalls ein humaner Mensch zu sein. Wie sehen Sie ihn?«

»Er ist so human ...«

»Bitte nicht so laut.«

»Verzeihung. Er ist so human, daß er die Rechte eines tollen Hundes schützen würde. Er trägt immer auf beiden Schultern: spricht gegen das System, während er alles aus ihm herausholt, was er kann, und für sein Fortbestehen arbeitet. Er sympathisiert mit den Engländern und lädt Direktor Vanag zum Abendessen. Ich verabscheue ihn.«

»Darf ich dem entnehmen, daß Sie keine Einwände dagegen haben würden, Ihren Vater persönlich festzunehmen, wenn die Zeit kommt? Man meinte hier, daß eine solche Tat einen gewissen symbolischen Wert haben würde.«

»Ich glaube, ich würde ihn lieber erschießen«, platzte Alexander heraus, hielt inne, fuhr in ruhigem Ton fort: »Ich bin durchaus bereit, ihn festzunehmen, ja.«

»Wir wollen unsere Operation mit möglichst wenig Blutvergießen durchführen.« Mit diesen Worten trat eine plötzliche Veränderung in Sevadians Haltung ein, die bis dahin streng praktisch mit einem gelegentlichen Anflug von Humor gewesen war. Nun wandte er sich auf seinem Sitz ganz herum, daß er Alexander von vorn sehen konnte, und fixierte ihn mit seinem bemerkenswerten Blick. »Ich frage mich, ob Sie wie ich und einige andere Mitglieder unserer Bewegung das Gefühl haben, ein unschätzbares Privileg zu genießen, weil es uns möglich ist, an einer gewaltigen historischen Umwandlung mitzuwirken; ich hoffe, Sie fühlen dies auch und es ist mehr als eine bloße Teilnahme, es ist die eigene Mitwirkung, Anleitung und Formung. Wenn wir unser Werk getan haben, wird die Welt nie wieder sein, was sie war. Am Ende werden unsere Namen vergessen sein, aber wir werden der Geschichte unseren Stempel aufgedrückt haben, solange es eine zivilisierte Menschheit gibt. Die Menschheit wird unser Andenken bewahren. Durch die Befreiung anderer werden wir uns selbst und alle, die nach uns kommen, befreit haben. Ich stelle mir vor, daß die gleichen Gedanken, das gleiche Zielbewußtsein unsere großen Vorgänger in Petrograd beseelte, als der Herbst 1917 nahte. Unsere Aufgabe ist die Wiederherstellung jener Revolution. Und wir werden nicht scheitern.«

Was Alexander an dieser Ansprache am meisten beeindruckte, war nicht so sehr ihre Überzeugungskraft, auch nicht ihr rascher, alles in wenigen vollkommenen Sätzen zusammenfassender Vortrag, als vielmehr ihre geringe Lautstärke und das beinahe völlige Fehlen begleitender Gesten. Jeder, der weiter als ein paar Schritte entfernt war und nicht direkt in seiner Blickrichtung, mußte den Eindruck gewinnen, daß Sevadian weitere und nicht unkritische Bemerkungen über das geprobte Theaterstück mache. Aus irgendeinem Grund vermehrte dies die Schwierigkeit, eine Antwort darauf zu finden. Alexander wußte nichts zu sagen, was ganz frei von der Gefahr gewesen wäre, frivol oder oberflächlich zu klingen, und so begnügte er sich mit einem ernsten Kopfnicken.

Zum ersten Mal begann er zu glauben, daß das, was er für eine amüsante Phantasterei gehalten hatte, tatsächlich versucht werden und womöglich gar gelingen könnte. Und wenn es gelänge, und er hätte keinen Anteil daran, dann würde er von einem Offizier des Gardekorps vermutlich zu einer Art von Gefangenem werden, wenn auch nicht für lange. Auf der anderen Seite war er ziemlich sicher, daß es ihm bei weitem schlechter ergehen würde, wenn er sich am Umsturzversuch beteiligte und dieser scheiterte. Aber würde man ihn in diesem Fall nicht schon jetzt als einen Mitverschwörer betrachten? Es würde ihm nicht helfen, wenn er sich darauf hinausredete, daß er tatsächlich noch nichts getan hatte; und fortgeschrittene Vernehmungsmethoden ließen ihm auch nicht die geringste Chance, daß sein Name der Sicherheitsabteilung nicht sofort bekannt wurde. Hätte er nur früher überlegt – nicht ob der verwünschte Plan gelingen könnte oder nicht, sondern daß der Versuch seiner Verwirklichung mehr und mehr zur Gewißheit wurde!

Die vernünftigste Handlungsweise wäre, zum Quartier zurückzukehren, die Uniform anzuziehen und Vanag, der am vorausgegangenen Tag aus Moskau zurückgekehrt war, einen Besuch abzustatten. Aber das kam auch nicht in Betracht. Alexander bestätigte sich selbst, daß er unempfindlich gegen alle moralischen Bedenken sei; was er nicht ertragen konnte, war, als ein Mensch angesehen zu werden, der solcher Dinge fähig war. Und wie begehrenswert, wie notwendig und wie köstlich mußte es sein, zum Helden einer erfolgreichen Revolution zu werden! Denn kraft dieser Liste und der Projektile ...

Sevadian wünschte ihm Glück, drückte ihm die Hand und ging. Theodor, der seit seiner Ankunft nichts gesagt hatte – er war gut im Schweigen – sagte jetzt:

»Ist er nicht großartig?«

»Sehr eindrucksvoll. Ist er der Führer?«

»Der Führer unserer Zelle. Die Identität des Führers der ganzen Bewegung ist nur zwei Leuten bekannt.«

»Ich sehe den Sinn solcher Geheimhaltung ein, aber sie muß gewisse Fragen aufwerfen ...«

»Alexander, ich möchte deinen Vater aufsuchen und etwas mit ihm besprechen, was natürlich nichts mit dieser Sache zu tun hat, aber es wäre mir lieb, wenn du auch zugegen sein könntest. Wann würde es am günstigsten sein?«

»Freitagabend hat er offenes Haus. Wenn du ein längeres Gespräch mit ihm wünschst, würdest du besser daran tun, bis nächste Woche zu warten. Ich kann fast jeden Abend dort sein.«

»Freitag ist mir recht. Und danke, daß du keine Fragen stellst. Ich hoffe, es wird dir nichts ausmachen, wenn ich dir eine stelle. War es dein Ernst, was du über deinen Vater sagtest, daß du bereit wärst, ihn zu erschießen?«

»Ich sagte, ich war der Meinung. Ich bin es auch jetzt noch, kann mir aber wirklich nicht vorstellen, wie mir zumute sein würde, wenn es tatsächlich dazu käme.«

Nachdem er eine Menge Arbeit in der Kulturkommission erwähnt hatte, entfernte sich Theodor ohne weitere Fragen. Alexander, die linke Hand in der Tasche, wie es Offizieren außerhalb der Dienstzeit traditionell erlaubt war, schlenderte zu seinem früheren Platz nahe der Bühne, wo soeben eine Unterbrechung der Proben verkündet worden war und Teetassen herumgereicht wurden. Diesmal erwiderte die junge Schauspielerin seinen Blick lange genug, daß er grüßend nicken konnte, aber nicht länger. Er wartete, um zu sehen, ob sie sich den anderen zuwenden würde, von denen sie ein wenig abseits stand; als sie es nicht tat, ging er ohne Umschweife zu ihr und stellte sich als ein neuernanntes Mitglied der Kommission vor.

»Mein Name ist Sarah Harland«, sagte sie in ausdruckslosem Ton, sehr verschieden von ihrer Deklamation. »Was kann ich für Sie tun?«

»Ich dachte, Sie könnten mir die Ehre erweisen, sich von

mir zum Essen ausführen zu lassen. Ich fürchte, es ist nirgendwo sehr ...«

»Warum sollte ich?«

»Kein besonderer Grund. Ich interessierte mich für das Schauspiel, und wir könnten ...«

»Es stimmt nicht, daß Sie sich interessierten; sie hatten nur Zeit für das, was der Chef Ihnen sagte.«

»Dann müssen Sie mich beobachtet haben.«

»Ich beobachtete das Publikum – das tut eine Schauspielerin immer bei den Proben. Nein, Sie können mir nicht weismachen, Sie seien an dem Schauspiel interessiert. Sie sind nicht einmal an mir interessiert; Sie wollen nichts weiter, als mich so schnell wie möglich aufs Kreuz legen. Ihr Scheißer seid alle gleich.«

Jetzt sprach sie nicht mehr ausdruckslos. Aus der Nähe betrachtet, sah sie überdies lebhaft und ziemlich kriegerisch aus. Alexander fand die Art und Weise, wie sie die Lippen bewegte, sehr attraktiv, und die Entwicklung ihrer Figur noch attraktiver. Er ließ etwas von seiner ehrlichen Verwirrung durchscheinen und sagte nach einer Pause:

»Was kann ich tun, um Sie zu überzeugen, daß ich wenigstens an Ihnen interessiert bin? Das Stück können wir aus dem Spiel lassen.«

»Ich habe nicht die leiseste Ahnung.«

Sarah Harland kehrte ihm den Rücken und ließ sich eine frische Tasse Tee geben, während er in sich hineinlächelte. Während ihres kurzen Gesprächs hatte sie sich unmerklich von der Gruppe der anderen entfernt, die nun um einen jungen und einen älteren Schauspieler vergrößert war, und hatte die Stimme gedämpft. Er mußte sich also nur in Geduld üben, eine weitere Stunde der Probenarbeit widmen, auf eine künftige Gelegenheit achten, vor allem aber eine Pause einschieben, die, ob sie nun Minuten oder Tage dauern würde, lang genug sein mußte, daß Miss (oder Mrs.) Harland ihr Selbstbewußtsein mit dem Argument befriedigen konnte, sich nicht billig zu machen. Dann konnte das gemeinsame Essen kommen, und dann, nach Minuten oder

Tagen, aber unausweichlich von diesem Moment an, da sie die ersten Worte zu ihm gesprochen hatte, das Bett. Mit sechzehn hatte er ein Mädchen gekannt, das ihm die ersten Male, wenn er nach ihrer Brust gefühlt, die Hand weggezogen hatte, und dann wieder, wenn er sie ihr unter den Rock geschoben hatte; das gleiche Merkmal in einem anderen Maßstab. Betrachtete man es in einer bestimmten Weise, so war es wirklich bemerkenswert, wie wenig es bei Frauen zu verstehen gab.

ZWÖLF

»Wenn man es recht bedenkt, Brevda, dann ist das Leben die reine Hölle.«

»Es ist allgemein bekannt, daß es seine negativen Aspekte hat.«

»Man hat keine Ruhe vor dem Zwang, sich zu entscheiden, was man in einer gegebenen Situation tun sollte.«

»Die Notwendigkeit der moralischen Entscheidung kann höchst beschwerlich sein, Herr Fähnrich.«

»Der Eigennutz ist eben kein ausreichender Führer zum rechten Verhalten, nicht wahr?«

»In vielerlei Hinsicht beklagenswert unzulänglich.«

»Schließlich gibt es so etwas wie Recht und Unrecht.«

»So ist es.«

Nachdem sie ein paarmal die Länge der Galerie abgeschritten und sich in diesem Stil unterhalten hatten, blieben der Offizier und sein Bursche am östlichen Fenster stehen. Es war Freitagnachmittag und gegen halb sieben. In den letzten Stunden hatte sich eine drückende Schwüle entwikkelt, doch waren die ein Gewitter androhenden Wolken wieder abgezogen, und die Sonne funkelte und blitzte auf dem dunklen Wasser des Teiches. Alexanders Bewußtsein war wie leergefegt; er konnte sich nicht einmal erinnern, warum er dieses Gespräch angefangen hatte, noch hatte er eine Ahnung, was er als nächstes sagen sollte. In dem Bemühen, die Trägheit abzuschütteln, wandte er sich abrupt dem Burschen zu und sagte beinahe auf Geratewohl:

»Haben Sie mir frische Zigaretten besorgt?«

»Nein, Herr Fähnrich, ich ...«

»Warum nicht?«

»Nun, ich muß morgen in die Stadt, Herr Fähnrich, und Sie haben noch ungefähr zehn, und da Sie niemals mehr als zwei oder drei ...«

»Heute könnte aber der Abend sein, an dem ich zwanzig will. Nur weil Sie ein Gewohnheitsmensch sind, der sich im Einerlei eines gleichförmigen kleinen Lebens wohl fühlt, brauchen Sie nicht anzunehmen, daß andere das gleiche tun. Sorgen Sie in Zukunft dafür, daß ich zu allen Zeiten eine volle Packung habe! Ihr Anblick geht mir auf die Nerven – verschwinden Sie und lassen Sie mir ein Bad einlaufen!«

»Jawohl, Herr Fähnrich.«

»Brevda ...«

»Jawohl?«

Alexander starrte seinen Burschen lange mit trübem Blick an, dann zwinkerte er und öffnete und schloß langsam den Mund. »Ah – tut mir leid. Es ist ... die Hitze oder was. Vergeben Sie mir.«

»Selbstverständlich, Herr Fähnrich.«

Eine halbe Stunde später war Alexander in seinem Schlafzimmer und legte die Ausgehuniform an. Inzwischen schien er bei besserer Laune; er pfiff einen Marsch, der ihm frisch im Gedächtnis war, nachdem er ihn von der Regimentskapelle gehört hatte, die ihn in Vorbereitung der für den nächsten Tag anberaumten Parade geübt hatte. Die Wodkaflasche stand noch auf dem Arbeitstisch, aber der Flüssigkeitspegel wies seit mehr als einer Woche keine Veränderung auf. In gleicher Weise hatte er frühzeitig seine Absicht kundgetan, an diesem Abend an der Gesellschaft teilzunehmen, und hatte die letzte halbe Stunde ruhig lesend verbracht, wo er geradeso gut bäuchlings auf dem Bett hätte liegen können. Diese Verbesserungen hatten ihren Ursprung nicht in irgendwelchen selbstreformatorischen Anstrengungen, sondern in der Anspannung seiner Energien: alle Zeit, die Dienst und Geschlechtsleben ihm ließen, wurde von der Revolution aufgebraucht, und es blieb nichts übrig, um zu trinken, den anderen Mitgliedern des Haushalts zur Last zu fallen oder sich wie jemand in einem russischen Roman des neunzehnten Jahrhunderts zu benehmen. Infolgedessen war er der Zufriedenheit, sogar dem Gefühl, glücklich zu sein, näher als seit Jahren; es traf zu, daß sein zweiter Besuch bei den Proben des englischen Schauspiels, den er am Morgen nach dem ersten gemacht hatte, nur Verdruß gebracht hatte, doch war darauf schon bald eine Art beschämender Erleichterung gefolgt. Seine Reaktion auf den Rückschlag mußte eine möglichst ausgedehnte Periode der Inaktivität sein, keine allzu entmutigende Aussicht für einen, der bereits so stark beschäftigt war. Tatsächlich hatte er seither eingesehen, daß seine ursprüngliche Annäherung an Sarah Harland im Verfolg jener früheren und vergleichsweise unreifen Politik stattgefunden hatte, die augenblickliche Verfolgung jeder attraktiven Frau diktierte und die viel weiter zurückreichte als seine Verbindung mit Frau Korotschenko, welche, wie ihm schien, die am wenigsten jugendliche Phase seiner bisherigen Karriere war.

Sein Kamm verfing sich im verfilzten Haar auf seinem Scheitel, entglitt seiner Hand und über die Oberfläche des Toilettentisches, um in dem Ritz zwischen diesem und der Wand zu verschwinden. Laut auf englisch fluchend, schuf er mit unnötigem Kraftaufwand eine Verbreiterung des Spalts, bis er den Arm hineinstecken konnte. Seine tastenden Finger fanden den Kamm bald, aber vorher schon hatten sie etwas anderes gefunden, etwas, was sich wie ein Stück Karton anfühlte. Es erwies sich als ein Schatz, den er seit einem oder zwei Jahren verloren gewähnt hatte – er hatte damals keinen Anlaß gesehen, hinter dem Toilettentisch nachzusehen, und das Dienstpersonal auch nicht: die alte Fotografie, sieben Meter unter seinem Standort aufgenommen, die ihm von der Zypressenallee berichtet hatte, der Buchsbaumhecke, den Statuen der Nymphen und Jäger, die kleinen steinernen Löwenplastiken, die einst von seinem Fenster sichtbar gewesen waren. Ob es an der seither verstrichenen Zeit lag, oder an der erneuerten Wirkung der alten Schwarzweißaufnahme, oder, wahrscheinlich noch, an der Erfahrung, die er in der Zwischenzeit gewonnen hatte, der Anblick berührte ihn stark.

Innerhalb weniger Sekunden verlor sich all seine neue Festigkeit und Nüchternheit aus seiner Haltung, und seine Augen nahmen einen vagen, zerstreuten Ausdruck an. Er versuchte sich die Szene in der Fotografie vorzustellen, nicht leer, fremd und traurig, wie sie war, sondern belebt von einigen der Menschen, die damals hier gelebt hatten, den Männern in Tweedanzügen, gestreiften Hemden und den Schlipsen in den Farben ihrer Schule, Universität oder Militäreinheit, den Frauen in aufwendigen Kleidern aus hellfarbener Seide und feinen Seidenstrümpfen, mit viel Schmuck behangen. Zu dieser Stunde hätten sie vielleicht Sandwiches mit Essiggurken gegessen und Gin, schottischen Whisky, Portwein, Champagner aus Kristallgläsern getrunken.

Was hatten sie gedacht? Hatten sie geahnt, was sie erwartete? – Denn Alexander hatte sich immer eingebildet, hatte für selbstverständlich gehalten, daß das Bild nicht durch Zufall, sondern durch Plan an eine untergegangene Welt erinnerte, daß es aus den letzten Monaten oder Tagen jener Welt datierte und unter den Parkettboden der Galerie gesteckt worden war, daß er es wiederfinde, oder genauer gesagt, daß er davon Besitz ergreife, nachdem ein Arbeiter es einige Jahre zuvor beim Auswechseln verrotteter Parkettriemen gefunden hatte. Was hatten sie zueinander gesagt, diese Männer und Frauen im Endstadium des Kapitalismus? Hatten Sie von den hungerden Kleinrentnern in ihren ungeheizten Löchern gesprochen, von den kranken Kindern, denen ein Platz im Krankenhaus verwehrt geblieben war, weil ihre Eltern die Kosten nicht tragen konnten, von den indischen und pakistanischen Einwanderern, die zitternd in den Hinterzimmern ihrer Läden gekauert hatten, während der rassistische Mob plündernd und brennend durch die Straßen gezogen war und die Polizei untätig zugesehen oder sogar an den Plünderungen teilgenommen hatte, von den Gruppen der Arbeiter, die sich hier und dort hastig gebildet und auf den letzten Kampf vorbereitet hatten? (Kaum von den Letzteren, da ihre Versammlungen sicherlich insgeheim stattgefunden hatten.) Oder hatten sich diese vor langer Zeit geführten Gespräche um traditionelle Interessen gedreht, um Fuchsjagden, Fasanenschießen, Cricket, die Londoner Theater, Ehebruch? Er hatte keine Ahnung von den Antworten auf diese Fragen, hoffte nur, daß der letzten ein ja angefügt werden könne, weil das die Teilnehmer in seinen Augen bewundernswerter machte, aristokratischer, englischer. Und sicherlich würde jener andere Alexander sich seiner vertrauten Lebensart bis zu dem Augenblick erfreut haben, da sie ihm gewaltsam genommen worden war.

Bei dem Gedanken an seinen Namensvetter und Vorgänger hob Alexander Petrowsky den Kopf, und etwas von der träumerischen Abwesenheit verlor sich aus seinem Blick. Nach einem Augenblick trat er an den Bücherschrank, nahm das in Purpur gebundene Buch heraus, schlug es an eingemerkter Stelle auf und fuhr mit dem Finger über die Seite. Dann las er laut, mit einer hohen, langsamen und einförmigen Stimme, den Abschnitt, den entweder der Zufall oder eine erstaunlich genaue Kenntnis in seinen Weg gelegt hatte.

»Die fleckigen Hände ausgestreckt, in Liebe
zu ergreifen,
Der speichelnd' Mund, der küssen möcht, die
schwachen Augen
Voll süßer Bilder dessen, was nie war;
Ach, schließe sie mit einem Schlag, stoß fort
Die Hände, zum Schweigen bring den Mund
für immer,
Eh' daß er ruft Vernunft und Recht und Treue,
und die Henker kommen.«

Diesmal schloß der Leser das Buch ohne ein Geräusch und stellte es behutsam zurück. Nachdem er eine Weile seinen augenscheinlich unerfreulichen Gedanken nachgehangen hatte, ließ er einen tiefen Seufzer hören, überprüfte seine Erscheinung im Garderobenspiegel, zog den Uniformrock glatt und marschierte hinaus.

Unten im Salon versammelten sich die ersten Gäste. Drei lange Tische bildeten ein offenes Rechteck auf dem gepflasterten Platz zwischen der Freitreppe und dem Rand des Teiches. Es war bereits aufgetragen. Schüsseln und Platten mit Schinken, geräucherter Gans, kaltem Hammelfleisch, kaltem Hühnchen, roten Beeten, Eierkürbis, Blaukraut, Wasserkresse und Endiviensalat bedeckten den Tisch, dazu Schüsseln mit Würztunke, eingelegten Pilzen und Zwiebeln, Weißbrot und Butter. Pfirsiche, Stachelbeeren, Himbeeren, Schlagsahne und Dickmilch wurden gleichfalls geboten, zusammen mit verschiedenen Sorten Kuchen. Bowlen aus einem transparenten Kunststoff, der wie Glas aussehen sollte, enthielten einen kalten Punsch aus Krasnodar-Riesling mit Zitronensaft, Zuckersirup und einem Schuß Wodka. Wodka stand bereit für den, der danach fragte, und naturgemäß würde es viel Nachfrage geben.

Diese zwanglosen Empfänge, die der Verwaltungschef des Distrikts am zweiten und vierten Freitag jedes Monats von März bis Oktober gab, erfreuten sich bei Zivilisten und Militärs großer Wertschätzung, nicht allein wegen der großzügigen Gastfreundschaft, obgleich diese tatsächlich ein Faktor war, noch aus gewöhnlichen gesellschaftlichen Gründen, als vielmehr wegen der sonst allzu selten gebotenen Gelegenheit, mit Kollegen, Widersachern und Personen zusammenzutreffen, die aus Gründen des Ranges oder des Protokolls normalerweise unerreichbar waren und unter diesen zwanglosen Umständen in ein paar Minuten Schwierigkeiten beilegen konnten, die andernfalls in wochenlangen amtlichen Schriftwechseln nicht aufgelöst worden wären.

Die Schwierigkeit, die Petrowsky und seine Frau jetzt beschäftigte, hatte dies seit annähernd zehn Jahren immer wieder getan und ließ sich bestimmt nicht in ein paar Minuten beilegen. Dennoch ließ die Dringlichkeit in Tatjana Petrowskys Ton und Haltung erkennen, daß sie keineswegs die Hoffnung aufgegeben hatte, eines Tages ihre Ansicht durchzusetzen. Sie und ihr Mann standen in einiger Entfernung am geschwungenen Ufer des Teiches, abseits von den noch nicht zahlreichen Gästen; um die Zwanglosigkeit zu fördern, hatte Petrowsky schon seit Jahren von der sonst üblichen Praxis abgesehen, die einzelnen Gäste seiner Empfänge bei ihrem Eintreffen ausrufen zu lassen.

»Du mußt mit ihm sprechen«, sagte sie, keine Anhängerin von Originalität um ihrer selbst willen.

»Ich kann in diesem Augenblick kaum mit ihm sprechen, mein Liebes.«

»Doch, genau das kannst du tun, Sergej. Er ist gerade angekommen, ist allein, wird um diese Zeit nüchtern und vor allem unvorbereitet sein. Das ist deine einzige Chance, sein Ohr zu gewinnen. Wenn du deine Absicht signalisierst, indem du ihm sagst, daß du mit ihm plaudern möchtest, oder ... wie du es auch anfängst, bis du Gelegenheit hast, ihn zu sprechen, wird er sich überlegt haben, mit welcher Haltung er dich auf Distanz halten oder demütigen kann ... Du weißt, wie er ist.«

»Ja, das allerdings. Was soll ich ihm sagen?«

»Lieber Gott, was ich dir gerade gesagt habe, daß sie eine allbekannte und allgemein verrufene Person ist, daß einer ihrer jungen Liebhaber Selbstmord beging und sie im Verdacht steht, einen anderen ermordet oder zumindest zufällig getötet zu haben, wenn sie auch nie unter Anklage gestellt wurde. Daß sie ...«

»Alles unerwiesene Behauptungen. Gerüchte.«

»Was erwartest du? Unsere Freunde und ihre Freunde sind nicht unter Eid, aber warum sollten sie lügen, und noch dazu die gleiche Lüge verbreiten? Diese Frau ist pervers. Sie ... Nun, Agatha Tabidze wollte nicht auf Einzelheiten eingehen; dabei sind wir seit zehn Jahren befreundet. Das läßt auf einiges schließen.«

»Allerdings, wie alles, was du über sie sagst – daß die Dame für jeden jungen, unternehmungslustigen Mann unwiderstehlich sein muß. Natürlich begrüße ich es nicht, aber ...«

»Aber was?«

Sergej Petrowskys stattliches bärtiges Gesicht zeigte ein verfeinertes Unbehagen, ein Bewußtsein unerledigter Pflichten verbunden mit einem sanften, bedauernden Zynismus über den wahren Wert dieser Pflichten. Seine äußere Erscheinung war ähnlich zwiespältig: zu einem nüchtern geschnittenen Anzug aus dunkelgrauem Flanell trug er eine buntgestreifte Weste mit Kupferknöpfen und ein beigefarbenes Hemd mit offenem Kragen. Neben ihm, rundschultrig und nicht groß, in feingewebter azurblauer Baumwolle mit lila Bändern, zeigte Tatjana sich dem flüchtigen Blick als eine viel weniger eindrucksvolle Gestalt. Bei näherem Hinsehen hätte man Entschlossenheit in ihrem Blick und um den Mund bemerkt, und Willenskraft oder zumindest Eigensinn in dem kräftig ausgebildeten Überaugenbogen, eine Eigenheit, die sie ihren Söhnen vererbt hatte, aber nicht ihrer Tochter, und jemand, der soviel bemerkt hätte, wäre sehr wahrscheinlich vom Mitgefühl für einen Mann ergriffen worden, dessen Frau so genau und sicher wußte, wie er sich bei jedem Anlaß zu benehmen hatte, und die jederzeit bereit war, ihm dieses Wissen zum Geschenk zu machen. Nur eine enge und aufmerksame Freundin der Familie, vielleicht Agatha Tabidze oder eine andere, war in der Lage zu beobachten, wie wenig eindrucksvoll und lahm Sergej auf Tatjanas Schelten und Drängen reagierte und wie gelassen er weiterhin tat, was ihm gefiel, was in der Praxis gewöhnlich bedeutete, alles zu vermeiden, was Feindseligkeit erzeugen würde.

»Aber was kann ich tun?« antwortete er ihr jetzt. »Was sollte ich tun? Und was macht dich so sicher, daß eine Affäre im Gange ist? Ich habe nichts davon bemerkt.«

»Mein Lieber, du würdest nichts merken, wenn du sie zusammen im Bett sähest, aber wenn du es hören willst, will ich dir sagen, was mich so sicher macht. Zumindest zweierlei. Die Art und Weise ihres Benehmens, als sie und Alexander neulich von ihrem Spaziergang im Park zurückkamen. Nicht ein Wort den ganzen Abend, und dann auf einmal an allem interessiert. Wie eine Drogensüchtige in einem

Film des vorigen Jahrhunderts, vor und nach Einnahme einer Dosis. Er machte es ziemlich geschickt. Aber seitdem ist er so geheimnistuerisch geworden, das ist die andere Sache. Gewiß, er hatte auch früher schon seine albernen Anwandlungen, aber bevor diese Affäre anfing, wußte ich auf diese oder jene Weise immer ziemlich genau, was er vorhatte. Er spürt, daß ich sein Verhalten stärker als gewöhnlich mißbillige. Sein Benehmen hat sich völlig geändert.«

»Junge Männer können alle möglichen Gründe zur Geheimniskrämerei haben.« Petrowsky sprach sehr freundlich, oder zumindest besänftigend. »Und warum mißbilligst du sein Verhalten? Moralische Haltung scheint heutzutage ziemlich ... sinnlos.«

»Im Gegenteil, heutzutage hat sie mehr Sinn als je zuvor. Aber es ist nicht nötig, die Moral zu bemühen – sicherlich siehst du andere, praktische Gründe zur Mißbilligung. Angenommen, ihr Mann kommt ihr auf die Schliche; hast du darüber nachgedacht, welchen Schaden das anrichten und wie sehr es das Verhältnis zwischen ihm und dir beeinträchtigen könnte? Dazu kommt die Frage, wie sie sich verhalten würde? Zumindest solltest du ihn warnen.«

»Ich bin überzeugt, daß er alles das in Betracht gezogen hat, mein Liebes.«

»Wirklich? Wann zuletzt wurde gesehen, daß er irgend etwas in Betracht zog, was ihn daran hindern könnte, zu tun, was er wollte?«

Noch immer sanft, antwortete Petrowsky: »Nun sind wir doch bei der Moral gelandet, nicht wahr? Moralische Mißbilligung eines Menschen, der tut, was ihm gefällt. Ich fürchte, ich bin niemals imstande gewesen, in dieser Richtung sehr starke Gefühle aufzubieten.«

»Ja, Sergej, das ist dein und anderer Leute Unglück. Alle Menschen, besonders diejenigen, die gut aussehen oder einen anderen Vorteil gegenüber ihren Mitmenschen genießen, haben in der Jugend starke Opposition nötig, das ist ein Erfordernis an sich. Bleibt diese Opposition aus, leiden ihre Charaktere. Sie werden egoistisch, unzugänglich und lassen sich von nichts und niemanden von Vorhaben und Zielen abbringen, die sie selbst gesetzt haben. Dabei sind sie sprunghaft und neigen ohne äußeren Anlaß zu plötzlichen Richtungswechseln. Ich kann mir nicht denken, daß es immer die übermäßig nachsichtige Mutter sein sollte, die ihren Sohn verzieht, ist der Vater doch offensichtlich sehr viel wichtiger als Vorbild und um ihn zu lehren, wie er sich zu benehmen hat. Es muß schwieriger für einen Vater sein, sich mit dem Umstand abzufinden, daß der Sohn heranwächst und nicht mehr der kleine Junge ist, dessen Aktivitäten zu harmlos und unwichtig sind, als daß sie strenger Überwachung bedürften. Und natürlich kann man durch Toleranz einer Menge Ärger aus dem Wege gehen. Einstweilen. Aber warte nur. Unser Sohn ist jetzt ein sehr gefährlicher Mensch – für sich selbst. Ich hoffe uns allen zuliebe, Sergej, daß du als Verwaltungsbeamter weniger liberal bist denn als Vater.«

Als er glaubte, daß sie geendet habe, sagte er im gleichen Ton wie zuvor: »Meine Güte, ich dachte mir gleich, daß eine Menge moralischer Mißbilligung in der Luft liegt. Allerdings hatte ich nicht bemerkt, wieviel davon für mich reserviert war.«

Als sie einander anstarrten, begannen die Linien der Bitterkeit und Anklage um ihren Mund und die Augen ein wenig zu verblassen, doch blieb eine gewisse Schärfe in ihrer Stimme, als sie sagte: »Wir alle brauchen von Zeit zu Zeit Opposition, und du machst darin keine Ausnahme, liebster Sergej.« Und wie so oft zuvor dachte sie, diesmal bestehe eine Chance, daß er in der fraglichen Angelegenheit tatsächlich etwas unternehmen würde.

»Ich werde mit ihm reden. Wenn er weiß, daß wir Bescheid wissen, wird er es wenigstens einfacher finden, in einer Krise zu uns zu kommen.«

»Laß ihn nicht mit Leugnen davonkommen!«

»Ich denke, du kannst mir vertrauen, daß ich das nicht tun werde«, versetzte er, zum ersten Mal in einem weniger milden Ton.

Schon mit der Frage beschäftigt, ob sie ihm diesen Vertrauensvorschuß geben könne oder nicht, blickte sie über seine Schulter, und sogleich kam eine leichte aber wahrnehmbare Veränderung über sie. Ein kleine Gestalt, nicht höher als einen Meter fünfzig, aber fein proportioniert, war eben aus dem Haus getreten und stand auf der obersten Stufe der Freitreppe, um die Gesellschaft zu überblicken.

Petrowsky sah die Veränderung in seiner Frau und folgte ihrem Blick. Unbewußt rückten sie enger zusammen, wie um einem körperlichen Angriff besser zu widerstehen. Denn der Neuankömmling war Direktor Vanag, von dem noch niemand mit Gewißheit hatte sagen können, ob er in seiner amtlichen Eigenschaft etwas anderes tat als fünfeinhalb Tage in der Woche in sein Büro im Rathaus von Northampton zu gehen, der jedoch unweigerlich in jedermanns Bewußtsein trat (wenn auch weniger oft erwähnt wurde), wenn jemand nach Moskau zurückgerufen wurde und nie wieder in Erscheinung trat, oder wenn im Distrikt jemand auf unnatürliche Weise zu Tode kam. Anfang der Woche erst hatte man den ertrunkenen Leichnam eines Verwaltungsangestellten des Wohnungsamtes aus dem Fluß gezogen, eines Mannes von makellosem öffentlichen und privaten Ruf und ohne bekannte Feinde. Er hatte eine Kopfverletzung erlitten, vielleicht von einem Sturz, vielleicht nicht. Es wurde als eine Selbstverständlichkeit unterstellt, daß Vanag verantwortlich war, wobei man die mit Sicherheit anzunehmende Unschuld des Opfers als Bestätigung sah und argumentierte, daß unterschiedslose ›Demonstrationen‹ dieser Art wirksamer seien als selektive. Gemäß einer einfacheren und derzeit in Mode gekommenen Ansicht war Vanag zu träge oder unfähig, um irgendwelche wirklich gefährlichen oder unerwünschten Aktivitäten aufzudecken und habe darum die gelegentliche willkürliche Ermordung einzelner Personen allein zum Beweis seines Pflichteifers angeordnet. Wie es auch um den Wahrheitsgehalt solcher Mutmaßungen bestellt sein mochte, niemand war darüber erheitert, und die Notwendigkeit, sich mit dem Direktor gut zu stellen, war für jedermann so offenkundig, daß niemand, ausgenommen vielleicht Alexander, den Petrowskys übelnahm, daß sie ihn zu ihren Abendgesellschaften einluden.

Wie immer war er allein gekommen; bei keiner gesellschaftlichen Zusammenkunft war er jemals in Begleitung gesehen worden, und obgleich allgemein geglaubt wurde, daß er Tag und Nacht streng bewacht werde, waren Bewacher niemals als solche erkennbar. Er schien im Begriff, die Freitreppe hinunterzuschreiten, als er seiner Gastgeber ansichtig wurde und grüßend die Hand hob. Es war eine seltsame Geste, ausgedehnt, bis aus dem Gruß etwas wurde, was nicht weit von einer Warnung entfernt war; dann schritt er die Freitreppe herunter und kam unter den anderen Gästen außer Sicht. Die Petrowskys sahen einander wieder an, diesmal in einer Weise, die tiefe Intimität und beiderseitiges Vertrauen zeigte, wobei er eine Bitte um moralische Unterstützung in allen vielleicht daraus erwachsenden Schwierigkeiten andeutete, sie ihn dieser Unterstützung warmherzig versicherte. Sie waren im Begriff, sich einer nahen Gruppe von Gästen zuzugesellen, als Alexander, Nina und Theodor Markow auf sie zukamen. Die beiden Letzteren hielten einander bei den Händen und machten ernste Gesichter, in denen unterdrückte Erregung und ein wenig Unbehagen miteinander kämpften.

»Diese beiden haben dir etwas zu sagen, Papa.« Auch Alexander schien befangen, zugleich aber amüsiert. »Aus irgendeinem Grund möchten sie, daß ich anwesend sei, wenn sie es sagen, obwohl ich nicht sehen kann, was es mich angeht.«

»Habe ich Ihre Erlaubnis zu sprechen, Herr Petrowsky?« fragte Theodor.

»Zu sprechen? Wieso, gewiß.«

»Nina und ich lieben einander; ich habe sie gebeten, meine Frau zu werden, und sie hat, Ihr Einverständnis vorausgesetzt, eingewilligt. Also bitte ich nun formell um die Hand Ihrer Tochter.«

»Ich verstehe. Nun ... natürlich. Eine ausgezeichnete

Idee. Ich erkläre mein formelles Einverständnis. Eine prachtvolle Idee. Meine Glückwünsche euch beiden. Das muß gefeiert werden. Ein Verlobungsfest.«

Alexander und seine Mutter fügten ihre Glückwünsche hinzu. Petrowsky trat vor, die Arme ausgestreckt, aber Theodor bedeutete ihm mit einer schnellen Handbewegung, sich einen Augenblick zu gedulden, ergriff Ninas Hand und steckte dem vierten Finger einen Ring auf, der einen großen purpurroten Zirkon oder eine andere Imitation in einer Platinfassung zur Schau stellte. Nachdem er sie geküßt hatte, gab es allgemeine Umarmungen, gefolgt von einer Diskussion über Termine. Dann sagte Petrowsky, daß es andere Familienangelegenheiten mit Alexander zu besprechen gebe, und das Verlobungspaar zog sich zurück.

»Dein Vater machte ein völlig verblüfftes Gesicht«, sagte Theodor mit einem Schmunzeln.

»Ja, war er nicht süß? Gerade daß er sich die Frage verkneifen konnte, warum in aller Welt du seine Erlaubnis brauchtest, um eine volljährige Frau zu heiraten. Aber er hielt sich wie der geborene Diplomat. Ich war stolz auf ihn. Ihr beiden solltet gut miteinander auskommen.«

»Da gab es noch etwas, was er gern gefragt oder vielmehr bestätigt bekommen hätte – ob wir miteinander schlafen.«

»Ja, und ich bin froh, daß er die Frage nicht stellte. Wir hätten nein sagen müssen, und er wäre entweder verletzt gewesen, daß wir ihm die Wahrheit nicht sagten, oder schockiert über unsere Rückständigkeit.«

»Ich weiß, aber ich glaube wirklich, daß es schwierig sein würde, jemanden zu finden, der verstehen würde, daß wir lieber damit warten, bis wir verheiratet sind. Deine Mutter würde es vielleicht verstehen.«

»Das bezweifle ich. Sie ist sehr moralisch, aber ihre Vorstellungen sind ziemlich fixiert. Und jemand wie Elizabeth würde uns einfach für verrückt halten. Das erinnert mich: sie sagt, sie wolle der ... Musikvereinigung beitreten. Sie sei bereit, im Rahmen vernünftiger Überlegung alles zu tun, was nicht allzu gefährlich oder abscheulich ist. Unter abscheulich versteht sie alles, was ihr abverlangen würde, zur Gewinnung von Informationen mit Vanags Männern zu schlafen.«

»Sehr vernünftig. Ich bin glücklich, daß ich etwas zu tun im Begriff bin, was überhaupt nicht vernünftig ist und sowohl gefährlich als auch abscheulich sein mag.«

»Oh, Liebling, er weiß, daß ich ihn hasse.«

»Er muß wissen, daß alle ihn hassen ... Guten Abend, Herr Direktor – ich hoffe Sie bei guter Gesundheit.«

»Danke, ja. Einen schönen guten Abend, Fräulein Petrowsky, Herr Markow.« Direktor Vanag sprach in einer hohen Tenorstimme, die fast ein Alt war. Er trug eine der Uniformen ohne Rangabzeichen, dunkelblau und hochgeschlossen, in denen er immer zu sehen war. Diese Version war offensichtlich maßgeschneidert und aus deutlich besserem Stoff als seine Alltagsuniform. Theodors Begrüßung mochte nicht nach seinem Geschmack gewesen sein, aber er hatte darauf mit einem Lächeln geantwortet, was nahezu jedem anderen als freundlich und sogar anziehend zugutegehalten worden wäre. Der Blick seiner großen, klaren grauen Augen zeigte ähnliche Verbindungen mit Freundlichkeit und Freimut. In der Gelassenheit hatte sein Gesicht, fast faltenlos und von gesunder Farbe, einen gedankenvollen, weltfremden Ausdruck. Sein krauses, blondes Haar, kurzgeschnitten und rechts gescheitelt, hob sich ein wenig in der leichten Abendbrise. Seine Zähne waren klein und regelmäßig. Er war fünfundvierzig und sah wie fünfunddreißig aus.

»Sie müssen uns gratulieren, Direktor«, fuhr Theodor fort. »Fräulein Petrowsky und ich haben uns soeben verlobt.«

»Tatsächlich? Welch eine herrliche Idee. Ich gratuliere Ihnen sehr herzlich.«

»Dann dürfen wir annehmen, daß Sie unsere Verbindung billigen?«

»Billigen?« Vanag lachte fröhlich. »Natürlich billige ich sie, aber was für einen Unterschied könnte es machen, ob ich es tue oder nicht? Die Ansichten eines bescheidenen Federfuchsers können kaum jemanden interessieren. Nun gut, dieses zufällige Zusammentreffen kommt mir sehr gelegen, Herr Markow. Erst vor kurzem dachte ich, daß meine Unkenntnis der Tätigkeit Ihrer Kommission wirklich beschämend sei. Sie können mich aufklären. Vielleicht würden Sie so gut sein, mir einen kurzen Abriß zu geben.«

Theodor folgte der Aufforderung, und das Gespräch ging frei und ziemlich unbefangen hin und her. Nach einigen Minuten gesellte Alexander sich zu der Gruppe, hatte aber nichts beizutragen. Bald fing er an, kleine ungeduldige Bewegungen zu machen, denen die beiden anderen keine Beachtung schenkten.

»Es ist ein eindrucksvolles Unternehmen«, sagte Vang abschließend mit ungewöhnlichem Interesse. »Ehrgeiziger als ich mir vorgestellt hatte.«

»Es ist das Geringste, was wir tun können, bedenkt man, wie wir sie in der Vergangenheit behandelten.«

»Tut mir leid, ich fürchte, ich komme nicht ganz ...«

»Das Entnationalisierungsprogramm war nichts als ein Akt der Barbarei.«

»Mit allem Respekt, Herr Markow, wenn es das war, dann war es auch noch etwas mehr: es war das Mittel, den englischen Widerstandswillen zu brechen, und das mußte getan werden.«

»Es brach alles Englische. Der Maßstab des Ganzen war verkehrt. Schließlich brach der organisierte Widerstand schon am dritten Tag zusammen, nicht wahr?« Theodor bemühte sich, ruhig und höflich zu sprechen.

»Richtig. Die Feindseligkeiten hörten aber nicht sofort auf.«

»Ja, nach der offiziellen Geschichte gab es noch isolierte Widerstandsnester.«

»Genau so. Nun, Herr Markow, wenn Ihre Gefühle über diese Ereignisse Ihnen Anlaß geben, sich mit vermehrtem Enthusiasmus an Ihre Arbeit zu machen, um so besser für alle Beteiligten. Unser Gespräch war sehr interessant. Jetzt aber, fürchte ich, muß ich Sie verlassen. Fräulein Petrowsky, meine Herren.« Und mit einer anmutigen Kopfneigung wandte sich Direktor Vanag ab und nahm ein dargebotenes Glas des frisch ausgedrückten Zitronensafts, der ihm zu jeder Stunde und an jedem Ort zur Verfügung stand.

»Seltsam nicht wahr?« sagte Nina einen Augenblick später. »Wenn man nicht wüßte ...«

Aber Alexander unterbrach sie. »Entschuldige, Nina, aber ich muß eine Minute mit deinem Verlobten sprechen. Unter Männern. Dann werde ich dir was zu trinken holen.«

Sobald sie allein waren, sagte Theodor: »Was in aller Welt ist geschehen? Du siehst aus ...«

»Meine Eltern wissen über mich und Frau Korotschenko Bescheid.«

»Sind sie heute abend hier, die Korotschenkos?«

»Ich habe sie nicht gesehen.«

»Hoffen wir ... Entschuldige, sprich weiter!«

»Nun, ich war ganz Überraschung und Empörung, aber meine Mutter ging einfach darüber hinweg und sagte, sie wisse Bescheid – sie ist in solchen Dingen immer viel zäher als mein Vater, in den meisten Dingen sogar. Sie versuchten mich zu warnen und abzuschrecken, sagten, sie sei verrückt und schlecht, aber das ist nichts Neues, obwohl sie eine Menge Dokumentation hatten, wie ich zugeben muß. Jedenfalls wissen sie alles.«

»Wie?«

Alexander sog die Luft ein und schüttelte den Kopf. »Das ist es eben. Meine Mutter erklärte mit aller Festigkeit, daß es nichts sei als ihre Beobachtung von mir und Frau Korotschenko am fraglichen Abend, aber vielleicht hat sie doch eine Quelle, die sie nicht erwähnen wollte.«

»Wer könnte es sein?«

»Ich kann es mir nicht denken. Es ist deprimierend. Vielleicht könnte ich ... nein. Überlegen wir. Nicht Korotschenko, sonst hätten sie es erwähnt, und er vermutlich auch. Sie hätten auch die Tabidzes erwähnt, wäre es von der Seite gekommen. Wer kommt noch in Frage? Denk nach!«

»Werden deine Eltern stillhalten?«

»Meine Mutter schon. Mein Vater ... nun ja, wahrscheinlich. Ich werde jedenfalls darauf spekulieren.«

»Das mußt du. Die Hauptsache ist, daß Korotschenko offenbar nichts weiß. Diese Agentenliste ist wichtig für uns.«

»Gut.«

»Wann ist es, nächster Donnerstag? Viel Glück, mein Lieber!«

Ehe der Abend um war, führte Theodor Markow ein weiteres Gespräch, das ihm später bedeutsam erscheinen sollte, obwohl es nur eine halbe Minute dauerte. Die stämmige Gestalt des Beauftragten Mets war plötzlich vor ihm und Nina aufgetaucht.

»Wie ist es gegangen?« Mets hatte von der bevorstehenden Verlobung gewußt.

»Oh, sehr gut, vielen Dank. Der alte Knabe war ziemlich verblüfft, erholte sich aber bald.«

»Gut. Ich sah, Sie sprachen mit dem großen Chef, Vanag.«

»Ja, nur ein paar Worte.«

»Was halten Sie von ihm?« fragte Mets mit ausdrucksloser Stimme.

»Ich hatte schon einmal die Ehre, mit ihm zu sprechen. Er war sehr höflich.«

»Gut. Ich nehme an, er machte keine interessanten Bemerkungen über einen von uns? Ich meine, in seiner Weise kann er ein rechter Spaßvogel sein.«

»Ja? Nein, das Gespräch war allgemein.«

»Verstehe. Ja, er kann ein rechter Spaßvogel sein, wissen Sie. Nun ... gute Nacht.«

»Dein Chef hätte mir gratulieren können oder was«, sagte Nina, sobald es opportun war.

»Ich glaube, er war betrunken.«

»Wahrscheinlich. Er wirkte auf mich, als fürchte er sich.«

Die Zeit rückte vor. Nichts Eßbares blieb auf den Tischen; ein großer Teil der Speisen war von den Gästen verzehrt worden, den Rest hatten die Kellner verschwinden lassen, um ihn an die englischen Gärtner, Stallknechte und Hausbediensteten zu verkaufen. Der Punsch war restlos ausgetrunken, und die mittlerweile an Zahl und Kondition etwas reduzierte Gesellschaft bediente sich mit minderwertigem Weißwein, Roggenbier und verschiedenen Spirituosen. Mit dem Schwinden des Tageslichts setzte eine allgemeine Bewegung ins Innere des Hauses ein, teils weil die Brise aufgefrischt hatte, teils weil aus der Eingangshalle der lärmende Gesang eines improvisierten Männerchores drang und draußen beim kleinen Parktempel eine Art Gebetsversammlung stattfand, deren Hauptrolle im Moment von einem nackten Mann eingenommen wurde, der eine Wodkaflasche schwang, tagsüber ein höherer Beamter in der Kommunikationsabteilung.

Ein Besucher, der das Haus kannte, wie es normalerweise war, hätte bemerkt, daß anläßlich der Abendgesellschaft bestimmte Vorkehrungen getroffen worden waren. Die an die Gesittung der Gäste geknüpften Erwartungen waren weit höher als etwa bei Igor Swaniewiczs Gesellschaften, die von der gegenwärtigen Veranstaltung so verschieden wie nur möglich waren. Andernfalls wären die äußeren Türen mit schweren Möbelstücken verbarrikadiert gewesen, die erst auf verläßliche Nachricht vom Weggang der letzten Gäste entfernt worden wären. Hier aber gab es freien Zugang zu den an die Halle anschließenden Räumlichkeiten beider Gebäudeflügel, wo zusätzliche Stühle und Klapptische aufgestellt und nur die kostspieligeren Einrichtungsgegenstände entfernt und in Sicherheit gebracht worden waren. Natürlich waren alle inneren Türen verschlossen, ausgenommen diejenigen der im Erdgeschoß liegenden Toiletten, deren Böden mit Bogen aus wasserdichtem Material abgedeckt waren.

Die mehr zur Nüchternheit neigenden Geister hatten sich im Salon des Westflügels versammelt. Hier geschah es, daß Frau Tabidze gegen elf Uhr dem beharrlichen Drängen der übrigen Gäste nachgab und den anderen mit Hilfe eines

Kartenspiels wahrsagte. Sie betonte, daß sie ihre Klienten nicht selbst auswählen wolle – die Kandidaten sollten sich selbst melden. Dadurch reizte sie Alexander, der diese anspruchslose Art, sich in den Mittelpunkt der Aufmerksamkeit zu drängen, für unannehmbar erniedrigend hielt. Nina war frei von derartigen Hemmungen. Ohne Theodors vorsichtig abratende Worte zu beachten, trat sie vor und setzte sich an den kleinen, mit Fries gedeckten Tisch Agatha Tabidze gegenüber. Diese legte die Karten mit den Bildern nach unten in kleinen Stößen zu je einem halben Dutzend vor sich hin und deckte die zuoberst liegenden Karten scheinbar wahllos auf. Ninas Tugenden wurden aufgezählt, dann einige ihrer Kenntnisse und Fertigkeiten gewürdigt, wie etwa die Zubereitung eines beliebten Zitronensoufflés; dieser Teil wurde in scherzhaftem Ton vorgetragen. Ernster wurde sodann ihre Verlobung behandelt, wobei ein paar weniger bekannte Fakten zur Sprache kamen. Schließlich – es war bald klar, daß die Wahrsagerei keinen allzu großen Umfang annehmen sollte – zog Frau Tabidze eine neue Karte, deckte sie auf und sagte in freundlichem Ton:

»Und die Zukunft wird gut sein. Bald wird eine Zeit der Prüfungen kommen, nicht aus dir selbst, denn zwischen euch beiden wird es niemals ernste Schwierigkeiten geben, doch wird es nichtsdestoweniger eine beschwerliche Zeit sein. Aber sie wird vorübergehen, und ihr werdet zusammenbleiben und glücklich sein.«

Unter den Beifallsrufen und dem Applaus der Umstehenden sprang Nina auf und umarmte Frau Tabidze, dann eilte sie lachend und weinend in Theodors Arme. Petrowsky verkündete nochmals, was soeben publik gemacht worden war, und die Gesellschaft brach in Hochrufe auf das Brautpaar aus, erneuerte ihren Applaus, und Toasts wurden ausgebracht. Einer der Zutrinker, ein untersetzter bärtiger Mann in weißen Hosen und einer kurzen flaschengrünen Jacke, hielt sich unmittelbar darauf den Mund zu und machte sich in schwankendem Trab zu den Toiletten davon. Dann wurde es wieder ruhig. Zwei Damen mittleren Alters, jede die Frau eines Beamten, wurden nacheinander durch ihre Vergangenheiten, Gegenwarten und Zukünfte geführt. Die allgemeine Aufmerksamkeit schweifte ab; nach emotionalen Abschiedsszenen und in einem Fall von beiden Seiten gestützt, machten sich mehrere Leute auf den Heimweg. Als der zweiten Dame die Karten geschlagen worden waren, trat eine Pause ein, und die sich bereits hinschleppende Unterhaltung schien ganz und gar zum Erliegen zu kommen. Endlich meldete sich der Beauftragte Mets und wurde angenommen.

Die Wahrsagerin sah sich insofern in einer schwierigen Lage, als ihre Bekanntschaft mit dem neuen Klienten neu und flüchtig war, und daß er eine wichtige Position bekleidete, die überdies mit Fragen der Staatssicherheit verknüpft war und somit doppelte Delikatesse verlangte; mit dem sonst so probaten Mittel der Scherzhaftigkeit war es hier nicht getan. Zögernd zuerst, immer wieder die aufgedeckten Karten studierend, sagte sie dem Regierungsbeauftragten, daß er ein Mann von umfangreichem Wissen, verfeinertem Geschmack und sicherem Urteil sei, daß er seinen Pflichten mit völliger Hingabe diene, doch stets bestrebt sei, seine Horizonte in neuen Richtungen auszuweisen. Dazu kamen andere Komplimente, an denen kein Bürokrat mit Selbstachtung etwas hätte aussetzen können. Als sie zu den unvermeidlichen Schwierigkeiten und der Geduld kam, die sie mit der Zeit überwinden würde, ließ jemand ein gewaltiges Gähnen vernehmen, aber schon im nächsten Augenblick deckte Frau Tabidze eine Karte auf, hob den Blick zu Mets und ließ einen kleinen Ausruf des Erstaunens hören. Sie zögerte nicht mehr; nur die rechten Worte wollten sich nicht einstellen.

»Zu den Schwierigkeiten, von denen wir sprachen«, sagte sie, »gehört offenbar eine, die ... außerordentlich ernst ist. Ist das richtig?«

»Ja«, sagte Mets in neutralem Ton. Aber er beugte sich unwillkürlich ein wenig vor und drückte die Hände gegeneinander.

»Würde tatsächlich ein stärkerer Ausdruck passender sein? Dilemma? Krise?«

»Ja. Nun, in einer Weise, sozusagen.«

»Und sie ist in jüngster Zeit entstanden? Vor sehr kurzer Zeit?«

»So könnte man sagen.«

Frau Tabidze deckte eine weitere Karte auf und starrte sie eine Weile in stirnrunzelnder Konzentration an. Ohne den Blick davon abzuwenden, sagte sie langsam: »Dann muß ich Ihnen sagen, daß diese krisenhafte Schwierigkeit innerhalb einer vergleichsweise kurzen Zeit, die sicherlich nicht mehr als vier Wochen betragen wird, in Ihrem Sinne überwunden sein wird. Ihre Bestrebungen werden erfolgreich sein.«

»Wie zufriedenstellend. Ich danke Ihnen. Verbindlichen Dank.«

»So habe ich sie noch nie erlebt«, sagte Tatjana Petrowsky zu ihrem Mann. »Als ob sie in diesen Karten wirklich etwas gesehen hätte.«

»Oh, die alte Agatha ist sicher eine großartige Schauspielerin.«

»Ich glaube nicht, daß es das ist, oder nicht nur das. Da geht etwas Seltsames vor.«

Alexander hatte einen schlechten Abend hinter sich: keine gute Gelegenheit, sich in Szene zu setzen, ein unangenehmes, geradezu peinliches Gespräch mit den Eltern, und nun Langeweile ohne Ende. Er erwog, ob er sich betrinken oder die Anwesenden als unaufgeklärt und abergläubisch brandmarken solle, bevor er die Treppe hinaufstürmte und sich schlafen legte (was jedenfalls schneller ginge), als Sonja Korotschenko auf dem Weg zum leeren Stuhl an Frau Tabidzes Kartentisch an ihm vorbeiging. Er machte kein Geräusch, fuhr aber so zusammen, daß sein Schuh auf den Steinfliesen scharrte. Hätte man ihn in einem früheren Stadium des Abends gefragt, so wäre er mit voller Überzeugung der Meinung gewesen, daß sie nicht gekommen sei. Wo war ihr Mann? Nicht in Sicht, oder nicht identifizierbar in Sicht; ein paar Hosenbeine und der angewinkelte Ellbogen hinter einer nahen Säule konnten ohne weiteres ihm gehören. Einige Stimmen fragten mehr oder weniger laut, wer diese Frau sei, die (urteilte man nach der Haltung ihrer bloßen Schultern) entschlossen war, sich die Karten schlagen zu lassen.

Einen Augenblick lang dachte Alexander daran, sich so still und unauffällig wie möglich zurückzuziehen. Es war unmöglich, oder zumindest äußerst unwahrscheinlich, daß sie von seiner Anwesenheit nichts wissen sollte, aber durchaus möglich, daß sie innerhalb einer Minute etwas verraten oder sonstwie enthüllen würde (und sei es, indem sie sich auf seine Genitalien stürzte), was er gern weiterhin geheimgehalten hätte, und zumindest ein Teil dieses Risikos ließe sich vermeiden, wenn er sich rechtzeitig entfernte. Und doch – das Rampenlicht war das Licht der Öffentlichkeit, in welchen Farben es einen auch zeigte, und ihr Benehmen würde durch den Prozeß des Weitererzählens ohnedies in jeder nur denkbaren Weise verzerrt werden und an Glaubwürdigkeit verlieren. Frau Tabidzes Gesichtsausdruck mühsam beherrschter Beunruhigung bewog ihn schließlich zu bleiben, zusammen mit dem Umstand, daß er von seinen Eltern etwas davon gehört hatte, was sie über die Dame im ausgeschnittenen Musselinkleid wußten – demselben, glaubte er sich zu erinnern, das sie sich bei ihrem letzten Besuch im Haus so bereitwillig über den Kopf gezogen hatte. Es konnte leicht ihr einziges Kleidungsstück sein, wenn sie zu Hause die ganze Zeit nackt herumlief, und nicht nur, wenn sie Besucher empfing.

Nach gründlichem Mischen und Abheben legte Frau Tabidze die Karten aus und deckte die oberste Karte eines jeden Stoßes auf. Alexander sah sie auf der Lippe kauen und verkniff sich ein Grinsen. Nachdem sie sich geräuspert hatte, sagte sie ziemlich heiser:

»Als Sie sehr jung waren, machten Sie eine lange Reise. Sie und Ihre Eltern kamen aus ...«

»Ich will nichts über die Vergangenheit hören. Ich weiß

über die Vergangenheit Bescheid.« Frau Korotschenko sprach, als ob ihr Mund ausgetrocknet wäre. »Erzählen Sie mir von der Zukunft!«

»Wie Sie wünschen ... Sie werden ein langes und glückliches Eheleben führen. Sie werden Ihrem Mann weiterhin eine Quelle der Stärke und des Trostes sein. Im Laufe der Jahre werden Sie ...«

»Das ist die Art von Leben, wie es viele Leute haben. Werde ich denn nichts erleben, was anderen nie passiert? Und sollte ich nie etwas tun? Sicherlich werde ich irgend etwas bewerkstelligen, so trivial es auch sein mag, was sonst niemand getan hat?«

Die unhöfliche Art ihres Sprechens, die laute, unangenehm knarrende, betonungslose Stimme schien den negativen Eindruck zu verstärken, den sie auf die Zuhörer machte. Alle Umstehenden verstummten, mit Ausnahme des andauernden Husten eines enorm beleibten, glotzäugigen alten Mannes, dessen Rüschenhemd bis zum Nabel offen war. Man hörte deutlich das Geräusch, mit dem Frau Tabidze die Karten aufdeckte. Als sie zu den letzten kam, saß sie einen Moment lang still, bevor sie sie aufdeckte. Was sie dann sah oder der Konstellation entnahm, ließ sie mit einer Verblüffung aufspringen, die sehr viel akuter war als jene, die sie vor einigen Minuten über die Zukunft des Regierungsbeauftragten gezeigt hatte. In den Jahren ihrer Bekanntschaft hatte Alexander sie noch nie so aufgeregt gesehen. Frau Tabidze blickte auf, bemerkte, daß sie stand, und setzte sich in einiger Verwirrung wieder hin.

»Ich hätte schwören können ...« Sie brach ab, zwinkerte und versuchte die Fassung zurückzugewinnen. »Vergeben Sie mir, Sie alle – die Karten bereiten gelegentlich Überraschungen. Nun ... meine Liebe, ich habe gute Nachricht für Sie. Bald werden Sie eine sehr tugendhafte, mutige und menschliche Tat verrichten, die Ihrem Namen Ehre machen wird. Und dies wird schon bald geschehen. Innerhalb von vier Wochen. Nein, noch eher«, fügte sie in momentaner Beunruhigung hinzu, gewann ihre gewohnte Festigkeit aber rasch zurück. »Die Vorstellung ist zu Ende. Ich danke für Ihre Aufmerksamkeit.«

Frau Korotschenko erhob sich beinahe so schnell, wie Frau Tabidze es getan hatte, und marschierte in den geräumigen Korridor davon, ohne nach rechts oder links zu blikken. Nachdem er lange genug gewartet hatte, damit kein Argwohn aufkommen konnte, ging Alexander ihr nach, aber es schien, als ob er ihr auch Zeit genug gelassen hätte, zu verschwinden. Sie war im östlichen Gebäudeflügel nicht zu finden noch konnte er ihr helles Kleid im dunklen Park ausmachen. Bei seiner Rückkehr sah er, daß der Stuhl neben der Säule leer war, und so blieb verborgen, ob Korotschenko oder ein anderer dort gesessen hatte.

DREIZEHN

Die Zeichnung der männlichen Genitalien am Bretterzaun der Korotschenkos war mit dunkler Farbe oder Beize überstrichen. Als Alexander sich dem Haus zu Fuß näherte (er hatte Polly in den Stallungen an der Landstraße von Northampton zurückgelassen), überlegte er, ob es dort nicht Dutzende oder gar Hunderte solcher Zeichnungen geben könnte, eine unter der anderen, das Werk ungezählter nachmittäglicher Besucher, auf Anordnung des Ehemannes oder nach der Laune der Frau regelmäßig ausgelöscht, doch in gewissem Sinne immer noch dort. Er erinnerte sich undeutlich eines Aphorismus' Latour-Ordschonikidses, wonach jedes Liebesverhältnis uns etwas hinzufügt, was keine spätere Erfahrung auslöschen kann. Er fragte sich, was Frau Korotschenko ihm hinzugefügt haben mochte.

Neue Information in dieser Sache war nicht gleich zu erlangen. Wie bei seinem vorausgegangenen Besuch, war die Tür nicht verschlossen, blieb sein Läuten unbeantwortet. Er trat ein und ging ein paar Schritte durch die fliesenbelegte Diele, späte durch die Glastür nach rechts und sah niemanden, spähte nach links und sah jemanden, dieselbe Jemandin, die letztes Mal an der Wand gelehnt hatte. Diesmal saß sie statt dessen an einem Eßtisch, war aber wieder oder (ihr kurzes Erscheinen vor der Wahrsagerin schien kaum zu zählen) immer noch nackt. Er eilte hinein und stand vor ihr, nach kurzer aber intensiver Erfahrung von dem Bewußtsein erfüllt, daß es nicht taugte, sie an sich zu reißen, bis sie zu verstehen gegeben hätte, wie sie ergriffen zu werden wünschte. Mit einer Stimme, als sei sie im Begriff, ohnmächtig vom Stuhl zu sinken, forderte sie ihn zum Niedersetzen auf und zeigte auf einen Stuhl, der seitwärts am Tisch stand und auf dem ein Teller mit einer rosa bestrichenen Toastscheibe, ein kleines Glas, wahrscheinlich mit Wodka, eine Packung Fribourg und Treyers Virginia Nr. 1-Zigaretten und ein goldenes Feuerzeug sich befanden. Er wußte, daß es selbst für Zigaretten eine sehr teure Marke war, mehr als 20 000 Pfund für eine Zwanzigerschachtel, was dem vollen Tageslohn eines Facharbeiters entsprach. Es war kein Wunder, daß die Leute selten Zigaretten ...

Seine Gedanken schweiften (zu nichts Besonderem, nur fort), als sie sich nach Beendigung der notwendigen Vorbereitungen unter Schnaufen und Ächzen rittlings auf ihn niederließ. In dem Augenblick, da seine Gedanken sich wieder zu sammeln begannen, was mit einer Art Erkenntnis der Tatsache verbunden war, daß bisher alles seltsam schlicht zugegangen war, griff sie zur Seite, nahm die Toastscheibe vom Teller und stopfte sie ihm in den Mund. Kein Gourmet hatte sich jemals intensiver auf den Akt des Essens konzentriert als Alexander es jetzt tat; obwohl sein Speichelfluß zu wünschen übrig ließ, würgte er schließlich alles hinunter und bemerkte sogar, daß der rosa Aufstrich Fisch war, wahrscheinlich eine Art Lachspaste. Der Wodka folgte, bis zum letzten Tropfen, zu welchem Zweck sie ihm das Glas an die Lippen hielt und mit der anderen Hand seinen Hinterkopf zurückzog. Wie durch ein Wunder, oder eine Serie von Wundern, gelang es ihm, nicht zu husten. Dann öffnete sie die Schachtel und nahm eine Zigarette heraus, eine Operation, die sie einige Zeit und Mühe kostete. Dies war jedoch nichts, gemessen an dem Problem, die Zigarette anzuzünden. Sie nahm sie zwischen zwei Finger, drückte den Handballen gegen seine Wange und drehte das Handgelenk, bis ihre Finger das Ende der Zigarette in Reichweite seiner Lippen brachten; darauf brachte sie ihr Feuerzeug in Gang. Zuerst hielt sie es in Höhe ihres Busens, aber ihre beiderseitige Position glich noch immer derjenigen von zwei Leuten, die sich bei rauher See auf dem Deck eines kleinen Bootes befinden. Er hätte eine kurze Ruhepause zu schätzen gewußt, sah jedoch, daß dies dem Stilgefühl der Dame widersprochen hätte, und blieb bei der Arbeit, die seinen ganzen Einsatz forderte. Schließlich hielt sie die Flamme hinter seine Schulter und hob sie bis zu einem Punkt, wo er sie durch eine rechtwinklige Kopfwendung mit der Zigarette erreichen konnte. Damit nicht genug, legte sie die Hand an seine Wange und nahm ihm die Zigarette nach jedem Zug aus dem Mund, um sie wieder hineinzustecken, nachdem er ausgeatmet hatte. Dreimal sog er den Rauch mit dem Mund ein, weil er nicht zu inhalieren wagte; das vierte Mal blies er ihr den Rauch ins Gesicht. Sofort schloß sie die Augen und ließ ihren Schrei ertönen. So klar, daß er sich einen Moment wunderte, wie es ihm bisher hatte entgehen können, hörte er diesmal die Obertöne von Abscheu und Scham heraus; von Kummer darüber, was sie getan hatte, aber nachdem er erfolgreich absolviert hatte, was einem halsbrecherischen Galopp hangabwärts mit hochgeschnallten Steigbügeln gleichkam, war seine Selbstzufriedenheit viel zu groß, als daß er sich um solche Dinge hätte Gedanken machen mögen.

Frau Korotschenko ließ den Rest der Zigarette zu Boden fallen, stand auf und nahm eine Position auf dem Tisch ein, die nicht sehr bequem gewesen sein konnte: rücklings ausgestreckt und mit baumelnden Beinen, daß die Zehen den Boden streiften. Alexander bemühte sich nicht um ein Gespräch; er wußte, daß er für sie nicht mehr existierte, daß er in den letzten paar Wochen tatsächlich nur wenige Minuten lang existiert hatte. Nun, nach einer nicht allzu langen Zeit würde er wiedergeboren werden; einstweilen galt es, die Zeit zu nutzen; der Stuhl hatte eine ausreichend hohe Lehne; innerhalb von Sekunden war er eingeschlafen. Ihn träumte, er reite Frau Korotschenko in einer zeremoniellen Parade durch die Straßen von Northampton; ein fast dokumentarischer Realismus, sollte er später in der Erinnerung an den Traum denken. Nach unbestimmter Zeit sagte jemand etwas zu ihm.

»Was?« murmelte er verwirrt.

»Hast du dir schon einen Plan ausgedacht?« Sie saß auf der Tischkante und ließ die Beine baumeln.

»Plan? Was für einen Plan?«

»Du weißt doch. Du sagtest, du würdest dir einen Plan ausdenken, um meinen Mann lächerlich zu machen.«
»Ach ja, natürlich. Natürlich habe ich einen.«
»Was ist es?«
»Na, der Gedanke ist, daß du eine Liste derjenigen Leute beschaffst, die insgeheim für die Sicherheitsabteilung arbeiten, eine möglichst vollständige Liste, und dann schreibe ich ihnen allen Briefe, daß ich ihnen auf die Spur gekommen sei und daß der stellvertretende Direktor Korotschenko streng geheime Unterlagen unbewacht in seinem Büro herumliegen läßt. Oder daß er unbekümmert aus der Schule plaudert.«
Nach einer Weile sagte sie: »Das könnte mehr tun als ihn lächerlich machen.«
»Ja, schon möglich. Macht es dir was aus?«
»Nein. Nein, natürlich nicht. Vielleicht schicken sie ihn nach Hause. Das wäre die Sache. Ich kann dieses Land nicht ertragen.«
»Wirklich? Wie steht es mit dieser Liste? Ist es möglich?«
»Es sollte nicht allzu schwierig sein. Eigentlich kein Problem. In Korotschenkos Büro ist ein Mann, der es auf mich abgesehen hat, aber ich habe ihn bisher nicht rangelassen, weil ich ihn nicht mag. Nun aber könnte ich ihm leicht sagen, daß ich ihm alles, was er will, einmal machen lasse, nachdem er mir die Liste gebracht hat. Es würde mir nichts ausmachen, weil es der Mühe wert wäre. Wahrscheinlich werde ich ein paar Tage brauchen.«
»Was sind das für Sachen, die er von dir will?«
»Ach, alles mögliche.«
»Ah ... es kann doch nicht wirklich alles mögliche sein, Sonja? Astronomisches und Gastronomisches ...«
»Na ja, du weißt schon, bumsen und so weiter.«
»Und so weiter ...«
»Aber warum sollte ich? Ich habe dir gesagt, was ich tun könnte, um die Liste zu bekommen, aber ich habe nicht gesagt, daß ich es tun würde. Warum sollte ich? Sag mir, warum ich es tun sollte!«

»Na gut. Hör zu! Dein Benehmen ist bisher wahrhaftig schlimm genug gewesen. Du hast nicht nur deinen Mann betrogen, indem du Ehebruch begangen hast, und das obendrein mit einem viel jüngeren Mann, sondern das Schlimmste sind diese üblen Perversionen, auf denen du bestehst, weil dein Gefühl für ein normales und gesundes Geschlechtsleben übersättigt und ermattet ist!« Autorität war in seiner Stimme, Würde und Resonanz, und annähernd Gleiches in seiner Haltung. Er hob den Zeigefinger. »Versuche dir einmal vorzustellen, wie deinem Mann zumute sein würde, hätte er dich vor ein paar Augenblicken gesehen, wie du rittlings auf einem Offizier in Uniform gesessen und wie eine betrunkene Zigeunerin auf und niedergehopst bist. Du bist abstoßend!«

Er hatte seine Strafpredigt kaum begonnen, als sie den Atem anhielt und ihre Züge vor Vergnügen vulgär und derb wurden. Als er seine Stimme zu noch tieferem Ernst senkte und seine Miene noch strenger wurde, machte sie ein blökendes Geräusch und ließ sich unbeholfen zu seinen Füßen nieder.

»Aber selbst das alles«, fuhr er fort, »verblaßt neben deinem Vorschlag, die schmählichsten Unwürdigkeiten auf dich zu nehmen, um dem Stolz und der Ehre deines Mannes einen tödlichen Schlag versetzen zu können, zur Bedeutungslosigkeit! Im Vergleich damit sind deine schmutzigsten Begierden der Unschuld gleich! Aber es wird Gerechtigkeit geschehen, und du wirst die Bestrafung erhalten, die dir zukommt!«

Frau Korotschenko hatte ihm einen seiner Schaftstiefel ausgezogen, und war im Begriff, ihm auch den anderen vom Bein zu zerren; es waren wirklich elegante Stiefel, widerstandsfähig aber fein gearbeitet von Lobb von St. James. Nun hielt sie inne und blickte hoffnungsvoll zu ihm auf.

»Du meinst, ich kann dir diese wieder anziehen?« fragte sie undeutlich.

»Nein, Sonja, ich kann dich nicht für etwas bestrafen, was du noch nicht getan hast. Wenn du mir die Liste gebracht hast, wird es eine andere Sache sein, das verspreche ich dir. Heute nachmittag werde ich dich nur für dein perverses Verhalten bestrafen.«

Sie nickte unterwürfig, zog den zweiten Stiefel ganz vom Fuß und stellte beide mit einem sehnsuchtsvollen Blick beiseite. Auf allen vieren bewegte sie sich zu einer Ecke des großen Veloursteppichs, der den Boden des Zimmers größtenteils bedeckte, und schlug ihn zurück, daß die mit Sandkörnern, Staubflocken und einigen toten Insekten überstreuten Dielenbretter zum Vorschein kamen. Hier legte sie sich ausgestreckt auf den Rücken. Alexander fiel die Rolle zu, ein paar Minuten nicht allzu fest auf ihr herumzutrampeln, wie er es das letzte Mal gelernt hatte. Jetzt wie damals widerstand er ihrem Verlangen, daß er diese Übung mit den Stiefeln ausführe. Es machte ihm wenig aus, ihr körperliche Schmerzen zu verursachen, wenn sie es so wollte, doch wollte er ihr auf keinen Fall wirkliche Verletzungen beibringen oder verräterische Flecken auf ihr zurücklassen. Wie beim vorigen Mal bemühte er sich beim Auftreten in lächerlicher Weise, sein Gewicht zu verringern, verwünschte im stillen die Abgeschmacktheit seines Tuns und versuchte erfolglos, es lustig zu finden.

Nach einer Weile hörte sie auf, sich am Boden zu winden und ihre doppeldeutigen Geräusche zu machen. Wieder angeleitet von früherer Erfahrung, stieg er von ihr herunter und wartete, während sie ziemlich taumelig auf die Beine kam. Was nun? Sie murmelte etwas von zwei Minuten und das gleiche Zimmer oben und schwankte hinaus. Gähnend kehrte er zu seinem Stuhl zurück. Zum ersten Mal fiel ihm auf, daß, wohin er auch sah, überall Darstellungen menschlicher Gestalten waren, auf Tellern und Tassen, als Teile von Uhren oder Kerzenhaltern, in Form von Puppen und Statuetten. Sie waren ohne Beachtung der Beschaffenheit des Materials, des Maßstabs oder der Zeit, geschweige denn des Stils gesammelt worden. Ihr Vorhandensein schien es fast unwahrscheinlich zu machen, daß hier zwei Menschen lebten, aßen, schliefen, Besuch empfingen, Musik hörten, Zeitungen lasen, das Fernsehprogramm sahen, Bediensteten Anweisungen gaben und von ihnen bedient wurden. Es war nicht völlig ausgeschlossen, daß Frau Korotschenko ihr Domizil ganz woanders hatte und dieses Haus allein als Übungsstätte für ihre Art der Gymnastik verwendete.

Was war mit ihr los? Aber so konnte man nicht fragen; das implizierte, daß es eine anerkannte Norm erotischen Verhaltens gebe, die alle anderen Formen zu Abweichungen machte, und wenn das zwanzigste Jahrhundert schon nichts anderes bewirkt hatte, so hatte es wenigstens diese letzte und stärkste Zitadelle der bürgerlichen Moral niedergerissen – freilich ohne etwas an ihre Stelle zu setzen. Jedenfalls war es schwierig, eine Frau zu lieben, die einschmeichelnde Worte ignorierte, von Liebkosungen nichts wissen wollte und deren Interessen sich auf diese oder jene Form der Triebbefriedigung beschränkten. Zwar hatte Latour-Ordschonikidse zu Protokoll gegeben, daß derjenige, dem sich auf dem Weg zur Liebe Hindernisse auftürmten, zehnmal so verdienstvoll sei wie jener, dessen Vorgehen unbehindert blieb, aber was hatte das schon zu bedeuten? Alexander spürte, daß er auf diese Art von Verdienst verzichten konnte; er wollte, daß Frau Korotschenko ihn küßte und ihm den Nacken streichelte und nicht einmal sagte, daß sie ihn liebe, sondern bloß, daß er ein sehr lieber Junge sei. Er schaute zum Fenster hinaus in den strahlenden Tag und fühlte, wie ihn eine Niedergeschlagenheit überkam. Dann sagte er sich, er solle nicht kindisch sein; ein reifer Mann nehme, was sich ihm biete, in der dargebotenen Form und vergeude keine Zeit damit, sich zu grämen, daß es nicht anders sei. Wenn sich zeigte, daß er ihrer Reize überdrüssig zu werden begann, würde es das Signal zum Weiterziehen sein, aber vorläufig konnte davon keine Rede sein.

Das laute Quietschen eines Schweines von der anderen Seite des Hauses rief ihn zurück in seine unmittelbare Situation. Die zwei Minuten mußten längst um sein. Er ging hinaus, die Treppe hinauf, den Korridor entlang und in die Schlafkammer an seinem Ende. Hier lag Frau Korotschenko ausgestreckt auf dem Bett, mit Handgelenken und Fußknöcheln an die vier Pfosten gefesselt und einen Knebel in Gestalt eines großen Halstuches um das Gesicht gebunden. Im Rahmen ihrer beschränkten Möglichkeiten warf sie sich auf dem Bett herum. Alexander knöpfte seinen Uniformrock auf. Sofort schüttelte sie heftig den Kopf und machte feindselige Geräusche in den Knebel. Auch er schüttelte den Kopf und sagte ihr, diesmal sei er an der Reihe. Als er sich auskleidete, überlegte er flüchtig, wie sie es fertiggebracht haben mochte, sich so zu fesseln. Ein Ziehknoten, sagte er sich; für das zweite Handgelenk hatte sie einen Ziehknoten verwendet. Erst eine Weile später hatte er Muße, darüber nachzudenken, daß eine Hand die andere mit einem Ziehknoten festbinden konnte, es aber ziemlich schwierig finden würde, sich selbst anzubinden, um so mehr, als das Bindematerial nicht Seil noch Strick war, sondern (wie er jetzt sah) aus Taschentüchern und weiteren Schals bestand. Vielleicht, um ein Wundreiben zu verhindern. Er setzte sich auf die Bettkante und löste den Knebel.

Zum ersten Mal, seit sie sich kannten, lachte Frau Korotschenko; es war ein gemütliches, beinahe fröhliches Geräusch. Ihr Blick ging an ihm vorbei, und er hörte hinter sich ein ähnliches Lachen. Ein Mädchen von ungefähr zwölf Jahren stand da; es war nackt. Ohne zu wissen, wer sie war, erkannte er sie sofort. Wo hatte er sie gesehen? Auf der Fotografie, die ihm bei seinem letzten Besuch in diesem Raum aufgefallen war; ein oder zwei Jahre jünger, aber dieselbe Person. Und dann, als sie näher trat und ihn grinsend von Kopf bis Fuß musterte, und er ihre häßlichen großen Ohren sah, wußte er, wer sie war.

»Gütiger Himmel«, murmelte er und riß das Tuch an sich, das als Knebel gedient hatte, um seine Blöße zu bedecken.

»Das ist nicht nötig«, sagte Frau Korotschenko. »Dascha hat schon Dutzende gesehen, nicht wahr, Liebling?«

»Natürlich, Mama.«

Alexander stieß das Kind beiseite und raffte seine Kleidungsstücke zusammen.

»Was tust du da? Würdest du nicht gern auch nett zu Dascha sein?«

»Nein danke. Ich glaube nicht, daß ich das könnte.«

Frau Korotschenko lachte wieder und wartete, bis er bei der Tür war, bevor sie sagte: »Willst du wirklich, daß ich dir diese Liste beschaffe?«

VIERZEHN

»God save the Queen!«

»Lang lebe die gnädige Königin!«

»Hip hip hurra!«

Das Wohnzimmer mit den hängenden Blumentöpfen und dem Wintergarten an einem Ende hallte von Hochrufen, Gelächter und allgemeiner lauter Unterhaltung wider. Fähnrich Petrowskys Abendgesellschaft in Dr. Joseph Wrights Haus ging ihrem Ende entgegen. Der Wodka zirkulierte seit geraumer Zeit, und alles schwitzte in der spätsommerlichen Schwüle. Der dickliche junge Offizier namens Leo, der mit dem kraftlosen Mund, wandte sich schwerfällig zu Wright.

»Ich habe Sie nicht trinken sehen, als wir diesen Toast ausbrachten, Doktor.«

»Ich habe früh am Morgen einen Krankenbesuch zu machen.«

»Sicherlich. Ich meine aber, Sie stellten Ihr Glas vorsätzlich und demonstrativ zur Seite. Es war nicht bloß so, daß Sie nicht trinken wollten – Sie haben sich aus vorgefaßtem Entschluß nicht am Toast beteiligt.«

»Na schön, aber bitte lassen Sie uns nicht darüber diskutieren.« Als der andere einen Ausdruck gespielter Verblüffung annahm, fuhr er eilig fort: »Denn ich weiß aus Erfahrung, daß es ganz unmöglich ist, einem Russen zu erklären, wie wir in diesem Punkt empfinden. Nach allem, was geschehen ist ... hat es keinen Sinn.«

Leos Ausdruck veränderte sich zu stirnrunzelndem Unverständnis. »Sie vergiftete sich. Ist das so geheimnisvoll?«

»Bitte. Trinken Sie noch einen, aber bedrängen Sie mich nicht!«

»Gut, wie Sie wollen«, sagte Leo gekränkt. »Ich werde Sie nicht mehr bedrängen. Ich dachte nur, je gründlicher unsere

Leute die Engländer verstehen, desto besser. Ich versuchte nur, behilflich zu sein.«

»Das können Sie am besten, wenn Sie davon schweigen. Bitte!«

»Nun gut. Tut mir leid.«

Vorübergehend vom Zwang der Konversation befreit, schob Wright den Gedankengang von sich und verlagerte seine Aufmerksamkeit auf die übrigen Gesprächsteilnehmer, drei Russen und vier Engländer – keine Frauen; dies war ein Abend ernsthaften Diskutierens und Trinkens, kein Abend der Tändelei und Galanterie. Alle sieben Gesichter glänzten vom guten Willen ebenso wie vom Alkohol; alle Augen konnten in Tränen schwimmen oder in blutunterlaufenem Zorn funkeln, ehe noch die nächste Runde eingeschenkt wäre, aber im Augenblick hielt sich die Balance. Die drei betrachteten die vier in gleicher Weise wie die vier die drei betrachteten: mit Toleranz, oberflächlicher Zuneigung, begrenztem Vertrauen und jener leisen, kaum spürbaren Geringschätzung, die oft zwischen Gruppen verschiedener Nationalitäten besteht, selbst wenn sie einander seit langem bekannt sind. Das waren ihre fixierten Einstellungen; zu anderen Zeiten wären ihre Gefühle weniger rückhaltlos gewesen, aber nicht grundsätzlich verschieden. Wright konnte nicht für die Russen sprechen, aber er war überzeugt, daß die Meinung der Engländer von ihnen sich niemals sehr ändern würde. Peter Bailey, ein Bauunternehmer, arbeitsam, gesprächig, großzügig; Jim Hough, Wasserbauingenieur, nicht sehr helle, sparsam mit seinem Geld; Terry Hazelwood, Landwirtschaftsingenieur, dicklich, zuverlässig, gut gekleidet, kenntnisreich über die einheimische Fauna; Frank Simpson, ein technischer Zeichner, großer Geschichtenerzähler und Frauenheld; alle unter Vierzig. Wenn die Überwachungseinheiten zu ihren Lebzeiten zurückgezogen würden (was eines Tages wohl der Fall sein mußte), wäre es für sie kein Anlaß zur Freude. Für sie waren die Verhältnisse gut genug, wie sie waren. Englisch ist eine Sprache, dachte Wright bei sich; England ist ein Ort.

Die in erster Linie für das gesellige Beisammensein verantwortliche Person hatte bisher wenig daran teilgenommen und saß auch jetzt noch mit verdüsterter Miene abseits. Mit der Hoffnung auf eine Gelegenheit, ihm den Grund seiner Mißstimmung zu entlocken, setzte Wright sich zu ihm. So munter, wie es ihm möglich war, sagte er:

»Das Leben scheint Sie nicht allzusehr zu erfreuen, Fähnrich Petrowsky.«

»Es liegt nicht am Leben, es liegt an mir selbst. Vor einigen Tagen tat ich etwas, worüber ich mich sehr schämte, und ich kann es mir nicht aus dem Kopf schlagen.«

»Wie verdrießlich. Vielleicht würde es Ihnen Erleichterung verschaffen, wenn Sie mir davon erzählten.«

Wright hatte sich darauf gefreut, Alexander mit Gleichgültigkeit zu strafen, falls dieser erwartete, daß er ihm die Geschichte mit gutem Zureden entlocken würde, und war deshalb einigermaßen überrascht, als der andere entschieden den Kopf schüttelte. »Es würde wahrscheinlich eine Erleichterung sein, aber ich müßte Ihnen alles erzählen, damit Sie sich ein Bild machen können, und das ist unmöglich, weil es mit Vertraulichkeiten zu tun hat. Trotzdem, Dank für die Nachfrage. Selbst die paar Worte haben schon geholfen. Aber darüber zu sprechen ist langweilig. Was macht Kitty?«

Kittys Rolle in diesen Abendgesellschaften war traditionell auf die Zubereitung belegter Brote und anderer kalter Speisen beschränkt. Dies erledigte sie regelmäßig vorher, und wenn die Gäste eintrafen, war sie nicht nur unsichtbar, sondern außer Haus, um den Abend bei einer Nachbarin zu verbringen. Diese Regelung ging auf Alexanders Vorschlag zurück; er könne nicht die Verantwortung dafür übernehmen, hatte er gesagt, was seine Offizierskameraden im Zustand der Trunkenheit womöglich anrichteten. Wright betrachtete dies als Augenwischerei. Die Möglichkeit selbst einer versuchten Vergewaltigung war angesichts der zu erwartenden handfesten Opposition sicherlich zu vernachlässigen. Nein, in Wahrheit wollte der Kerl seine Freunde daran hindern, auch nur einen flüchtigen Blick auf sein Mädchen zu werfen, da er andernfalls einen guten Teil seiner Zeit mit ihrer Bewachung und der Abwehr von Einladungen zu Federballpartien und dergleichen hätte verbringen müssen. Aber viele junge Männer, dachte Wright, waren weniger zuversichtlich als sie gewöhnlich schienen. Er sagte: »Kitty ist in sehr guter Form. Sie läßt herzlich grüßen.«

»Danke für die Übermittlung. Bitte richten Sie ihr die meinigen aus.«

Bald darauf erklärte Alexander, es sei langweilig von ihm, mit langem Gesicht dazusitzen, füllte sein Glas auf und stimmte in den Gesang ein, der die fortgeschrittene Stunde kennzeichnete. Wright hatte geglaubt, daß ausnahmsweise etwas anderes als die unvollständige Erfüllung seiner Wünsche den jungen Mann bekümmerte; nun behielt er sich sein Urteil vor. Zehn Minuten später, als Alexander sich in einen fröhlichen, einfachen, ehrlichen russischen Offizier verwandelt hatte, der ein wenig zuviel getrunken hatte, verwarf Wright seine neuen Ideen. Angesichts der roten, schwitzenden Gesichter mit ihren vom Alkohol vergröberten Mienen, der um die Schultern gelegten Arme und des lärmenden Stimmengewirrs überkam ihn eine durch Hoffnungslosigkeit verschärfte Langeweile. Dies war, was man Wärme, gehobene Stimmung, gute Kameradschaft nannte. Was war es sonst noch? Wenn dies nicht die rechte Geselligkeit war, wo war sie dann zu finden? Ein neues Lied wurde angestimmt, und er fühlte einen Haß in sich aufkommen, nicht so schneidend wie zuvor, als Leo seinen Toast ausgebracht hatte, aber in derselben Richtung.

»Wie die Wasser fließen leise,
Murmeln sie die alte Weise:
Du bist meines Herzens Wonne,
Deine Lieb' sei meine Sonne ...«

Irgendwie kam der Abend zu einem Ende, ohne daß eine Schlägerei ausbrach, Geschirr zerschlagen wurde, jemand sich übergab oder zu Boden fiel, obwohl Viktor erklärte, er müsse gestützt und in den Wagen gehoben werden, weil er sich nicht mehr auf den Beinen halten könne. Dieser Wagen, eines der acht Motorfahrzeuge im Besitz des Regiments, war der Bereitschaftswagen der B-Schwadron, ein Borzoi-Lastwagen von fünf Tonnen Tragfähigkeit. Selbstverständlich war es unter Androhung schärfster Bestrafung verboten, ihn aus der Remise im Kasernengelände zu entfernen, es sei denn auf Major Yakirs persönlichen Befehl, aber da seine Verwendung strikt auf Notfälle beschränkt war und es niemals Notfälle gab, wurde er in der Praxis recht oft benutzt. Viktor wurde zusammen mit Dmitri, dem vierten Mitglied der Gruppe, über die Heckklappe unter das Planenverdeck der Ladefläche geschoben, Leo setzte sich hinter das Lenkrad, und Alexander erkletterte den Beifahrersitz. Als der Motor ansprang, ratterte und dröhnte er laut. Unter hartem, durch den minderwertigen Treibstoff bedingtem Klopfen rumpelte das Fahrzeug die Seitenstraße hinunter, bog in die Dorfstraße ein und passierte den Lebensmittelladen, den Friseur, den Sattler und die paar Dutzend anderer Häuser. Alle lagen in tiefer Dunkelheit, genauso wie die Straße selbst; nur die zentralen Teile der größeren Städte waren beleuchtet. Leo hielt den Lastwagen in der Straßenmitte und erhöhte die Geschwindigkeit.

»Das war ein schönes Fest«, sagte Viktors Stimme von hinten.

Leo machte ein geringschätziges Geräusch. »Woher willst du das wissen? Du bist zu betrunken, um dich zu erinnern.«

»Deshalb weiß ich ja, daß es schön war – große Teile davon fehlen bereits. Das zeigt, daß ich genug Wodka gehabt haben muß. Haben wir gesungen?«

»Warum mußtest du dich so betrinken?« fragte Dmitri.

»Was gibt es sonst zu tun?«

»Für dich vielleicht nicht viel«, sagte Leo.

»Na, jedenfalls heute war es vernünftig sich zu betrinken.

Darum sind wir schließlich hingegangen, nicht? Wir gingen hin, um uns zu betrinken, nicht zu reden oder zu singen. Haben wir gesungen? Und wenn schon, dann sangen wir eben, weil wir uns betranken, nicht weil wir singen wollten. Ich weiß nicht, warum ihr hingegangen seid, es sei denn, um euch einen Rausch zu holen und die Engländer zu verspotten.«

»Andernfalls hätten wir mit Georg und dem Major in der Messe sitzen müssen.«

»Wenn du das getan hättest, wäre dir ein wunderschönes Fest entgangen. Weißt du, woher ich weiß, daß es wunderschön war? Weil ich mich schon nicht mehr an den späteren Teil erinnern kann. Haben wir gesungen?«

»Wir haben«, sagte Dmitri. »Nun sei endlich still und schlaf!«

Der Borzoi folgte dem Lichtkegel seiner Scheinwerfer geraden Straßenstrecken entlang, durch weite Kurven und sanfte Bodenwellen hinauf und hinab. Bisweilen wurde Alexander von der Illusion heimgesucht, daß nicht der Wagen der Straße folge, sondern diese sich dem Fahrzeug angleiche und überall sei, wohin es fuhr. Er erinnerte sich, daß er in der Vergangenheit schon einige Male die gleiche Einbildung gehabt hatte, aber nur wenn er sehr müde gewesen war. War er jetzt sehr müde? Sicherlich hatte er die letzten Nächte nicht sehr gut geschlafen, aber ob das schwüle Wetter ihn daran gehindert oder Gedanken an Frau Korotschenko ihn wachgehalten hatten, konnte er nicht sagen, obwohl er solche Gedanken durchaus gehabt hatte. Einige von ihnen waren fruchtlose Selbsterforschung, andere beschäftigten sich mit der Frage, warum er so etwas wie Gewissensbisse verspürte. Zuletzt schloß er die Augen und versuchte sich vorzustellen, er reite auf dem Pferd durch die Landschaft.

Er war eben am Einnicken, als er von einer jähen, unerwarteten Bewegung des Wagens wieder wachgerüttelt wurde. »Was war das?«

»Ich glaube, wir haben etwas angefahren«, sagte Leo, der

die Geschwindigkeit kaum verringert hatte. »Es war nichts zu sehen.«

»Wir sollten lieber anhalten und umkehren. Nachsehen, was es gewesen ist.«

»Warum, im Namen des Himmels?«

»Weil unsere Nummernschilder beleuchtet sind. Hast du vergessen, wie es damals diesem Gefreiten ergangen ist, der ein Kind niedergerissen und es nicht gemeldet hatte? Dabei war er dienstlich als Kurier eines Offiziers unterwegs gewesen.«

»Alex hat recht«, sagte Dmitri. »Sehen wir lieber nach.«

»Verdammter Mist, verdammter!« sagte Leo zornig und trat auf die Bremse.

Wenige Minuten später sagte Alexander: »Hier. Genau am Anfang der Kurve. Es war auf meiner Seite, nicht?«

»Da ist nichts«, sagte Leo.

»Warte!«

Alexander nahm die Taschenlampe aus der Klemme unter dem Armaturenbrett, stieg aus, ging den Straßenrand entlang und sah sofort eine ungefähr kreisförmige Blutlache von einem Dutzend Zentimetern im Durchmesser. Eine Spur von Blutstropfen führte zum Straßenrand und verlor sich im angrenzenden Gras und Gestrüpp, so daß er ihr nicht hätte folgen können, selbst wenn er es gewollt hätte. Instinktiv hob er den Kopf und lauschte, und im selben Augenblick schaltete Leo wie in stillschweigender Übereinkunft die Zündung aus. In der ungeheuren Stille und Dunkelheit vernahm Alexander einen Schrei, sehr fern oder schwach. Er konnte ihn nicht deuten, aber das hätte er auch dann nicht vermocht, wenn der Schrei aus der Nähe an sein Ohr gedrungen wäre. Er wurde nicht wiederholt. Alexander kehrte zum Lastwagen zurück.

»Du hattest ganz recht«, sagte er zu Leo. »Da war absolut nichts.«

Der Rest der Fahrt verlief in vollständigem Stillschweigen. Lichtschein drang aus den Fenstern der Intendantur und verriet dem spähenden Blick, daß Boris ganz gegen seine Art weder arbeitete noch schlief, sondern ein Glas Bier trank und in einer alten Zeitung blätterte. Er hatte den Kragen geöffnet, um es bequemer zu haben, und beim Eintritt der anderen versuchte er ihn hastig zu schließen, bevor er zu dem Schluß gelangte, daß er ihn besser so lasse, wie er war. Lächelnd und ihnen zunickend stand er auf.

»Was in aller Welt tust du hier, Boris?« fragte Leo. »Um diese Zeit.«

»Er hat seine Abrechnungen auf den letzten Stand gebracht, was, Boris?« sagte Viktor.

»Vielleicht sagt er es uns, wenn wir ihn reden lassen«, sagte Dmitri.

Boris lachte. »Ich sehe nicht, was ihr so außergewöhnlich daran findet. Nächste Woche ist Rechnungsabnahme, und natürlich muß ich meinen Schreibtisch in Ordnung bringen. Georg ist zum Regiment geritten, um Billard zu spielen, und der Major wollte frühzeitig schlafen gehen. Also nutzte ich den Abend zur Arbeit, und jetzt lasse ich mir ein Glas Bier schmecken. Ist das so seltsam?«

»Kein bißchen, Boris, nicht im mindesten«, sagte Leo. »Wenn du es erzählst, hört es sich so natürlich an wie das Atmen.«

Eine kurze Pause folgte, dann sagte Boris: »Ich nehme an, ihr vier habt irgendwo Skandal gemacht.«

»Wir haben ein kolossales Fest gefeiert«, sagte Viktor. »Wirklich großartig. Ich glaube, es wurde gesungen, aber ich kann mich nicht genau erinnern. Daher weiß ich, daß es kolossal war. Und nun brauche ich was zu trinken.«

»Du hattest schon mehr als genug«, sagte Leo.

»Wirklich? Also, das ist schon eine Weile her, weißt du. Das ist nicht dasselbe wie jetzt. Jetzt brauche ich noch einen.« Andere dachten wie er, und man begab sich zur Offiziersmesse. Nachdem sie Licht gemacht hatten, begann Viktor unbeholfen in einem Schrank hinter der kleinen Bar zu kramen. »Wo ist dieser verwünschte Ochotnitscha? Dieser diebische Bauer von einem Kellner muß ihn mit ins Bett genommen haben. Ach nein, ich bitte ihn um Verzeihung.« Er schenkte sich ein Glas voll und hielt die Flasche hoch. »Noch jemand? Ihr seid ein jämmerlicher Haufen. Alexander, würde es dir was ausmachen, den Bon gegenzuzeichnen? Morgen früh gebe ich dir das Geld.«

»Nun, meine Herren«, sagte Leo mit lauter Stimme, »es ist klar, daß es für Männer von Charakter nur eines gibt, wenn es gilt, den Abend abzurunden, was, Viktor?«

»Du meinst, russisches Versteckspiel?«

»Erraten. Wer macht mit? Dmitri? Alexander?«

Dmitri stimmte zu, Alexander lehnte ab. Sie alle kannten ihn und hatten mittlerweile eine feste Meinung, soweit es seine Eigenschaften betraf. Sie wußten, daß es kaum etwas gab, was ihn bewegen könnte, in die Dunkelheit hinauszugehen und sich beschießen zu lassen. Leichtsinnig zu scheinen, war eine Sache, es zu sein, eine ganz andere. Die drei anderen schickten sich an, ihre Waffen aus den Schlafkammern im Obergeschoß zu holen, als Boris gekränkt sagte:

»Will denn niemand mich fragen?«

»Tut mir leid, Boris«, sagte Leo ziemlich unbußfertig, »aber ich habe es mir abgewöhnt, in diesem Zusammenhang an dich zu denken.«

»Ich bin kein Mann von Charakter, willst du sagen.«

Viktor trat schwankend auf ihn zu und klopfte ihm die Schulter. »Du hast eine Menge anderer sehr guter Eigenschaften, alter Junge.«

»Ich werde euch zeigen, wer ein Mann von Charakter ist«, sagte Boris, der tief errötet war. »Kann jemand von euch mir einen Revolver leihen?«

»Laß die Finger davon, Boris!« sagte Alexander. »Sei kein Dummkopf!«

»Haben Sie die Güte, den Mund zu halten, junger Mann, das geht Sie nichts an! Ja, Boris, ich kann dir gern einen geben. Wir kommen gleich wieder herunter.«

Sobald sie allein waren, sagte Alexander mit wirklicher Eindringlichkeit: »Überleg es dir noch mal! Jetzt kannst du noch zurück. Wen kümmert es, was sie denken, diese Idioten?«

»Es bleibt dabei. Ich kann nicht zurück, ohne das Gesicht zu verlieren.«

»Besser das Gesicht als ... Wie du willst, aber nun paß auf! Der einzige Grund, daß diese Bande noch am Leben ist, ist der, daß sie alle gegen die Regeln verstoßen. Hör zu, Boris! Es heißt, du darfst dich nicht von der Stelle bewegen, nachdem du gerufen hast, aber du mußt es tun! Bleib in Bewegung! Lauf, ruf ihnen zu und lauf weiter! Oder spring in Deckung! Hast du verstanden? Wenn du stillstehst, wird es dich erwischen!«

»Mach dir keine Sorgen, Alexander, ich kann auf mich achtgeben.«

»Davon bin ich nicht überzeugt, nicht in einer Sache wie dieser.«

»Während ich absolut unverwundbar bin, wenn es darum geht, einen Bleistift zu schwingen. Vielen Dank.«

»Ach du lieber Gott, ich wollte nicht ...«

»Es war nur ein Spaß. In Bewegung bleiben, das habe ich verstanden. Nun mach dir keine Sorgen. Wirklich, ich verspreche dir, daß ich keine Schwierigkeiten haben werde.«

»Sieh zu, daß es dabei bleibt!«

Als seine vier Offizierskameraden zusammen hinausgegangen waren, horchte Alexander ihren Schritten nach, bis sie außer Hörweite waren. Dann ging er zur Bar, schenkte sich einen Wodka ein und stürzte ihn hinunter (er hatte bei Wright nicht so viel getrunken, wie er sich den Anschein gegeben hatte), schenkte nach, nahm eine Zigarette aus dem Kasten aus Imitations-Sandelholz auf der Theke und zündete sie mit dem großen Feuerzeug an, das auch dort stand. Nachdem er die Bons abgezeichnet hatte, machte er es sich in einem Sessel am Fenster bequem. Das beleuchtete Zifferblatt der Uhr im Nebenraum zeigte zweiundzwanzig Minuten nach Mitternacht; nicht allzu spät, und er fühlte sich jetzt hellwach, obwohl darunter die alte Müdigkeit auf der Lauer lag. Er nahm die Zeitung vom Tisch, die Boris mitgebracht und dort liegengelassen hatte.

Auf einmal wurden draußen furchtbare Schreie laut. Sie

schienen aus einigen hundert Metern Entfernung zu kommen, hallten aber so klar durch die Nachtstille, daß sie mit aller Deutlichkeit zu hören waren. Dennoch konnte Alexander sie nicht identifizieren; tatsächlich hätte niemand aus den Geräuschen schließen können, ob sie von einem Mann oder einer Frau oder gar einem großen Tier kamen. Die Schreie hatten eine knirschende, zerreißende Qualität, als sei die Kehle, die sie herauspreßte, im Begriff, sich selbst zu zerstören.

Innerhalb von fünf Sekunden war Alexander zur Tür hinaus und rannte über den Wiesenhang in die Richtung, aus der die Schreie kamen. Sie dauerten unvermindert an, aber nun waren auch Stimmen zu vernehmen, ein aufgeregtes Durcheinander von Fragen, Verwirrung und Schrecken. Der Himmel war klar, und das matte Licht der Mondsichel wurde rasch verstärkt vom Lichtschein aus den umliegenden Gebäuden und einer Anzahl von Taschenlampen. Alles lief bei einem der Säulenpavillons zusammen, von denen es mehrere im Park gab. In einem anderen dieser Pavillons hatte er vor Wochen mit Theodor gesessen und Pläne geschmiedet. Er sah niedrige Steinstufen, auf denen ein grauuniformierter Mann lag, doch als er näher kam, wurde sein Blick von Dutzenden aufgeregter Gestalten versperrt, von denen viele halbnackt aus den Quartieren gelaufen waren. Auf der anderen Seite des Auflaufs brüllte jemand Befehle und versuchte die Leute zurückzuhalten: Viktor. Hinter ihm wurde der unaufhörlich schreiende Mann auf den Stufen von zwei anderen unter den Achseln und an den Beinen aufgehoben. Der nähere dieser Helfer blickte auf und sah Alexander, als dieser sich durch die Umstehenden gedrängt hatte.

»Es ist Leo«, sagte Boris. Er mußte es rufen, um Gehör zu finden.

»Ich war überzeugt, es hätte dich erwischt, Boris«, sagte Alexander, aber niemand konnte ihn hören. Wäre es möglich gewesen, so hätte man meinen können, es habe enttäuscht geklungen.

»Zurück da, ihr Schweine!« Viktor schlug mit den Fäusten auf die Andrängenden ein. Er schien völlig nüchtern. »Unteroffizier, schicken Sie die Leute in die Quartiere zurück. Wo bleibt die Disziplin?« Dann sah er Alexander und rief ihm zu: »Lauf und verständige Major Yakir!«

Wie sich zeigte, war Major Yakir bereits auf dem Weg zum Schauplatz des Geschehens: in Hemd, Hose und Pantoffeln, ohne Mütze und Uniformrock, kam er auf seinen kurzen Beinen den Abhang herabgeeilt.

»Nun, was gibt es?«

»Leo ist erschossen worden, Herr Major.«

»Erschossen? Von wem?«

»Ich weiß es nicht, Herr Major.«

»Ist er schwer verletzt?«

»Ich weiß es nicht, Herr Major.«

Offiziere und Unteroffiziere trieben die murrenden Soldaten zurück zu ihren Quartieren. Leos Schreie kamen jetzt aus dem kleinen eingeschossigen Gebäude unweit der Stelle, wo er getroffen worden war, einem Lagerhaus voll von Zelten, Fahnen und Festdekorationen. Er wand sich auf einem provisorischen Lager aus Fahnentuch, wahrscheinlich nicht viel besser daran als dort, wo er vorher gelegen hatte. Man hatte ihm ein schmieriges Kissen unter den Kopf gesteckt und ihn mit einer bereits blutdurchtränkten Decke zugedeckt. Er schien von der Anwesenheit der anderen und seiner Umgebung nichts wahrzunehmen. Jeden Atemzug begleitete er mit kummervollem Stöhnen, jedes Ausatmen mit einem Schrei aus Leibeskräften. Von Zeit zu Zeit führte er die Hände zum Mund und dämpfte seine Schreie ein wenig, nahm sie aber jedesmal nach wenigen Sekunden wieder weg und drückte sie gegen seinen Bauch. Seine untere Gesichtshälfte war mit Blut beschmiert, das er von seiner Wunde dorthin übertragen hatte. Während eines dieser Intervalle schlug Major Yakir die Decke zurück. Von einem Punkt unterhalb des Brustbeins bis zum Unterbauch war die hellgraue Uniform mit Blut und anderen Körperflüssigkeiten durchtränkt. Alexander sah, daß der Blutfluß aus einem

Loch im Uniformstoff andauerte. Der Major deckte den Verletzten wieder zu, trat beiseite, wo Leo ihn nicht sehen konnte, ohne seine ganze Position zu verändern; dann winkte er Viktor zu sich und hielt seine Hand auf; ohne zu zögern legte Viktor seinen Revolver hinein. Nach einem kurzen Blick führte der Major die Waffe bis auf wenige Zentimeter an Leos Scheitel heran und drückte ab. Es gab zwei Geräusche, eine gedämpfte Detonation und das Splittern von Knochen, und Leo schrie nicht mehr. Major Yakirs schöne dunkelbraune Augen waren gewöhnlich sehr ausdrucksvoll, im Augenblick aber boten sie keinen Hinweis darauf, was er fühlte oder dachte. Er gab Viktor den Revolver zurück, dann beugte er sich über Leo und zog ihm die Decke übers Gesicht. Darauf ging er zum Telefon, das auf einer Packkiste in der Ecke stand, und machte drei kurze Anrufe. Schließlich warf er den drei anderen einen Blick zu, der auch ein Befehl war, und verließ den Raum an ihrer Spitze. Seit er ihn betreten hatte, hatte er kein Wort zu ihnen gesagt, noch sie zu ihm.

Auch in der Offiziersmesse kam es zu keinem großen Wortschwall. Schon bald wurde klar, daß der Major nicht die Absicht hatte, den Anfang zu machen. Boris schien zu überwältigt, um zu sprechen, Dmitri (mit lockigem Haar und runden Wangen) zu ängstlich. Viktor ließ den Kopf so hängen, daß sein Gesicht nicht zu sehen war. Endlich sagte Alexander mit bebender Stimme: »Diese furchtbaren Schreie. Man stelle sich die Schmerzen vor, die er gelitten haben mußte.«

»Er litt Qualen, kein Zweifel«, sagte der Major, dessen Tonfall und Haltung völlig nüchtern blieben, »aber das war nicht die Ursache seiner Schreie. Wäre es nur der Schmerz allein gewesen, dann hätte er gestöhnt oder geröchelt, nicht geschrien. Nein, er wußte ganz genau, was ihn getroffen hatte und wo, und was das bedeutete. Er schrie vor Angst.«

»Aber das ist nicht besser.«

»Nein«, stimmte der Major zu, dann sagte er, ohne die

Stimme zu heben: »Nun heraus mit der Sprache, einer von Ihnen!«

Ohne aufzublicken sagte Viktor: »Leo schlug es vor ... die anderen werden das bestätigen. Er war immer die treibende Kraft.«

»Immer?«

»Jawohl, Herr Major. Wir haben dies ... ungefähr zwanzigmal gespielt ... ah ... getan.«

»Und woraus bestand es?«

»Jeder verrät abwechselnd seinen Standort und wird von den anderen beschossen. Es wird auf die Stimme gezielt. Leo war der Erfinder dieses Spiels.«

Der Major lachte durch die Nase. »Das Spiel ist wenigstens hundertfünfzig Jahre alt, jedenfalls in unserem Heer. Hat einer von Ihnen eine Ahnung, wessen Kugel ihn getroffen hat?«

Niemand hatte. Alexander, der in das Verhör einbezogen gewesen war, sagte demütig:

»Meine kann es nicht gewesen sein, Herr Major, weil ich nicht daran teilgenommen habe. Ich war hier in der Messe. Die anderen werden ...«

»Warum verständigten Sie mich nicht von dem, was vorging, heute abend oder bei einem früheren Anlaß?«

»Ich hatte mein Ehrenwort gegeben, nichts zu sagen.«

»Militärische Notwendigkeit hat Vorrang vor privaten Vereinbarungen, wie Sie wissen. Übrigens ist es um Ihr Erinnerungsvermögen nicht besser bestellt als um das Ihrer Kameraden. Es muß der Schock über den Verlust Ihres Freundes sein. Gestatten Sie mir, meine Herren, eine Zusammenfassung dessen zu geben, was in der vergangenen halben Stunde tatsächlich geschehen ist. Das Opfer hatte übermäßig getrunken und war prahlerisch und herausfordernd geworden. Er beanspruchte die Tugend der Tapferkeit für sich allein; Sie waren rückgratlos und feige, keine wahren Männer. Das war seine Behauptung. Sie würden es nicht wagen, sagte er, sich aus freien Stücken in Lebensgefahr zu begeben, zum Beispiel dadurch, daß Sie im Laufe eines Spiels auf sich schießen ließen, wie sich jetzt hier im Park erweisen würde. Vergebens wiesen Sie alle auf die Unerlaubtheit und die törichte Unbesonnenheit eines solchen Handelns hin; er wollte von seinen Sticheleien nicht lassen. Zuletzt, aufgereizt durch die ständigen Angriffe auf Ihre Integrität, faßten Sie einen gemeinsamen Beschluß, den Sie nun bitterlich bereuen und auf das Entschiedenste verurteilen, für welchen Sie aber das Verständnis Ihrer Richter erhoffen, zumal jeder von Ihnen gelobte, weit am Ziel vorbeizuschießen und das Spiel nach der ersten Runde abzubrechen. Das Opfer hatte sich früher schon aggressiv verhalten, aber niemals in einem vergleichbaren Maß. Sie werden sich der Gnade des Gerichts anheimgeben. Irgendwelche Fragen?«

»Jawohl, Herr Major«, sagte Alexander. »Sie sagten eben, wir vier hätten an diesem Krawall teilgenommen.«

»Und?«

»Nun ... aus meinem Revolver wurde kein Schuß abgefeuert, Herr Major. Die Untersuchung wird ...«

»Dann feuern Sie ihn ab! Sonst noch etwas? Gut. Selbst dumme Soldaten leisten Besseres, wenn sie etwas von den Gründen für ihre Befehle gesagt bekommen. Die empfohlene Version dieser ungehörigen Ereignisse wird Ihnen wahrscheinlich weniger Mißbilligung der höheren Stellen eintragen, als die Geschichte, die ich zuvor hörte, aber lassen Sie sich sagen, daß dies an sich mich nicht im mindesten interessiert. Wenn bekannt würde, daß meine Offiziere auf einem so niedrigen Niveau der Ausbildung, der Moral und des Korpsgeistes stehen, daß sie für alberne Streiche gewohnheitsmäßig ihr Leben aufs Spiel setzen oder meinen, so etwas sei zu alltäglich, um der Erwähnung wert zu sein ...« – hier bedachte der Major Alexander mit einem grimmigen Blick –, »dann sollte ich von Rechts wegen der Unfähigkeit bezichtigt werden, Ihr Führer zu sein. Dies möchte ich natürlich vermeiden. Gute Nacht, meine Herren. Ich hoffe bei allen Heiligen, daß ich Sie niemals im Krieg werde befehligen müssen.«

FÜNFZEHN

»Bekehret euch: das Himmelreich ist nahe! Matthäus, Kapitel drei, Vers zwei.«

»Ich will mich aufmachen, zu meinem Vater gehen und ihm sagen: Vater, ich habe gesündigt wider den Himmel und vor dir. Ich bin nicht mehr wert, dein Sohn zu heißen. Lukas, Kapitel fünfzehn, Verse achtzehn und neunzehn.«

»Geh nicht in das Gericht mit deinem Diener, o Herr! Vor dir ist kein Lebendiger im Recht. Psalm 143, Vers 2.«

Diese Worte waren erheblich längere Zeit als die fünfzig Jahre seit der Pazifizierung nicht mehr vernommen worden, weder an diesem noch an den meisten anderen Orten von Bedeutung. Es war dem Beauftragten Mets und seinen Beratern natürlich unbekannt, daß es um die Mitte des vergangenen Jahrhunderts verschiedene Bestrebungen zur sprachlichen Reform der Gebete und Bibeltexte gegeben hatte, durch welche man die Menschen der Zeit besser zu erreichen und ihre Abwendung von der Kirche aufzuhalten hoffte. Die Wahl zwischen der einen oder der anderen Reformversion und dem überkommenen und von ehrwürdiger Altertümlichkeit geprägten anglikanischen Urtext von 1662 war darum dem Reverend Simon Glover zugefallen. Er hatte kaum gezögert. Sein vielgeliebter Onkel, ein Archidiakon von geehrtem Andenken, hatte niemals auch nur die geringste Abweichung vom alten Stil geduldet und dies mit dem Argument begründet, daß jeder geringfügige Gewinn an buchstäblicher Verständlichkeit durch den Verlust an Überzeugungskraft, Glaubensbestätigung oder auch nur (wie es oft der Fall sein mußte) an Aufmerksamkeitswert mehr als aufgewogen werde. Solche Argumente hatten mit den Jahren an Gewicht gewonnen. Glover wußte auch, daß er den Worten, die er in seiner Kindheit gelernt hatte, eine Natürlichkeit und Wärme verleihen konnte, die sich den munteren, flotten Behauptungen und Ermahnungen der modernen, umgangsprachlichen Äquivalente niemals beilegen ließe. Außerdem hatte er das unbestimmte Gefühl, dem Beauftragten eine Art geistlichen Trotz entgegenzusetzen, indem er verschmähte, was der andere unzweifelhaft vorgezogen hätte, wäre ihm bekannt gewesen, daß es existierte.

Die Kirche zeigte keine Spur von dem Durcheinander und der Verwirrung, die Alexander angetroffen hatte, als er vor Wochen zufällig hineingekommen war. Kirchenbänke, Chorgestühl und Kanzel waren wieder an Ort und Stelle – und nicht nur das, sondern obendrein mit dem Anschein, als wären sie seit unbegrenzter Zeit an Ort und Stelle. Die Erneuerer hatten den Auftrag erhalten, die Kircheneinrichtung so wiederherzustellen, daß man das Innere des Raumes möglichst nicht von der Fotografie unterscheiden könne, die sie als Vorlage bekommen hatten, und um dies zu erreichen, hatten sie die Kiefernbretter mit Meißeln, Bohrern, Hämmern und Handbeilen bearbeitet, hatten sie gebeizt, mit Asche und Teesatz eingerieben und abermals gebeizt; Männer mit genagelten Stiefeln waren die Stufen zur Kanzel hinauf- und heruntergetrampelt. Fehlende oder beschädigte Scheiben der bunten viktorianischen Glasfenster waren durch Fensterglas schlechter Qualität ersetzt und mit halb transparenten Emulsionen eingefärbt worden. Große und im Ganzen erfolgreiche Mühe hatte man den Nachahmungen der Färbungen und Schattierungen der erhaltenen Stücke zugewendet, doch wenn die Handwerker der alten Zeit die Rekonstruktionen der nicht erhaltenen Teile hätten sehen können, sämtlich in einem Geist peinlich genauen Festhaltens an den gestalterischen und erbauenden Wertvorstellungen der Zeit geschaffen, so wären sie vielleicht sehr erstaunt gewesen. Die Orgel andererseits, die mehr oder weniger unbeschädigt geblieben war, sah man ab von Verfall und Rost, ähnelte ihrem früheren Selbst ganz und gar, wenigstens in der äußeren Erscheinung, mochte fehlerhafte Wiederherstellung des Regierwerks und der Zuleitung des Luftstroms zu den Orgelpfeifen auch jähe laute Töne erzeugen, wo leise erwartet wurden und umgekehrt, zusammen mit unbeabsichtigten Augenblicken völliger Stille im eröffnenden Orgelsolo. Gleichwohl begleitete sie den Chor sicher genug durch das erste Kirchenlied.

»Wer tapfer ist im Leid,
Es willig trägt und gern,
Wird in Standhaftigkeit
Nachfolgen unserem Herrn ...«

Der von einem russischen Meister ausgebildete und mit russischen Sängern verstärkte Chor entledigte sich gekonnt seiner Aufgabe, wahrte ein angenehmes Gleichgewicht der Stimmen, verschluckte keine Note und geriet an keiner Stelle ins Leiern. Aus den Reihen der Gemeindemitglieder stimmten ein paar alte Leute in den Gesang ein, darunter ein kraftvoller Baß, und nach und nach nahmen andere die Melodie auf. Joseph Wright, der mit Kitty im Hintergrund unter der Orgelempore stand, schien es wie etwas, was er immer gekannt hatte, ein Teil seiner Kindheit, obwohl er es nur bis zum Alter von drei Jahren in der Öffentlichkeit gehört haben konnte. Die Melodie verstand er, in ihr fühlte er sich zu Hause; der Text hingegen, den er auf einem vervielfältigten Blatt in der Hand hielt, war eine andere Sache.

»Bedrängen ihn von ringsum her
Mit traurigen Geschichten,
Verwirren doch sich selbst noch mehr ...«

Warum wurde für interessant gehalten, daß der Mann, der sich tapfer und geduldig im Ertragen von Leid erwies, auch gegen Entmutigung durch traurige Geschichten gefeit sei? Und warum blieb die Identität der Erzähler trauriger Geschichten in undurchsichtiges Dunkel gehüllt? Aber die allgemeine Richtung war klar. Tapfere Menschen wurden ermutigt, eine Pilgerschaft anzutreten und zu einem Ort zu reisen, wo nach der Überlieferung ein Heiliger hingerichtet oder ein Wunder gewirkt worden war; und die Pilgerfahrt ging unter der Leitung eines Priesters oder Pfarrers vor sich, der als ›der Herr‹ bekannt war. Solche Pilger waren offenbar Schmähungen und entmutigenden Berichten über die Verhältnisse auf der Reise ausgesetzt. Nun ...

»Und weichen wird der Torheit Wahn!
Ich fürchte nicht der Menschen Wort
Und ziehe fromm auf meiner Bahn,
ein Pilger zu dem sich'ren Hort.«

Natürlich! Die Pilgerfahrt war bei den Behörden nicht gern gesehen, vielleicht sogar verboten, aber der beherzte Christ bestand trotzdem auf seinem Recht, unbeirrt von Befürchtungen, daß Nachrichten von seinem Tun an ihre Ohren dringen könnte. Also behandelte der Liedtext weniger eine buchstäbliche Pilgerfahrt als vielmehr die Pflicht, den eigenen Überzeugungen zu folgen, was ihn in Wrights Augen mit Recht zu einem religiösen Liedtext machte, obwohl er sich nirgendwo auf Gott bezog. So bewundernswert das Thema des Liedes war, wenn es überhaupt als typisch dafür angesehen werden konnte, was die Generation seiner Eltern in der Kirche gesungen hatte, mußte man doch anerkennen, daß einige der frühen Maßnahmen der Russen jedenfalls nicht grundlos gewesen waren.

Wie hatten die anderen Gemeindemitglieder das Lied aufgenommen? Der Gesang hatte ihnen offensichtlich gefallen, zumal der Schlußchor mit Orgeluntermalung den Kirchenraum mit eindrucksvoller Klangfülle durchflutet hatte. Die Mienen der in den Bänken Sitzenden waren gelöst, erfreut und verrieten die Erwartung weiterer nüchterner Freuden. Nirgendwo sah er die Andeutung eines Triumphgefühls über die Wiedergewinnung eines Stückchens Freiheit oder eine Geste des Trotzes, wie geringfügig und statthaft auch immer, gegen den Unterdrücker. Jim Hough, Frank Simpson und all die anderen mit ihren Familien glichen sehr dem Bild, das ihre Vorfahren abgegeben haben mußten, wenn sie sich zum Abendgottesdienst in der Kirche eingefunden hatten, denn die dunklen Anzüge der Männer, die Melonen und Handschuhe, mit denen sie ausgestattet waren, die langen Kleider und breitrandigen Hüte der Frauen waren sorgfältig nach einer weiteren Fotografie kopiert, die vor beinahe einem Jahrhundert aufgenommen worden war, im Jahre 1937, und eine Menschenmenge zeigte, die nach einem Gottesdienst diese Kirche verließ. Die Kleider waren von einheimischen Schneidereibetrieben aus billigen Stoffen in Serie produziert worden und begannen in einigen Fällen bereits aus den Nähten zu platzen.

»Ich glaube an den Heiligen Geist, die heilige katholische Kirche, die Gemeinschaft der Heiligen, die Vergebung der Sünden, die Auferstehung des Fleisches und das ewige Leben. Amen.«

Es folgte ein längeres Gepolter und Geraschel, als die Gemeindemitglieder nacheinander von der Idee des Niederkniens erfaßt wurden. Glover sprach allein von der Kanzel.

»Der Herr sei mit euch.«

»Und mit deinem Geiste«, antworteten diejenigen seiner Hörer, die lesen konnten.

»Herr erbarme dich unser.«

»Christus erbarme dich unser.«

»Herr erbarme dich unser.«

Was darauf folgte, schien Kitty Wright verhältnismäßig vertraut, ein Stück des alten Kirchenrituals mit einer Aufzählung dessen, was die Menschen jeden Tag von Gott erbaten. Was zuvor gesagt worden war, interessierte sie mehr: die Aufzählung begann mit dem Heiligen Geist. Das war der dritte christliche Gott, über den noch weniger bekannt zu sein schien als über Gott den Vater; eine finstere Gestalt, sogar beängstigend, wenn man sie ernst nahm, doch erinnerte Kitty sich, irgendwo gelesen zu haben, daß Einschüchterung und Angst in den Lehrgebäuden der Religionen eine bedeutsame Rolle spielten. Die heilige katholische Kirche setzte sie in Verlegenheit, ohne daß sie dafür einen Grund hätte nennen können, also ging sie darüber hinweg zur Gemeinschaft der Heiligen. Vielleicht hatte es mit der Kommunion zu tun, einem anderen alten Kirchenritual, an welchem die Heiligen zweifellos in irgendeiner Form beteiligt gewesen waren. Die drei letzten Artikel waren in einer Weise deutlich genug, wenn die Auferstehung des Fleisches auch ein weiteres Geheimnis blieb, konnte doch jeder sehen, daß sie, etwa im Gegensatz zur Vergebung der Sünden, unmöglich war. Aber die ganze Aufzählung war sehr seltsam – fern und unwirklich. Es ergab Sinn, an die Unantastbarkeit der eigenen Person zu glauben, an Scheidung für unglückliche Ehepaare, an eine Wärmflasche für kalte Nächte; der Glaube an diese Dinge konnte in jedem Fall nützlich sein; zumindest ließ sich darüber diskutieren. Wo aber lag der Sinn, an den Heiligen Geist zu glauben, oder für das ewige Leben zu sein? Wie waren sie dazu gekommen, solche Dinge zu empfehlen? Und doch waren Männer und Frauen für das Recht gestorben, daran zu glauben und gut davon zu denken. Es war unverständlich; wenngleich hinzugefügt werden mußte, daß heutzutage niemand für etwas starb.

Ein Mädchen, das Kitty für Glovers Enkelin hielt, führte ihn zum Fuß der Kanzelstufen und legte ihm die Hand auf das Geländer. Langsam, aber ohne einen Fehltritt stieg er hinauf und blickte über die Gemeinde hinweg. Das Kirchenschiff war voller Blumen: gelbe, bronze- und orangenfarbene Chrysanthemen, weiße und rosa Dahlien, Gladiolen in allen Farben. Glover konnte sie nicht im einzelnen sehen; er machte unbestimmte Farbflecken aus, doch hatte man ihm von dem Blumenschmuck erzählt. Was man ihm nicht erzählt hatte (weil niemand es ihm sagen konnte) war der Umstand, daß die Blüten nach den Verhältnissen einer anderen Zeit klein und kümmerlich waren, nicht krank, nur ungepflegt. Hätte er dies gewußt, so wäre er dennoch froh gewesen, daß sie da waren. Im Kirchenraum herrschte beinahe völlige Stille, aber auch dies war ihm zwangsläufig nicht bewußt. Er versuchte seiner Stimme die Lautstärke zu verleihen, die bei der Probe am vorausgegangenen Abend für zufriedenstellend erklärt worden war; man konnte nicht erwarten, daß er solche Dinge nach fünfzig Jahren noch im Gedächtnis bewahrt hatte.

»Wir sind die Kinder Gottes; so schreibt Paulus in seinem Römerbrief. Wie manche unter euch wissen werden, meine lieben Brüder und Schwestern im Herrn, will ich heute eine Predigt halten, das heißt eine Ansprache, eine Rede über Religion, über Gott und uns selbst. Es wird keine lange sein. Bitte hört aufmerksam zu, denn was ich euch zu sagen habe, ist sehr wichtig und sehr interessant!«

Schon in dieser kurzen Einleitung war es Glover gelungen, in Schwung zu kommen, und er sprach klar und zuversichtlich, ob aus Übung oder aus Gewohnheit, es lief auf eins hinaus. Er hatte die ganze Predigt seiner Enkelin diktiert, die sie ihm Satz für Satz wieder vorgelesen hatte, bis sie seinem Gedächtnis fest eingeprägt war. Er war nicht gewillt, sich auch nur den geringsten Ausrutscher zu leisten.

»Der heilige Paulus bekam unseren Herrn Jesus Christus niemals zu Gesicht, aber er wußte vieles über ihn, und auch über Gottvater, wahrscheinlich mehr als irgendein anderer, und er gab sein Wissen in einer direkten und anschaulichen Sprache weiter. Er war ein sehr offener Mann. Er meinte, was er sagte. Und als er schrieb: ›Wir sind Kinder Gottes‹, da gebrauchte er die Wendung nicht in der unbestimmten, sentimentalen Weise, in welcher die Leute über Kinder des Lichts oder Kinder der Liebe zu sprechen pflegten. Nein, der heilige Paulus drückte sich präzise aus. Wir – worunter er die gesamte menschliche Rasse während der Dauer ihrer Existenz verstand, uns alle hier mit eingeschlossen –, wir wurden von Gott erschaffen, von Gott in diese Welt gesetzt. Wir sind die Kinder von jemand, der kein menschliches Wesen ist, jemand, der unendlich viel mächtiger ist als ein Menschenwesen jemals sein kann, und auch unendlich viel liebevoller, womit gesagt sein soll, daß seine Liebe grenzenlos und ohne Ende ist. Wir sind auch die Kinder unserer Eltern, und wir alle wissen, wie liebevoll sie sein können, doch wissen wir auch, daß ihre Liebe nicht grenzenlos ist, und das ist ganz recht so: grenzenlose elterliche Liebe würde unvernünftig sein. Gott ist nicht nur unendlich liebevoll, sondern auch unendlich weise, und wieder wissen wir alle aus unserer gewöhnlichen Erfahrung, einige von uns als Eltern, wie notwendig es ist, daß die Liebe von Weisheit begleitet sei.«

Glover sprach einige Minuten lang über diese und andere Eigenschaften Gottes und wich dabei mit geübter Geschicklichkeit dem kitzligen Problem aus, das von einer göttlichen Liebe gestellt wurde, die offenbar imstande war, die schwersten Leiden der Objekte dieser Liebe hinzunehmen. Er hoffte von einigen seiner Zuhörer verstanden zu werden, hoffte, daß er überhaupt Zuhörer hatte; weil er ohne die stimulierende Wahrnehmung der Wirkung seiner Worte auskommen mußte, spürte er, daß er sie mit weniger Lebhaftigkeit vorbrachte, als er es gern getan hätte. Wenigstens wurden keine lauten Einwände oder andere Stellungnahmen geäußert; dann und wann bildete er sich ein, Bewegungen zum rückwärtigen Teil des Kirchenraumes auszumachen, doch war es dort zu dunkel, als daß Gewißheit möglich gewesen wäre. Er schloß seine Predigt, indem er mit allem Ernst, dessen er fähig war, verkündete:

»Eine Welt ohne einen anderen Sinn als den des Überlebens ist ein elender Ort. Sie ist auch ein sündiger Ort, aber darauf werde ich heute nicht eingehen. Die Freiheit, welcher wir uns einst erfreuten, ist endgültig verloren, und England wird niemals wieder glücklich sein. Aber es gibt eine bestimmte Möglichkeit, über alles zu triumphieren, was uns auferlegt werden mag, unsere Niederlage nicht in Sieg zu verwandeln, sondern in Trotz, dem Unterdrücker an einem Ort zu widerstehen, den er niemals einnehmen kann: in unserem Geist und unserer Seele. Das ist der einzige Weg, um unseren Stolz als Nation und unseren Daseinszweck als Männer und Frauen wiederzufinden. Und dieser Weg ist Gott. Wir brauchen Gott nötiger als in irgendeiner vergangenen Zeit, wir brauchen ihn nicht wie ein zerlumpter Bettler neue Kleider braucht, sondern wie ein Einbeiniger eine Krücke braucht, oder ein Ertrinkender Luft. Gott ist unser Vater; er will unser Bestes, und er weiß, was das Beste für uns ist. Würden die meisten Menschen nicht viel darum geben, wenn sie wüßten, was im Leben das Beste für sie ist? Wir müssen uns wieder daran gewöhnen, Gott zu bitten. Er hört immer. Betet zu ihm; er antwortet immer. Wenn ihr nicht an ihn glaubt, betet trotzdem zu ihm; wenn ihr an ihn glauben wollt, wird er euch dazu verhelfen. Er wird es tun, weil wir seine Kinder sind. Wir alle.

Nun singen wir gemeinsam das Lied ›Jesu, Geliebter meiner Seele‹.«

Obgleich er sich auf nichts als Vermutungen stützen konnte und sogar die Versicherung des Beauftragten Mets hatte, daß kein Teil des Gottesdienstes Anlaß zu amtlichem Interesse geben würde, war Glover fest überzeugt, daß der volle Wortlaut seiner Predigt bald den Behörden vorliegen würde, sie wahrscheinlich bereits erreicht hatte. Aber es machte ihm nichts aus. Er hatte Gott verherrlicht. Die Zweifel, die ihn anfänglich geplagt hatten, ob sein Kirchweihzeremoniell zur Wiedereröffnung der Kirche – es gab im ganzen Land keinen Weihbischof – gültig sei, diese Zweifel fielen ganz von ihm ab. Insgeheim dankte er dem jungen russischen Offizier, der ihn gedrängt hatte zu tun, was er heute getan hatte.

Nach dem Schlußsegen kam seine Enkelin und führte ihn aus der Kirche. Er hörte nicht, wie die Orgel mitten im abschließenden Solo verstummte, als das Windwerk versagte. Noch hatte er bemerkt, daß von mehr als zweihundert Personen, die zu Beginn des Gottesdienstes versammelt gewesen waren, nur elf bis zum Schluß ausgeharrt hatten. Manche waren schon nach den ersten fünfzehn Minuten gegangen, aber den größten Exodus hatte es in den ersten Minuten der Predigt gegeben. Sie waren so leise wie möglich gegangen, und ohne Aufhebens; dafür hatten sie zuviel Respekt.

Kitty war eine von den elf, die geblieben waren, weil ihr

Vater geblieben war. Mit Zustimmung und einiger Zärtlichkeit betrachtete sie den alten Geistlichen, als er sich langsam durch den Mittelgang bewegte. Unter seiner dunklen Jacke trug er einen seltsam ungeteilten weißen Kragen ohne Schlips und ein schwarzes Hemd. Er lächelte. Auch sie lächelte; es war ein sehr erfreuliches Ereignis gewesen, das friedliche Empfindungen in jenen wachrief, die es zu würdigen wußten. Leider waren es die wenigsten.

Joseph Wright lächelte nicht. Eine Stunde vor dem Beginn des Gottesdienstes hatte er angefangen, Kitty anzutreiben, sie solle sich fertigmachen, dann waren sie mit dem kleinen Zweisitzer in einem Tempo hergefahren, daß die Pferde durchgegangen waren. Voll hochgestimmter Erwartung hatte er das eröffnende Orgelsolo über sich ergehen lassen, alles zu seiner eigenen Überraschung. Er hatte keine Ahnung gehabt, was er eigentlich erwartet hatte, war sich aber im klaren darüber, daß es nicht stattgefunden hatte; er hatte aus purer Hartnäckigkeit bis zum Ende durchgehalten. Nun erst begriff er, daß er seit jenem Abend, als Glover sich bereit erklärt hatte, den Gottesdienst zu halten, ein wachsendes emotionales Engagement damit verknüpft hatte. Und nichts war geschehen, absolut nichts, so eindeutig und endgültig, daß die Chance irgendeines bedeutsamen Ereignisses, irgendeiner Veränderung, für immer vertan war. Dies war der Tag, da Wright endlich verzweifelte.

SECHZEHN

»Welch ein herrlicher Tag!«

»Alles eigens für dich aufgeboten, mein Liebling. Der Sonnenschein macht dich schöner denn je; er bringt die Farben in deinem Haar zum Vorschein.«

»Er bringt auch die Sommersprossen auf meiner Haut zum Vorschein. Ich nehme an, du wirst sagen, du hättest sie nicht bemerkt.«

»Du unterschätzt mich. Wenn ich sagte, ich hätte sie nicht bemerkt, dann würde ich sie ja mißachten. Tatsächlich sind sie ein wichtiger Bestandteil deiner Schönheit.«

»Liebster Theodor, ich glaube wirklich, du solltest versuchen, in deinen Schmeicheleien ein wenig wählerischer zu sein.«

»Damit tust du mir unrecht: ich bin äußerst wählerisch. Sollte ich jemals auf ein Stück von dir stoßen, das ich nicht schön finde, dann werde ich darüber schweigen.«

»Da wirst du eine große Auswahl haben.«

Nina hatte es gedankenlos dahingesagt. Als sie es bedachte, hielt sie den Atem an und wandte den Kopf zur Seite. In diesem Augenblick drängte sich ein solch lebhaftes Vorstellungsbild, darin sie sich selbst in Theodors Armen liegen sah, in ihr Bewußtsein, daß es ihr schwerfiel zu glauben, daß es nie geschehen war, daß ihre engste körperliche Intimität ein Kuß gewesen war, eine Umarmung, die niemand hätte anstößig finden können, oder, besser gesagt, eine ziemlich dichtgedrängte Serie von Umarmungen. Als sie ihm davon erzählt hatte, hatte Alexander Überraschung gezeigt oder vorgetäuscht und indirekt (aber deutlich genug) angedeutet, daß es nichts als das Ergebnis mangelnder Triebkraft sein könne, besonders von seiten Theodors. Als hätte er ihre Gedanken erraten, stand Theodor in diesem Augenblick schnell auf und erstieg die Ziertreppe zu dem kleinen Sommerpavillon, der einen angemessen kleinen Sarkophag enthielt. Zu beiden Seiten des Bauwerks waren verschiedene Schößlinge und die Stümpfe von Zedern, Eichen und Kiefern zu sehen.

»Wer liegt hier begraben?« fragte er.

»Ich weiß es nicht, Liebling. Ist es denn ein Grab? Es scheint nicht groß genug, nicht wahr?«

»›Zur Erinnerung an Pug‹«, las er vor, »›der am 24. Juni 1754 aus diesem Leben schied.‹ Vielleicht ein kleines Kind, obwohl es eigenartig ist, nur den Spitznamen anzugeben. Und es hier zu begraben, oder vielmehr nicht zu begraben ... Möchtest du in einer Kirche heiraten?«

»Nun ja, wenn wir können, aber vielleicht geht es nicht.«

»Hm.«

Sie erriet seine Gedanken. »Ich hörte, der Abendgottesdienst war kein Erfolg.«

»Wir haben heute einige Teilnehmer befragt. Sie sagten, der Gesang habe ihnen gefallen, aber sie hätten nicht verstanden, wovon der Pfarrer redete.«

»Ach du lieber Gott! Er ist sehr alt, nicht wahr?«

»Der Besuch der Ausstellung bildender Künste ist auch sehr schlecht gewesen, und einige der Gemälde sind beschmiert und von den Wänden gerissen worden. Mir graut vor dem Musikabend.«

»Wann ist der?«

»Morgen. Wenn ich nur wüßte, was wir falsch gemacht haben.«

»Ihr hattet alle anderes im Kopf.«

»Ja.« Es klang nicht überzeugt.

»Sind alle für Sonntag bereit?«

»Jeder so gut wie er kann.«

Nina verspürte plötzlich eine quälende Ungläubigkeit wie eine Leere inmitten ihres Lebens und ihrer Gefühle; könnte es wieder eine unfreiwillige Botschaft von Theodor gewesen sein? Die Vorstellung, daß die ganze Welt an einem einzigen Tag verändert werden sollte, erschien ihr auf einmal, als höre sie davon zum ersten Mal. Sie sollte glauben, daß es im

Umkreis weniger Kilometer Hunderte von wohlanständig scheinenden Leuten gebe, zu denen auch der sanfte junge Mann zählte, mit dem sie sprach, die eines schönen Tages plötzlich Waffen hervorziehen, wichtige Amtspersonen festnehmen, öffentliche Gebäude besetzen und Befehle geben würden. Und wer sagte, daß man ihnen gehorchen würde? Das schien ihr der schwierigste Teil davon. Sicherlich würde Direktor Vanag bloß lächeln, den Kopf schütteln und weiterarbeiten wie zuvor, wenn jemand versuchte, ihm Vorschriften zu machen. Sie setzte zur Rede an und brach wieder ab.

»Wie? Was ist?«

»Und das alles ist kein Scherz? Es wird eine Revolution geben?«

»Ein Scherz ist es nicht. Ob es eine Revolution geben wird oder nicht, ist wahrscheinlich eine Sache der Auslegung. Gegenwärtig sieht es mehr danach aus, als sollte es einfach eine friedliche und geordnete Machtübernahme geben. Der wichtige Teil, die eigentliche Arbeit, wird danach beginnen.«

Ehe sie etwas darauf sagen konnte, wurde ihre Aufmerksamkeit von Alexander abgelenkt, der in einigen hundert Metern Entfernung in Sicht gekommen war. Er führte Polly den sanft geneigten Hang vom Friedhof herauf und bewegte sich rasch und energisch, nicht in seinem üblichen verträumten Schlendern. Nina winkte ihm zu, und er hob die Hand ziemlich steif zur Antwort. Er war damit beschäftigt, die Stute anzubinden, als wie auf Verabredung die Gestalten von Elizabeth Cuy und einem braunlivrierten Diener aus dem Haus traten. Bei Alexanders Anblick eilte Elizabeth die Freitreppe hinab und umarmte ihn begeistert; sogar aus der Entfernung des Sommerpavillons war das Fehlen wirklicher Wärme in seiner Reaktion zu sehen. Noch ehe sie ihn losgelassen hatte, befahl er dem Diener, das Pferd zu den Ställen zu bringen; dann kam er auf den Sommerpavillon zu, Elizabeth unbeachtet an seiner Seite.

»Sie hört nicht auf, ihm nachzulaufen«, sagte Nina. »Ich könnte es nicht.«

»Warum tut sie es? Angenommen, du hast recht.«

»Es ist komisch, aber ich habe den Eindruck, daß sie von ihm abgewiesen werden will. In gewisser Weise ist das vielleicht einfacher als ... Und sogar die Schimpfworte ...«

»Was? Wie schön du aussiehst. Aber was sage ich da? Wie schön du bist.«

Sie sah wirklich vorteilhaft aus, glücklich, gesund und ganz und gar jung; zwar gab es in ihrem Gesicht Sommersprossen jede Menge, dafür suchte man nach Falten vergebens. Ihr ärmelloses Kleid war durch eine Fügung des Zufalls richtig geschnitten, und seine beiden Grüntöne paßten zu ihrer Hautfarbe, die in der Sonne heller denn je war. Ohne ein Wort stieg sie die Stufen hinauf, kam zu ihm in den Sommerpavillon, und sie küßten einander. Obwohl er nur sanft mit ihr umging, schien er ihr unendlich stark.

Sie saßen wieder auf den Stufen, als die anderen zwei am Pavillon anlangten. Alexanders Gesichtsausdruck war eigentümlich, ernst und sogar beunruhigt, aber Nina glaubte auch eine Art Gehobenheit oder Stolz darin zu lesen. Er wandte sich sofort zu Theodor und sagte:

»Die Information ist ausgeblieben.«

»Wurde ein Grund genannt?«

»Die Person, die sie meiner Quelle liefern sollte, hat sich als hartnäckig erwiesen. So wurde mir gesagt.«

»Das hört sich irgendwie ziemlich fadenscheinig an.«

»Das dachte ich mir auch. Lieferung ist für Freitagnachmittag fest zugesagt.«

»Nicht viel mehr als achtundvierzig Stunden vor dem Beginn der Aktion. Immer verdächtiger.«

»Ganz meiner Meinung.«

»Verdammt noch mal«, sagte Elizabeth, stirnrunzelnd von einem zum anderen blickend, »tut nicht so, als ob wir nicht hier wären – das lasse ich mir nicht gefallen!«

Der Gesprächsgegenstand war Nina klar genug. »Ihr könnt sagen, was ihr wollt; ich verbürge mich für sie.«

In einem gelangweilten Ton sagte Theodor: »Wie du dem Gespräch entnommen haben wirst, erwarteten wir eine Information, die nicht gekommen ist. Im übrigen gibt es ein altes Prinzip, nach dem es besser ist, in Unwissenheit der Dinge zu sein, die man nicht wissen muß.«

»Natürlich«, sagte Nina, »so daß man im Verhör weniger aussagen kann.«

»Oder nicht im Verhör.«

»Wie meinst du das?«

»Nun ... freiwillig. Aus freien Stücken. Im Rahmen der Pflichterfüllung.«

Nina kreuzte die Arme auf der Brust und umfaßte ihre Schultern. Eine steile Falte erschien über ihrer Nasenwurzel. »Aber das würde in diesem Fall nicht zutreffen. In Elizabeths Fall und meinem Fall.«

»Man kann nie wissen«, sagte Theodor, noch immer im gelangweilten Ton.

»Man kann nie wissen? Willst du denn damit sagen, du hast keine Gewißheit, daß ich nicht zu Vanags Leute gehöre?«

»Welche Sicherheit könnte es geben? Wie kann jemand absolute Gewißheit über einen anderen haben?«

»Über einen anderen. Lieber Gott, was für eine schreckliche Welt haben wir geschaffen!«

»Ich kann gehen, wenn es euch lieber ist«, sagte Elizabeth mit einiger Heftigkeit, wobei sie den Kopf zu Alexander wandte, um diesen ausdrücklich einzubeziehen. »Ich kam sowieso nur vorbei. Ich wollte nichts Besonderes.«

»Sei still, Elizabeth!« sagte Alexander. »Das Leben ist schon so schwer genug.«

»Du und ein schweres Leben?« versetzte sie mit einem kurzen Auflachen. »Du wirst nicht eher ein schweres Leben haben, als bis der König von England wieder auf seinem Thron sitzt.«

»Wir helfen bei der Vorbereitung einer Revolution«, sagte Theodor, dessen Ton nun eher verdrossen als gelangweilt war. »Das ist eine schwere Verantwortung.«

»Das glaube ich. Ein paar Polizisten einsperren. Sehr verantwortungsvolle Arbeit.«

»Damit wird es nicht getan sein. Es wird notwendig sein, bestimmte Personen zu töten.«

Dies war begleitet von einem Blick zu Nina, der die Erkenntnis verriet, daß er damit der beruhigenden Voraussage widersprach, die er kurz zuvor gemacht hatte. Vor ihr hatte er wie jemand gesprochen, der ein Gartenfest organisiert und sich über die Knappheit an gutem Dienstpersonal beklagt. Ungläubig und verwirrt blickte sie umher: hatte sie irgendwie alles mißverstanden, ein ausgeklügeltes Spiel in kindischer Weise für einen ernsten Versuch genommen, das Regierungssystem gewaltsam zu stürzen? Sie hoffte, daß sie nicht so erschüttert aussehe wie sie es war.

Nachdem sie Theodor in einer Parodie von Verblüffung angestarrt hatte, sagte Elizabeth sarkastisch: »Töten!« und schnaubte geringschätzig. »Aber nicht von dir oder dem schneidigen Helden hier, soviel ist sicher.«

Alexander wurde rot. »Du weißt nicht, wovon du redest«, sagte er mit schrillen Obertönen.

»Und ob ich es weiß! Du hast nicht den Mut, mein Lieber. Nicht, um jemand kaltblütig zu töten. Dazu gehört etwas.«

In einem wütenden, schnellen Flüsterton sagte er: »Vielleicht wirst du anders darüber denken, wenn ich meinen Vater erschieße.«

»Unmöglich!« rief Theodor, aber nach einer viel zu langen Pause, um überzeugend zu sein.

»Bist du verrückt, Alexander?« Elizabeth wandte sich zu Nina. »Hast du davon gewußt?«

»Nein«, sagte Nina, die noch immer zu begreifen suchte, aber nur ein Gefühl monströser Unwirklichkeit erlebte.

»Warum mußtest du das ausplaudern?« Theodor war jetzt nicht weniger zornig als Alexander es vorher gewesen war.

»Sie hätten es so oder so erfahren.«

»Warum?« fragte Elizabeth mit drängender Entschlossenheit. »Ich möchte wissen, warum du glaubst, das tun zu müssen ... WARUM?«

»Es wird eine enorme moralische Wirkung haben«, sagte Theodor.

»Das ist keine Rechtfertigung.«

»Ich kann dir versichern, daß es notwendig ist.«

»Notwendig wofür?«

»Für die Revolution.«

»Was wird es für die Revolution bewirken?«

»Diskutiere nicht mit ihr, Theodor«, sagte Alexander. »Es wird zu nichts führen, und die Sache wird getan werden müssen, was immer der Einzelne davon halten mag.«

Elizabeth blickte ihm fest in die Augen. »Einen wehrlosen Menschen zu erschießen, ist ein schreckliches Verbrechen, und daß du diesen Mann, deinen Vater, erschießen willst, ist abstoßend.« Sie war klug genug, nicht mehr von ihren Zweifeln an seiner Fähigkeit zu kaltblütigem Töten zu sprechen. »Du würdest deine familiäre Position schamlos ausnutzen, um an ihn heranzukommen, der nichts ahnt, und damit würdest du ihm keine Chance lassen. Und was hat er dir oder anderen jemals angetan, was die geringste Gewalttätigkeit gegen ihn rechtfertigen würde? Er hat dich immer gütig behandelt, vielleicht freundlicher, als es gut für dich war, aber ich bin bereit zu schwören, daß er dir niemals eine Verletzung oder Ungerechtigkeit zugefügt hat. Und so willst du es ihm vergelten!« Sie blickte weg und schwieg eine kleine Weile, um dann in verändertem Ton fortzufahren: »Ich liebe dich seit zwei Jahren, obwohl ich weiß, daß du ein Egoist und ein Betrüger bist. Jetzt sehe ich, daß du außerdem niederträchtig bist. Trotzdem liebe ich dich. Ich nehme nicht an, daß du dich mit dem Versuch plagen würdest, dir vorzustellen, wie das ist, also sage ich es dir lieber selbst: es ist die Hölle.«

Sie brach plötzlich in Tränen aus, wandte sich um und lief zum Haus. Alexander brachte einen Hochruf aus und klatschte in die Hände, aber so leise, daß sie es nicht gehört haben konnte. Die anderen zwei hatten sich ein paar Schritte entfernt, und Theodor redete ernst und erklärend auf Nina ein, die aufmerksam lauschte und von Zeit zu Zeit nickte. Aber auch sie schien mit den Tränen zu kämpfen.

SIEBZEHN

Die musikalischen Darbietungen, die Werke von Dowland, Purcell, Sullivan, Elgar, Noel Coward, Duke Ellington (von dem man meinte, er sei ein englischer Adliger gewesen), Britten und John Lennon zu Gehör brachten, entwickelten sich bei weitem nicht zu der Katastrophe, die Theodor in seinen Befürchtungen vorausgesehen hatte. Das Publikum blieb während des ganzen Programmes in guter Stimmung und applaudierte sogar nach mehreren Darbietungen. Freilich bereitete es den Veranstaltern auch eine Enttäuschung, da es vom Anfang bis zum Ende laut und ungeniert redete, ausgenommen die ersten fünf Minuten, als die Fremdartigkeit der Erfahrung die Leute beinahe zum Verstummen brachte. Jemand erklärte hinterher, man habe ihnen von dem Brauch, während solcher Vorführungen Stillschweigen zu bewahren, nichts gesagt; jemand anders meinte, es sei darum genauso gut gewesen. Die am folgenden Abend stattfindende Vorstellung von ›Blick zurück im Zorn‹ war ein Riesenerfolg. Nur selten konnte das Theater in vergangenen Zeiten von soviel Fröhlichkeit und herzlichem Gelächter erfüllt gewesen sein. Nach der Vorstellung wurden die Schauspieler von einer begeisterten Menge auf den Schultern durch die benachbarten Straßen getragen.

Am folgenden Abend (Donnerstag) sollte die Inszenierung von ›Romeo und Julia‹, für deren Probenarbeit Alexander sich interessiert hatte, ihre Uraufführung erleben. Alexander traf rechtzeitig die nötigen Vorbereitungen, um an dieser Premiere teilzunehmen. Dazu gehörte, daß er durch inoffizielle Kanäle nicht nur eine Theaterkarte erstand, sondern auch einen Festanzug, der aus unerfindlichen Gründen ›Smoking‹ genannt wurde und mit einer Hemdbrust getragen wurde, an welcher eine kleine schwarze Krawatte befestigt werden mußte. Diese Kleidungsstücke waren wie die Kirchenkleider eigens für den Anlaß angefertigt worden. Außerdem ließ er sich vom Dienstpersonal Blumen aus dem Garten zu einem großen Bukett binden und veranlaßte dessen Lieferung zum Theater. Vor einigen Tagen noch hätte er solche Bemühungen wahrscheinlich als allzu lästig abgelehnt und lieber auf den Theaterbesuch verzichtet, aber das allmähliche Erkalten seiner Leidenschaft für Frau Korotschenko, eine Folge ihrer Überredungsversuche in der Sache ihrer Tochter, hatte seinem Interesse erlaubt, in andere Richtungen zu schweifen.

Er zog sich in Theodors Büro um, trank im ›Marschall Stalin‹ in der St. John's Street einen Schoppen Bier und verspeiste dazu ein belegtes Brot mit Käse und Gewürzgurke, und schlenderte dann um die Ecke zum Theater. Es war ein schöner Septemberabend, ungewöhnlich warm für die Jahreszeit und etwas schwül. Wenige Menschen waren auf den Straßen; die meisten hatten sich bereits in ihre Häuser oder in die Unterkünfte zurückgezogen, die ihnen auf dieser von der Welt abgeschnittenen Insel als Zuhause dienten. Zwei Militärpolizisten, erkenntlich an ihren blauen Schulterriemen und Gamaschen, gingen langsam im Gleichschritt durch die Straße, die Hände auf dem Rücken. Alles war ruhig. Und doch sollte in zweiundsiebzig Stunden, oder vielmehr sechsundsiebzig Stunden, um genau zu sein, die Revolution losbrechen, die alles verändern würde, ausgelöst von seinem Schuß auf den eigenen Vater. Würde er dazu fähig sein? Er mußte; es nicht zu tun, würde vor ihm selbst und anderen ein Eingeständnis sein, daß er ein Müßiggänger sei, ein Wichtigtuer und Windbeutel. Es gab kein Zurück mehr.

Im Foyer des Theaters drängten sich erwartungsvolle Engländer; keiner von ihnen hatte am Vorabend das Theaterstück gesehen, da man nur Karten für das eine oder das andere hatte bekommen könne, aber alle hatten offenbar davon gehört. Einige Leute lasen den Analphabeten unter ihren Hörern zuliebe laut aus dem Programmzettel vor. Da und dort wurden Zweifel laut, ob eine Geschichte von der

Art, wie sie hier summarisch wiedergegeben war, sehr lustig sein könne, aber die Zweifler faßten ein wenig Mut, als sie hörten, daß die Personen des Mercutio und der Amme von Sachverständigen als hervorragende Beispiele von Shakespeares Talent als Komödiendichter betrachtet würden.

Die Erscheinung vieler anwesender Männer hätte manchen unerfahrenen Beobachter in Erstaunen versetzt. Die Smokings, die sie trugen, waren meistenteils unvollständig; Knappheit und Lieferschwierigkeiten hatten verhindert, daß die passenden Hosen rechtzeitig fertig geworden waren. Nun gab es unter den Theaterbesuchern Männer wie Alexander, denen es gelungen war, unter ihren eigenen (meistens sehr kleinen) Garderoben etwas nicht allzu Unpassendes zu finden; andere aber hatten sich mit tweedähnlichen Stoffen oder Kord in verschiedenen Fraben zufriedengeben müssen. Auch die Frauen sahen seltsam aus, wenn auch mehr im Kollektiv denn als Einzelpersonen. Die vorerwähnte Knappheit hatte zur Folge gehabt, daß fast alle das gleiche Kleid trugen, ein Kleidungsstück mit einem eng geschnittenen und eher kurzen Rock (um Material zu sparen), einem nicht sehr kleidsamen runden Kragen und ohne Ärmel (hart für die älteren Damen). Dennoch hatte eine totale Gleichförmigkeit sozusagen in letzter Minute abgewendet werden können: genau die Hälfte der Kleider waren von einem elektrischen Blau, während die anderen smaragdgrün waren, was ihren Trägerinnen den Anschein gegnerischer Mannschaften verlieh, die sich anschickten, eine wenig bekannte Sportart auszuüben. Die jüngeren Leute waren in der Minderzahl und hatten die Bar im Erdgeschoß besetzt. Stärkere Getränke als Bier wurde nicht verkauft, trotzdem wurden da und dort Spirituosen getrunken, die man in kleinen Flaschen aller Art mitgebracht hatte. Das Ergebnis war, daß sich alsbald eine gewisse Pöbelhaftigkeit auszubreiten begann.

Ein Klingelsignal erzeugte augenblicklich Stille. Ertönte ein Klingelsignal, so bedeutete es, daß die Obrigkeit zur Aufmerksamkeit aufrief, und viele von denen, die sich in Bar und Foyer versammelt hatten, erinnerten sich noch lebhaft einer Zeit, da es empfehlenswert gewesen war, einem solchen Signal augenblicklich Folge zu leisten. Aber diesmal sprach sich rasch herum, daß nichts anderes verlangt wurde als die Plätze einzunehmen. Dieser Prozeß zog sich länger hin, als es einst üblich gewesen wäre, da zahlreiche Einzelbesucher und Paare des Lesens nicht mächtig waren. Schließlich aber war es geschafft, und abermals trat relative Stille ein, akzentuiert von einem verbreiteten Papiergeraschel, als mehrere hundert in farbiges Glanzpapier gehüllte Schokoladetafeln, eine auf jedem Platz, aufgerissen und untersucht wurden. Ein russischer Forscher von ungewöhnlicher Belesenheit war auf die (ironisch gemeinte) Bemerkung gestoßen, daß der Schokoladenverzehr ein zwanghafter Bestandteil englischer Theateraufführungen sei. Die zum heutigen Anlaß bereitgestellten Tafeln bestanden aus einer süßen, nicht ganz festen Masse von ungewissem Aroma, fanden aber großen Anklang bei Männern und Frauen, die in der Mehrzahl ein frühes Abendessen aus der üblichen Gemüsesuppe, Schweinebauch mit gekochten Rüben und Kompott aus Fallobst genossen hatten. Nach einer weiteren Pause wurde die Beleuchtung im Zuschauerraum gedimmt.

Ein dickbäuchiger alter Mann trat aus dem Vorhang auf die Bühne. Sein bemaltes Gesicht und die Kleider, die man sich kaum als den Aufzug irgendeines Bewohners der realen Alltagswelt vorstellen konnte, legte in Verbindung mit den äußeren Umständen den Schluß nahe, daß man es hier mit einem Schauspieler zu tun hatte. Applaus, angeführt von einer kleinen Claque, begrüßte ihn, und er verneigte sich. Eine Bestätigung seines schauspielerischen Status' lieferte alsbald seine Sprechweise, die von monotoner und unnatürlicher Art war, und am Ende jeder Verszeile absank. Bald hatte er seinen Vortrag beendet und zog sich unter erneuertem Applaus zurück. Der Vorhang hob sich.

Ein lautes Seufzen freudiger Überraschung erhob sich aus dem Publikum. Das Staunen war verständlich: Bühnenbild und Kulissen waren das Werk eines russischen Künstlers, dessen Auftrag gelautet hatte, das Verona des sechzehnten Jahrhunderts in einer Art und Weise darzustellen, die von den Engländern des einundzwanzigsten Jahrhunderts verstanden werden konnte und sie ansprechen würde. (Er hatte das Stück gewissenhaft in einer neuen Übersetzung gelesen und manche Note hineingebracht, die der Shakespeareschen Gedankenwelt, wie er sie sich vorstellte, entsprachen.) Zwei mit Degen bewaffnete Männer, noch phantasievoller gekleidet als ihr Vorläufer, kamen auf die Bühne und führten ein kurzes Gespräch. Zwei weitere Männer folgten. Die Aufmerksamkeit des Publikums, anfangs von der schieren Fremdartigkeit des ganzen Theatergepränges in den Bann geschlagen, wurde nun durch die aufregenden Kämpfe gefesselt, die geschickt arrangiert und gründlich eingeübt worden waren, sodann von der überwältigenden Pracht der Kleider, die vom Prinzen und seinem Gefolge getragen wurden. Der Dialog zwischen Montague und Benvolio war vom Regisseur beinahe auf ein Nichts zusammengestrichen worden; der gutaussehende junge Mann, der den Romeo spielte, war ein schauspielerisches Naturtalent, dessen vollendete Beherrschung von Mimik und Gestik die meisten Zuschauer in die Lage versetzte, die ungefähre Bedeutung jener Passagen zu erraten, die er selbst verstand, und wurde allgemein als harmlos und gutartig empfunden.

Alexander hatte sich natürlich nicht der Mühe unterzogen, die im Programmzettel abgedruckte Zusammenfassung zu lesen (eine unnötige Herausforderung seines Englisch, um nur einen Grund zu nennen), und so war er beinahe überrascht, als kurz nach Beginn der dritten Szene die große dunkelhaarige Gestalt Sarah Harlands auf die Bühne schritt. Sie trug ein blauweißes Kleid, das ihr wunderbarerweise sowohl paßte als auch stand, und insgesamt sah sie noch schöner aus als er sie in Erinnerung hatte. Nachdem sie ein paar kurze Bemerkungen gemacht hatte, schwatzten zwei andere Frauen eine Weile; sie trat zur Seite, dem Publikum zugekehrt, und sofort fiel ihr Blick auf ihn – so bildete er es sich wenigstens ein. Wenn sie ihn gesehen hatte, dann ließ die Verdüsterung ihrer Miene Schlechtes für seine Chancen nach der Vorstellung erwarten, Chancen, die eine weitere Verringerung erfuhren, als er den Blick seitwärts wandte und zu seiner Überraschung gerade in Kitty Wrights Augen sah. Sie und ihr Vater saßen ihm so nahe, daß er sich wunderte, sie nicht vorher schon bemerkt zu haben. Sich an Sarah heranzumachen, ohne daß Kitty etwas bemerkte, versprach schwierig zu werden, aber es mußte getan werden. Ein altes Sprichwort sagte, daß der Spatz in der Hand besser sei als die Taube auf dem Dach, und selbst ein im Umgang mit Frauen bei weitem weniger erfahrener Mann wußte nur zu gut, daß jede Form von Untreue, und wenn sie sich nur als entfernte Möglichkeit abzeichnete, die Frauen zu wütenden Gefühlsausbrüchen trieb, in traurigem Gegensatz zu seiner eigenen Einstellung, daß sie tun konnten, was sie wollten, vorausgesetzt, sie waren verfügbar, wann immer er sie wollte. (Dies mag jedenfalls seine nach außen vertretene Ansicht gewesen sein; erfuhr er in der Praxis von solchem Verhalten, so pflegte er in wütender Raserei hinauszustürmen, es sei denn, etwas anderes war zur gleichen Zeit erhältlich.)

Das Publikum hatte einige Mühe mit dem Gefasel der Wärterin über den Johannisabend, das der Bearbeiter dieser Bühnenfassung nicht zu kürzen gewagt hatte, weil die Sachverständigen ihn davor gewarnt hatten. Es gab Versuche, darüber zu lachen, aber sie hörten bald auf, als es weiterhin unverständlich blieb und sogar die anderen auf der Bühne anwesenden Personen Zeichen von Ungeduld erkennen ließen oder sich weigerten, der Alten zuzuhören. Aber die Freude über diesen Theaterabend und der in den ersten Minuten angesammelte gute Wille half der Wärterin durch die Szene. Die ersten Regungen von Ungeduld und Ablehnung zeigten sich dann in der vierten Szene, als Mercutio seinen Monolog über die böse Mab hielt, der aus ähnlichen Gründen wieder ungekürzt geblieben war. Auch hier war das anfängliche Gelächter kurzlebig. Am Ende des Monologs herrschte hörbare Unruhe im Haus, und Hochrufe grüßten Romeo, als er ihn endlich zum Schweigen brachte.

Capulets Fest, ausgeschmückt mit Musik, Tanz und Kostümen, und vor allem ausgestattet mit einem einzigartigen neuen Bühnenbild, ließ für eine Weile wieder Ruhe einkehren, obgleich der Auftritt der Wärterin einen Ausbruch von Zurufen auslöste.

Bis zur Mitte des zweiten Aufzugs waren die Umgangsformen fest etabliert. Romeo und Julia waren zu respektieren, zumindest mußte man ihnen erlauben, ihre Texte in relativer Stille aufzusagen. Mercutio, die Wärterin und, sobald er auftrat, Bruder Lorenzo, waren zu Feinden ausersehen, die verhöhnt, beschimpft, bedroht und mit Geschrei traktiert wurden. Der allgemeine Jubel über den Tod Mercutios in der ersten Szene des dritten Aufzugs ließ die Handlung für mehr als fünf Minuten zum Erliegen kommen. Ein persönlicher Appell Romeos brachte sie wieder in Gang, aber um den Schwung war es geschehen. In ihrem Monolog zu Beginn der zweiten Szene des dritten Aufzugs war Julia ohne die Unterstützung von Romeos Gegenwart, statt dessen in Begleitung der verhaßten Wärterin, und ihre dramatische Kraft war derjenigen Romeos unterlegen. Eine Passage jedoch schien sie zu verstehen und trug sie mit einiger Überzeugungskraft vor:

»Komm, milde, liebevolle Nacht! Komm, gib
Mir meinen Romeo! Und stirbt er einst,
Nimm ihn, zerteil in kleine Sterne ihn:
Er wird des Himmels Antlitz so verschönen,
Daß alle Welt sich in die Nacht verliebt,
Und niemand mehr der eitlen Sonne huldigt. –«

Dem unruhigen Gemurmel tat dies allerdings keinen Abbruch.

Das Ende kam oder begann mit dem neuerlichen Auftreten der Wärterin. Die Aussicht, mehr von ihr hören zu müssen, schien plötzlich unerträglich. Anders als die Kirchengemeinde, hatten die Theaterbesucher gedacht, sie hätten eine Idee davon, was sie erwartete, und zeigten sich nun enttäuscht. Sie hatten sich auf einen vergnügten Abend gefreut und waren verwirrt und gelangweilt. Man hatte ihnen immer wieder gesagt, daß dies ein bedeutendes Stück von einem großen Engländer sei, und sie konnten nichts daran finden. Sie hatten diese lächerlichen Kleider angezogen und waren hierhergekommen, um sich zum Narren halten zu lassen. Es war, was einige von ihnen von Anfang an behauptet hatten – ein dummer Streich von diesen Scheißern.

An den folgenden Ereignissen war fast niemand unbeteiligt, und innerhalb des Publikums gab es keine Gegenströmung. Zurufe, Gestikulieren, gegenseitige Versicherungen, daß es kein lustiges Stück und nicht gut genug sei, dann standen sie in Massen auf und drängten langsam vorwärts zu dem Raum zwischen der ersten Reihe und dem Orchestergraben. Das halbe Dutzend ausgebildeter Platzanweiser wurde hilflos mitgezogen. Die Bereitschaftspolizei war durch elektronischen Alarm bereits verständigt, brauchte aber mehrere Minuten, um den Schauplatz des Geschehens zu erreichen. Die Menge schien mehr empört als bedrohlich und gab sich anfangs mit verbaler Aggression zufrieden. Romeo, Julia, Capulet, Benvolio und Prinz Escalus standen am Bühnenrand und versuchten die aufgebrachte Menge mit Gesten zu beschwichtigen; Worte wären im vielstimmigen Geschrei ungehört verhallt. Dann machten einige jüngere Männer sich daran, die Schranke zum Orchestergraben zu überklettern, offensichtlich in der Absicht, von dort auf die Bühne zu gelangen. Diejenigen von ihnen, die am nächsten Tag verhört wurden, sagten aus, sie hätten keine tätlichen Angriffe beabsichtigt gehabt und nur die Kulissen und Requisiten umwerfen wollen, aber es war verständlich, daß die Schauspieler sich bedroht fühlten, von der Bühne abgingen und das Weite suchten, solange man sie nicht daran hinderte.

Alexander, der auf halbem Weg zur Bühne im Mittelgang stand, konnte diese und die folgenden Ereignisse ungehindert beobachten. Kurze Zeit blieb die Bühne leer. Dann kamen Romeo und Benvolio wieder aus den Kulissen gelaufen und stürmten auf die Vorbühne. Sie brüllten aus Leibeskräften in die Menge, aber was sie riefen, blieb im Lärm unhörbar, für Alexander ebenso wie für den Rest der Menge; niemand beachtete die beiden. Wie es schien, riefen sie immer wieder ein einziges Wort, und er bemühte sich angestrengt, dieses Wort zu verstehen. Zwar gelang ihm dies in dem allgemeinen Aufruhr nicht, aber er brauchte nicht lange zu warten, bis die Antwort sich von selbst einstellte. In einer höchst schauspielmäßigen Weise zog eine dichte und bemerkenswert rasch sich ausbreitende Rauchwolke aus den Kulissen von Capulets Garten hervor. Gleichzeitig wurde die verborgene Tür neben der Bühne aufgestoßen, aus der Aram Sevadian und Theodor zu ihm gekommen waren, als er der Probe beigewohnt hatte. Bühnenarbeiter und Schauspieler eilten aus dieser Tür, ein unbedeutenderer Montague, ein ebenso unbedeutender Capulet, Leute aus dem Gefolge des Prinzen, ein Mann, der als Mercutio erkenntlich war. Einige aus der durcheinanderwogenden Menge erkannten ihn, aber bevor er angegriffen oder beschimpft werden konnte, hatten andere den Rauch gesehen, der sich nun viel dichter und ausgebreiteter als zuerst aus dem Bühnenhaus wälzte.

Das Geschrei hörte auf, oder schlug vielmehr um in unnötige aber verständliche Rufe wie »Feuer!« und »Es brennt!« Alexander blickte wieder zur Bühne. Romeo und Benvolio waren nirgendwo zu sehen; sie konnten nur in den Zuschauerraum herabgestiegen sein. Einer nach dem anderen kamen Prinz Escalus, ein Bühnenarbeiter und ein Mädchen aus dem Rauch und kletterten von der Bühne, offenbar außerstande, die Seitentür zu erreichen, die von Mercutios Gruppe benutzt worden war. Wo war Sarah? Endlich sah er sie, noch immer als Julia gekleidet, rennend, hustend, eine Tasche unter dem Arm. Sie erreichte die Vorbühne und versuchte die Kluft zur Barriere zu überwinden, war aber durch ihre Tasche behindert, sprang zu kurz und fiel in den Orchestergraben. Alexander handelte schnell. Er hatte sich in eine der Sitzreihen begeben, um der Menge nicht im Wege zu sein, die den Mittelgang hinauf zu den Ausgängen brandete; nun stieg er über die Sitzlehnen der Reihen vor ihm, bis er die erste Reihe erreichte. Für einen Mann seiner Körperkraft war es nicht schwierig, sich durch das Gedränge zur Barriere durchzukämpfen und sich hinaufzuschwingen, um hinüberzusehen.

Der Boden des Orchestergrabens, der sich bereits mit Rauch zu füllen begann, war ungefähr zwei Meter unter ihm. Sarah Harland lag halb aufgerichtet hustend und keuchend am Boden und versuchte auf die Füße zu kommen, aber offenbar wegen ihres Sturzes ohne Erfolg. Sie sah ihn sofort, erkannte ihn und bat ihn stumm, aber unverkennbar um Hilfe. Er überlegte. Es würde ihm ein Leichtes sein, hineinzukommen, und nicht allzu schwierig, ihr herauszuhelfen. Schwierig würde es erst, wenn er dann versuchte, selbst aus dem Orchestergraben herauszukommen. Sie konnte ihm nicht helfen, andere würden es nicht tun, und der Graben war ohne Mobiliar, völlig ausgeräumt, und es gab nichts, worauf er hätte steigen könne. Er würde sich ausschließlich auf die Kraft seiner Arme verlassen müssen, und ob er es schaffen könnte, würde davon abhängen, wie weit er hinaufreichen müßte. Von seinem Platz hatte es den Anschein, als könnte es zu weit sein. Es mochte sein, daß er den Rand der Brüstung, auf der er saß, von unten nicht würde erreichen können; das war genug. Seine Entscheidung mußte sich in seinen Zügen gezeigt haben, denn in ihr Gesicht kam ein Ausdruck völlig unüberraschter Verachtung, ein furchtbarer Ausdruck, der ihn bis zu seinem Todestag heimsuchen sollte. Er wandte sich weg, um Kitty zu suchen, für die er schließlich in einem viel höheren Maß verantwortlich war.

Riesige gerundete Rauchwolken quollen aus Türen und Fenstern des Theatergebäudes und verhüllten seine Fassade. Im Inneren war der eiserne Vorhang, dessen Mechanismus versagt hatte oder dessen Bedienungspersonal geflohen war, weniger als halb heruntergelassen; die aus dem Bühnenhaus schlagenden Flammen erfaßten bereits die Vorbühne. Freilich hätte er Sarah Harland auch nicht retten können, wenn er ganz heruntergelassen worden wäre. Sie starb an Rauchvergiftung, wenige Minuten nachdem Alexander sie verlassen hatte, das einzige Todesopfer des Theaterbrandes.

Bald wurde festgestellt, daß dieser vorsätzlich gelegt worden war, aber der Brandstifter wurde niemals gefaßt, noch konnte sein Tatmotiv zweifelsfrei geklärt werden. Ein feindlich gesinnter Kritiker der so beendeten Vorstellung würde keine Zeit gehabt haben, das zur Brandstiftung benötigte Material herbeizuschaffen; von einem rechtschaffenen Gegner des Festivals hätte man vielleicht erwarten dürfen, daß er für seinen Brandanschlag eine Zeit ausgewählt hätte, als das Gebäude leerstand. Am meisten Anklang fand die Theorie, daß es sich bei dem Schuldigen um einen verrückten Vorkrieger gehandelt haben müsse, der darauf aus gewesen sei, das Theater selbst, die Schauspieler und Bühnenarbeiter, das Publikum und alle anderen Beteiligten dafür zu bestrafen, daß sie in verschiedener Weise mit dem Unterdrücker kollaboriert hatten; er habe die Absicht verfolgt, allen einen gehörigen Schrecken einzujagen, und hätte wahrscheinlich auch keine Tränen vergossen, wenn viel mehr als eine Person zu Tode gekommen wären. Aber auch für diese Ansicht gab es keine Beweise.

Alexander kehrte noch am selben Abend zur Kaserne zurück; für den kommenden Morgen um acht Uhr war eine Truppeninspektion angesetzt. Obwohl es noch nicht sehr spät war, lag die Offiziersmesse verlassen. Dies mißfiel ihm; ausnahmsweise verlangte ihn nach Kameradschaft. In der Bar nahm er eine Flasche Bier aus dem Kühlfach, stellte sie wieder zurück und schenke sich statt dessen einen doppelten Wodka ein. Der bevorstehende Nachmittag würde seine höchst wichtige Sitzung mit Frau Korotschenko sehen; bald waren seine Gedanken ganz und gar darauf fixiert. Sie hatte ihre Unvollkommenheiten, doch wenn es darum ging, die Aufmerksamkeit einzufangen und zu fesseln, selbst aus der Ferne, war sie äußerst wirkungsvoll.

ACHTZEHN

Am nächsten Morgen um sieben frühstückten vier Offiziere in der Messe: Alexander, Viktor, Dmitri und Wsewolod, der aggressive Weißrusse, der eingeflogen worden war, um Leos Stelle einzunehmen. Boris hatte bereits gegessen und war an die Arbeit gegangen; Major Yakir und Georg, sein Stellvertreter, waren noch in ihren Räumen. Die Morgensonne schien freundlich zu den Fenstern herein, aber die vorherrschende Stimmung war alles andere als heiter: unruhig, sogar nervös, vielleicht unter dem Einfluß der hohen Luftfeuchtigkeit, des sinkenden Luftdrucks und der unnatürlichen Reglosigkeit der Luft, die ein schwerer Wolkenbruch in den frühen Morgenstunden nicht hatte lindern können. Dmitri schien unter diesen atmosphärischen Verhältnissen am wenigsten zu leiden, nahm sich ein zweites gekochtes Ei aus dem Korb, überflog die Morgenausgabe der *Angliskaja Prawda* und fand darin Interessantes. Ein Artikel auf der letzten Seite entlockte ihm ein überraschtes Grunzen.

»Hört mal her, Leute!« sagte er. »Anscheinend gab es gestern abend in Northampton ein Großfeuer. Im Theater dort – sie führten gerade irgendein altes englisches Stück auf. Scheint ein Mordsbrand gewesen zu sein.«

»Wenn schon?« sagte Wsewolod. Er hatte ein rotes Gesicht, borstiges Haar und vorquellende Augen, was insgesamt nur zu gut zu seinen Manieren paßte.

»Nun, ich dachte bloß, jemand könnte sich dafür interessieren. Gegen alle Erwartungen passiert hin und wieder doch etwas in diesem deprimierend unwichtigen Winkel der Welt. Mehr nicht.«

»Ich finde, es reicht, vielen Dank«, sagte Viktor. Er hatte den Ellbogen auf den Tisch gestützt und die Stirn in der Hand. Sein Frühstück hatte aus drei Gläsern Mineralwasser und einer Zigarette bestanden. »Jedenfalls brauchst du deswegen nicht herumzuschreien.«

»Entschuldige. Ein Mädchen kam dabei um, steht hier. Engländerin. Sie hatte in dem Stück mitgespielt. Erstickt am Rauch und den giftigen Gasen. Ist das nicht furchtbar?«

»Nicht so furchtbar wie das, was du in meinem Schädel anrichtest.«

»Da hat Alexander eine Chance verpaßt.« Wsewolod strich grinsend Kirschenmarmelade auf Weißbrot mit Butter. »Wenn er in der Nähe gewesen wäre, hätte er sich durch die Flammen gekämpft, das Mädchen mit kräftigen Armen an sich gerissen und wäre mit ihr davongaloppiert.«

Alexander sagte finster: »Am Arsch, Mann! Geh nach Haus und scheiß deiner Mutter ins Nähkörbchen! In dieser Truppe dienen wir eine Zeitlang, bevor wir anfangen, witzig zu werden. Ist das klar?«

»Ja, Petrowsky.«

»Vergiß das nicht! Was gibt es?« sagte er zu dem diensttuenden Gefreiten, der gerade hereingekommen war.

»Ihre Ordonnanz wartet draußen, Herr Fähnrich.«

Ohne ein weiteres Wort warf Alexander seine Serviette auf den Tisch und schritt hinaus. Um den Tisch erhob sich ein erleichtertes und amüsiertes Gemurmel.

»Verträgt er keinen Spaß«? fragte Wsewolod.

»Im allgemeinen schon«, sagte Dmitri. »Bei anderer Gelegenheit hätte er vor Lachen gebrüllt. Es hängt allein von seiner Stimmung ab. Wahrscheinlich macht er sich Sorgen wegen des Kriegsgerichts. Ich kann es verstehen.«

Viktor blickte verdrießlich auf den Tisch. »Warum geht es nicht voran mit der verwünschten Geschichte? Seit einer Woche ist der Militärstaatsanwalt schon da. Was macht er?«

»Vielleicht betrinkt er sich«, sagte Wsewolod.

»Das kommt darauf an, wieviel Verstand er hat«, erwiderte Viktor.

Dmitri schmunzelte und sagte nicht ohne Bewunderung: »Du läßt jedenfalls keine Gelegenheit aus, wie?«

»Scheiß drauf!« sagte Viktor. »Ich glaube, ich fühle mich jetzt gut genug, daß ich eine Tasse Tee riskieren kann.«

Die schwüle Luft draußen brachte keine Erleichterung. In weiter Ferne zogen graue Wolkenbänke träge dahin. Die Ordonnanz, ein knochiger junger Bursche mit kurzgeschorenem Kopf und einem zuckenden Augenlid, nahm Haltung an und salutierte – zackig, hätten viele gesagt, aber Alexander nicht, nicht an diesem Morgen.

»Rühren! Achtung! Na, ich will meine Zeit nicht vergeuden. Was gibt es?«

»Unteroffizier Ulmanis läßt Ihnen dies übergeben, Herr Fähnrich. Soeben eingetroffen.«

Alexander nahm den Umschlag entgegen. Der war ziemlich unsauber, aber das fiel ihm nicht auf. Briefumschläge waren meistens unsauber. Dieser enthielt eine formlose handschriftliche Notiz von Oberstleutnant Tabidze, der ihn für zwei Uhr nachmittags zu Cocktails und Tee einlud. Wenn der Empfang viel länger als eine halbe Stunde dauerte, würde er sich bei Frau Korotschenko verspäten. Nun, das ließ sich ertragen.

»Soll ich eine Antwort überbringen?«

»Nein, aber sehen Sie zu, daß Ihre Hose gebügelt ist, bevor Sie zum Appell antreten, oder es setzt einen Verweis. Also los!«

Die Truppeninspektion verlief ohne Zwischenfall. Alexander aß frühzeitig zu Mittag, ließ Polly satteln und ritt zum Haus der Tabidzes, wo der Oberst immer häufiger seine dienstfreien Stunden zuzubringen pflegte. Es war ein hübscher viktorianischer Ziegelbau mit dem Erkertürmchen an beiden Ecken und einer aus Gußeisen konstruierten überdachten Veranda und mußte in den Tagen, bevor die umgebende Gruppe schottischer Kiefern abgeholzt worden war, einen eindrucksvollen Anblick geboten haben. Von einer Fahnenstange am Dach der Veranda hing die Regimentsstandarte schlaff in der windstillen Luft. Ein Diener nahm Polly am Zügel und führte sie fort; ein anderer öffnete die Haustür, sowie er klopfte, führte ihn durch einen ziemlich dunklen Hausgang, wo es stark nach Möbelpolitur und ein wenig nach Exkrementen roch, und öffnete ihm die Tür zu einem Zimmer am rückwärtigen Ende. Dies war die Bibliothek, die diesen Namen trug, weil eine Wand zum Teil mit Bücherregalen bedeckt war; anderswo waren Sportpokale, Landkarten, Fotografien von Reihen strengblickender Männer in Uniform und andere Gegenstände von untadelig soldatischer Art zu sehen. Alexander hatte glückliche, aber lückenhafte Kindheitserinnerungen von alledem.

»Ah, mein lieber Junge, wie nett von dir, daß du gekommen bist.« Tabidze, in einer Ziviljacke mit Gürtel, die seine schlanke Gestalt zur Geltung brachte, eilte auf ihn zu und schüttelte ihm herzlich die Hand. »Welch unangenehm schwüle Hitze. Sollte mich nicht wundern, wenn ein Gewitter im Anzug wäre. Ich muß sagen, ich hoffe es. Laß mich frischen Tee aufgießen; dieses Zeug ist nur noch geeignet, um die Rosen damit zu gießen. Nimm dir ein Glas, was du willst, Junge. Und versuch dazu einen von diesen Haferkuchen – eine alte Spezialität aus der Gegend von Northampton, wie man mir sagte. Nun, was macht mein ehrenwerter Freund, Major Yakir?«

Während er sich selbst ein kleines Glas Glenlivet einschenkte und zusah, wie der andere sich am Samowar zu schaffen machte, beantwortete Alexander diese und andere Fragen, die ihr folgten. Er beantwortete sie sorgfältig, denn obgleich er ziemlich genau wußte, was ihn erwartete, und sich davon nicht weiter anfechten ließ, befand er sich in einem Zustand qualvoller Unruhe. Es war normal für seinen kommandierenden Offizier und Busenfreund seines Vaters, daß er sich familiär und ausführlich zu allem äußerte, normalerweise aber verfolgte er dabei zielbewußt einen Punkt zur Zeit. Dieses richtungslose Geplauder paßte nicht ins Bild; mittlerweile hatte er sich zusammenhanglosen Erinnerungen zugewandt. Ebenso ungewöhnlich war, daß er seinem Besucher noch nicht in die Augen gesehen hatte.

Sie machten es sich in zwei Kunstledersesseln bequem (wenigstens körperlich), die einander vor dem leeren Kamin gegenüber standen. In Alexanders Reichweite stand ein runder kleiner Tisch, der mit Tee, Whisky, Haferkuchen, Schokoladen und Zigaretten beladen war. Tabidze nippte von einem Glas Weißwein.

»Nimm von der Schokolade, Alexander – sie paßt auch gut zum Whisky.«

»Nein, vielen Dank.«

»Dann nimm eine Zigarette!«

»Das werde ich, danke.«

»Dann laß uns gleich zur Sache kommen«, fuhr Tabidze fort. Sein Tonfall drückte mehr Zögern aus als seine Worte. »Ich habe später noch zu tun, und dir wird es nicht anders ergehen. Zuallererst: dies hat nichts mit deinem Kriegsgerichtsverfahren zu tun, also können wir das von Anfang an beiseite lassen. Aber ich will dir sagen, daß die Verhandlung für Dienstag angesetzt ist und, im Vertrauen, daß die Militärrichter geneigt sind, die Angelegenheit nachsichtig zu beurteilen, wenigstens in deinem Fall als dem leichtesten. Du wirst wahrscheinlich mit einem ernsten Verweis und einer befristeten Beförderungssperre davonkommen.«

Alexander sagte nichts, weil er sich nichts dabei dachte, daß das Urteil schon vor dem Beginn der Verhandlung bestimmt wurde. Die Mißstimmung und innere Unruhe, die seit dem Erwachen auf ihm gelastet, hob sich ein wenig. Das Kriegsgerichtsverfahren würde niemals stattfinden, aber es war angenehm, in Schutz genommen zu werden, selbst in einer so unwichtigen Sache. Er murmelte etwas und schaute angemessen bescheiden, dankbar und so weiter drein. Dann machte er eine besorgte Miene und fragte, nur weil die Situation es zu verlangen schien:

»Wie steht es mit den anderen?«

»Da wird es weniger Nachsicht geben. Aber auch keine unnötige Härte.«

Er hatte gerade angefangen, erleichtert auszusehen, als Tabidze ihn mit einer ebenso unerwarteten wie offensiven Frage gründlich aus der Fassung brachte.

»Was ist an dem Abend wirklich passiert?«

(Sie war offensiv, weil sie als selbstverständlich voraussetzte, daß er vorher gelogen hatte.) Aber schon bald fing er sich wieder, wozu die Überlegung hilfreich war, daß in ein paar Tagen nichts von alledem eine Rolle spielen würde. Mit äußerster Ernsthaftigkeit sagte er:

»Ich war überhaupt nicht dabei. Nach meiner ersten Erfahrung mit diesem Spiel hielt ich mich von der Sache fern. Ich wollte nichts damit zu schaffen haben. Aber es stimmt, daß es für Leo ein bevorzugter Zeitvertreib war. Er überredete die anderen dazu. Er muß verrückt gewesen sein.«

»Er war eine Spielernatur. Und du bist natürlich keine; so etwas paßt nicht zu einem ehrgeizigen jungen Offizier. Was mich ein wenig verwundert. Ich kann nicht verstehen, warum du nicht hingegangen bist und deinem Schwadronschef Bericht erstattet hast. Sicherlich muß es dir etwas ... auferlegt haben.«

Tabidzes Benehmen verriet eine gewisse Entspannung, vielleicht, weil er das Dienstliche zurückgestellt hatte, es sei denn, diese Diskussion über Motive war dienstlich. Jedenfalls sah er Alexander jetzt in die Augen.

»Aber ich hatte mein Ehrenwort gegeben«, sagte Alexander mit einem Hauch von heiliger Einfalt. »Sie weigerten sich, mir irgend etwas über das Spiel zu verraten, bevor ich es ihnen geben würde.«

»Aber dein Eid hat Vorrang vor allen derartigen Verpflichtungen.«

»Darauf wies auch Major Yakir hin. Ich will mich nicht rechtfertigen; ich will nur meinen Grund angeben.«

»Also legst du dich auch auf die Ritterlichkeit. Du machst dir das Leben wirklich nicht leicht, wie? Ich meine, wir müssen uns mit der Tatsache abfinden, daß ein pflichtbewußter junger Offizier ständig zu Verhaltensweisen gezwungen ist, die ein ritterlicher und kameradschaftlicher Mann unerträglich finden würde. Anders herum gilt natürlich das gleiche. Sag mir, praktizierst du Ritterlichkeit auch in deinem Umgang mit Frauen?«

Bevor er antwortete, drückte Alexander seine Zigarette in

einem silbernen Aschenbecher aus, der überall dort, wo die Versilberung nicht abgewetzt oder korrodiert, blitzblank poliert war. War dies alles ein ausgeklügelter Spott? Es schien ihm unwahrscheinlich. Aber dieses Geplauder am Anfang ...

»Nun«, sagte er schließlich, »vielleicht darf ich es so ausdrücken. In diesem Bereich praktiziere ich Ritterlichkeit so weit wie möglich.«

»Das reicht nicht sehr weit, wie?« sagte Tabidze mit einem Schmunzeln. Er stellte sein Glas weg, dann schweifte sein Blick ab, und er hob die Brauen. »Das bringt mich auf etwas ... Mein Junge, ich kenne dich schon länger, als du dich erinnern kannst, seit ich ein schneidiger junger Hauptmann war, gerade zum Adjutanten des alten Oberst Khvylovy ernannt. Vielleicht erinnerst du dich an ihn. Ein sehr aufrechter alter Knabe mit vorstehenden Zähnen und der Angewohnheit, mit den Fingern zu schnippen, wenn er etwas erläuterte. Wie auch immer, ich will damit sagen, daß ich ein alter Freund bin, ein alter Freund von dir und deiner Familie. Du mußt wissen, wie hoch ich deinen Vater schätze. Und auch deine Mutter. Also vergiß einen Augenblick, daß ich dein kommandierender Offizier bin. Und noch etwas: es ist weder Vorwurf noch Mißbilligung darin, was ich sagen werde. Es ist nur ein Rat. Ein warnendes Wort von einem alten Freund. Kannst du das akzeptieren?«

»Ja, Onkel Nick.« Alexander war nie in seinem Leben neugieriger gewesen.

»Ach, wie viele Jahre sind seitdem vergangen! Es ist nicht gut, darüber nachzudenken. Nun, es wird nur eine Minute dauern. Man hat mir gesagt ... – und wir brauchen keine Zeit mit der Frage zu vergeuden, wer es mir sagte – man hat mir gesagt, daß du dich in äußerst verrufene Gesellschaft begeben hast.«

Der letztere Satz stimmte fast aufs Wort mit Alexanders Ahnung davon überein, was ihn im Laufe dieses Besuches erwarten würde; außerdem enthielt er eine sehr treffende Umschreibung des Tatbestandes. Alle sonstigen drückenden Vorahnungen lösten sich auf; der alte Dummkopf hatte seinen Stichel schon so lange in seinem Korsett erwürgt, daß er ganz verdattert war, wenn er sich zu erinnern versuchte, wozu er eigentlich da sein mochte. Und diese sich überall einmischende alte Vettel von seiner Frau hatte die Geschichte tatsächlich herumgetratscht, wie er damals schon halb befürchtet hatte. Selbst nach jahrelangen Versuchen war es ihm niemals wirklich geglückt, auf Befehl zu erröten, aber er war mit der Zeit in all den begleitenden Gesichts- und Körperbewegungen so gut geworden, daß eine Veränderung der Gesichtsfarbe geradezu ein Zugeständnis an unnötigem Purismus gewesen wäre. Er brachte jetzt eine vollendete Darbietung jener Verlegenheitssignale und murmelte etwas, was unhörbar sein sollte, nachdem er die Leugnung instinktiv als unglaubhaft und darum unproduktiv verworfen hatte. Die nächsten Worte bewiesen, wie gesund dieser Instinkt war.

»In unserer Jugend verstoßen wir alle von Zeit zu Zeit gegen unser besseres Urteil. Ich bin noch nicht so tief im Alter versunken, daß ich mich nicht an eigene Dummheiten erinnern könnte. Das ist verständlich und verzeihlich; vielleicht ist es sogar notwendig. Aber das Beharren auf solchen Dummheiten ist es nicht. Den Kopf verlieren, sich hinreißen lassen, ist eine Sache; sich bewußt auf fehlgeleitetes Handeln einlassen und es vorsätzlich vorantreiben, ist etwas völlig anderes. Verstehst du mich so weit?«

»Ja, natürlich.« Was für ein Mensch müßte es sein, der das nicht verstanden haben würde.

»Früher oder später, weißt du, müssen wir umkehren, und zwar besser früher als später. Schließlich gibt es so etwas wie Umsicht und gesunden Menschenverstand. Du mußt das immense Gewicht dessen in Betracht ziehen, was als allgemein akzeptierte Norm der Umgangsformen und Lebensweisen gilt. Wirst du – ich bitte dich darum – wirst du dieses unheilvolle Abenteuer aufgeben? Bitte zwinge mich nicht dazu, auf Einzelheiten einzugehen.«

Alexander ließ den Kopf hängen. »Weißt du, Onkel

Nick«, sagte er in interessiertem Ton, »manchmal ist es komisch, wie die Dinge sich entwickeln.« Während er sprach, sagte er sich, daß er nächste Woche imstande sein würde, Frau Korotschenko am hellichten Tag mitten auf dem Marktplatz von Northampton zu vögeln, wenn ihm danach wäre und wenn sie es nicht zu eintönig finden würde. »Man weiß, daß man etwas tun sollte«, plapperte er gedankenlos weiter, »tatsächlich möchte man es tun, bringt es aber einfach nicht über sich. Mangel an Willenskraft oder Energie oder was. Und dann plötzlich, aus heiterem Himmel, wenn man meint, es wird nie passieren, ergibt sich etwas und wirkt wie ein Rippenstoß, und auf einmal ist man auf der anderen Seite der Kluft. Man hat die Entscheidung getroffen und wird sie nie wieder rückgängig machen. Nun, so ist es gerade mir ergangen, als du sprachst. Ich werde es abbrechen, Onkel Nick. Ich habe es in Wirklichkeit schon getan. Es muß nur noch bekanntgemacht werden.«

Tabidze, der seinen Worten mit eifrigem Kopfnicken und einem sich mehr und mehr verbreiternden Lächeln gelauscht hatte, kam zu ihm und umarmte ihn. »Ich bin erfreut! Welch eine Erleichterung! Es ist vernünftig von dir, Junge, rechtzeitig auszusteigen, ehe aus der Jugendtorheit etwas Schlimmeres wird. Du kannst dir nicht vorstellen, wie froh ich bin, diese Worte von dir zu hören. Welche natürlich vertraulich sind, wie alles, was ich zu dir gesagt habe. Trink noch etwas, mein Lieber! Nein, ich bestehe darauf! Ich werde dir Gesellschaft leisten.«

Ein paar Minuten später sagte Alexander: »Nun, du hattest ganz recht, ich habe noch zu tun«, und kicherte inwendig.

»Bevor du gehst, mußt du noch ein Wort mit Agatha wechseln. Sie würde es mir nie verzeihen, wenn ich dich so gehen ließe. Im Garten, unnötig zu sagen. Wenn das Wetter nur halbwegs erträglich ist, bringt man sie nicht heraus.«

Frau Tabidze kniete hinter dem Haus auf einer gummiartigen Matte, zweifellos der Bequemlichkeit zuliebe, da ihre grüne Drillichhose kaum hätte schmutziger sein können. Sie bearbeitete eine lange Reihe verschiedener kleiner

Pflanzen mit einer Gartenschere. Als sie Alexander erblickte, lächelte sie erfreut, stand auf und zog ihre gleichfalls schmutzigen Handschuhe aus. Sie umarmten einander; er mochte sie sehr, insoweit er überhaupt jemanden mochte. Nach der Umarmung blickte er in geheucheltem Interesse umher.

»Der Garten sieht wirklich herrlich aus, Agatha«, sagte er, bemüht, Aufrichtigkeit in seine Stimme zu zwingen. »Die verdienten Früchte deiner Arbeit.«

Sie warf ihrem Mann einen Blick zu und lachte. »Und das von jemandem, der ein Gänseblümchen nicht von einer Herbstrose unterscheiden kann! Das nenne ich ein hübsches Kompliment. Es gibt nichts so Unwissendes wie einen Mann, wenn er nicht auf seinem Gebiet ist.« Sie wandte sich um. »Was schaust du so selbstzufrieden?«

»Oh, Alexander hat mir eine sehr zufriedenstellende Meldung gemacht.«

»Nach deinem strahlenden Gesicht zu urteilen, muß er gemeldet haben, daß Sie dich zum General machen wollen.«

»Nichts dergleichen.«

Während dieses Wortwechsels kam Alexander eine Sache in den Sinn, die wenigstens einen Funken von echtem Interesse in ihm weckte. »Ich wollte dich schon fragen, Agatha: du erinnerst dich, wie du bei unserer Abendgesellschaft als Wahrsagerin Karten legtest? Die letzte Person war eine gewisse Dame«, sagte er und spürte befriedigt, daß er imstande war, mit beispielloser Natürlichkeit zu sprechen, »und am Ende geschah etwas, was dich sehr überraschte. Was war das?«

Ihr Miene hatte sich bei Erwähnung der Dame verändert, gewann nun aber den früheren Ausdruck zurück, als sie antwortete. »Ja, es war sehr seltsam. Weißt du, ich hatte die Herzsieben in der aktiven Position naher Zukunft aufgedeckt, und dort bedeutet sie, wie du gehört hast, daß die betreffende Person bald eine Tat von außergewöhnlicher Tugend verrichten wird. Nun, in einer Weise ist das natürlich nicht weiter bemerkenswert, theoretisch kann jede Karte zu jeder Zeit auftauchen, aber was mich erschütterte, war der Umstand, daß ich die Herzsieben vorher schon aufgedeckt hatte, als sie etwas war, was wir eine tote Karte nennen, die nichts bedeutet. Ich war mir dessen so sicher, daß ich alles darauf gewettet hätte. Aber als ich nachsah, wo sie vorher gewesen war – wo ich dachte, daß sie vorher gewesen sei –, war sie nicht dort. Nikola sagt, es müsse die Karosieben gewesen sein, die ich sah, aber andererseits ... Nun, das war der Grund meiner Verblüffung. Sehr seltsam. Wohlgemerkt, die ganze Sache ist seltsam, ich meine, das Wahrsagen durch Karten. Wußtest du, daß es eine anerkannte Form der Weissagung ist? O ja. Man nennt es Kartomantie. Reicht Jahrhunderte zurück. Du wirst mich auslachen, aber ich glaube, daß etwas daran ist. Ja, wirklich! Es wird interessant sein zu sehen, wie meine Weissagung sich erweisen wird. Nicht, daß man wirklich erwarten würde ... Aber lassen wir das lieber. Wie geht es zu Hause?«

Alexander sagte es ihr und verabschiedete sich kurz darauf. Ein Punkt in ihrem Gespräch hatte ihm zu denken gegeben, aber er entsann sich jetzt nicht mehr der Umstände. Als er davonritt, schob er die Frage von sich. Ja, dachte er bei sich, es mochte wohl etwas an der – wie hieß es noch gleich? – Kartomantie sein. Vielleicht mehr, vielleicht weniger als an Hellseherei, Chiromantie, fliegenden Untertassen, Telepathie, Gesundbeten, Leberbeschau, Religion, dem Unbewußten, der Religion, der Hohlwelt-Theorie, Astrologie, Relativität, dem Ungeheuer von Loch Ness, Spiritualismus, Reinkarnation und dem Glauben, daß die Erde von Wesen aus dem Weltraum besiedelt worden sei. Aber es war etwas daran, an all diesen Lehren und Theorien, für jeden etwas.

Die Überlegung, was dieses Etwas war, half Alexander auf dem Weg zum Haus der Korotschenko wenigstens, alle Gedanken daran, was vor ihm lag, so weit wie möglich von sich zu schieben. Dies tat er nicht nur, weil es an sich unklug war, im Sattel eines trabenden Pferdes solchen Gedanken nachzuhängen; vorher schon hatte er gefunden, daß seine normalerweise angenehmen lüsternen Erwartungen mit dem Vorrücken der Stunden von einer gewissen Verdüsterung überschattet wurden, einer beinahe mißmutigen Neugierde, die man am besten unterdrückte. Ein Dressurakt, dachte er. Das war es. Das beschrieb die Erfahrung einer ausgesucht schweren Prüfung, die einem von jemand anderem aufgezwungen wurde. Nach der eskalierenden Ungezwungenheit der zurückliegenden Prüfungen zu urteilen, würde der heutige Dressurakt mit neuerlichen Erschwernissen aufwarten.

Es dauerte einige Zeit, bis er feststellen konnte, woraus dieser Dressurakt bestand, noch länger als erwartet. Nach zehnminütiger Suche, in welche er scharfsinnig alle Geschirr- und Kleiderschränke einbezog, dazu die Verstecke unter den Betten und sogar eine nicht allzu große Truhe in der Ecke einer Rumpelkammer, folgerte er, daß das Haus leer sei. In diesem Stadium fiel ihm ein, daß auf dem Bretterzaun vor dem Haus keine männlichen Geschlechtsteile abgebildet gewesen waren; vielleicht hatte Frau Korotschenko ihr Schild abgenommen und war weitergezogen. Dann hörte er in der Stille ein Schwein quieken, genau wie letztes Mal, und beschloß, daß es nicht schaden könnte, wenn er sich auch dort vergewisserte, wo das Geräusch herkam.

Außerhalb der Hintertür trieb sich eine Anzahl Schweine in einer von drei Seiten umzäunten Einfriedung herum, die außerdem Hühner, Enten, einen Ententeich, einen Misthaufen, einen Leiterwagen mit drei Rädern, einen Hundekarren mit einem Rad und einen großen Haufen Kartons enthielt, die nach dem nächtlichen Regenguß völlig durchweicht waren. Am anderen Ende stand eine große Scheune mit Stall, einem Ziegeldach und einer offenen Einfahrt in der Mitte. Alexander ging vorsichtig balancierend hinüber und schaute hinein.

Seine Suche war beendet. Mutter und Tochter, nackt wie gewöhnlich, saßen nebeneinander auf einer Art Küchentisch in der Mitte der Tenne. Sobald sie seiner ansichtig wurden, kamen sie in Bewegung; die Mutter kroch in ihrer plumpen Art auf den Tisch, die Tochter sprang herunter. Er bemerkte ein Seil, das über einen Balken geworfen war und an einem Ende zu einer Schlinge geknotet war, und spekulierte, ob das Arrangement bedeuten könnte, daß er Frau Korotschenko während des Liebesakts erhängen sollte, oder vielleicht sie ihn. Im Näherkommen sah er, daß auch am anderen Seilende eine Schlinge war, und daß sie damit beschäftigt war, sich eine davon über die Schultern zu streifen und unter den Achseln um sich zu legen, eine Arbeit, die sie rechtzeitig beendete, um ihm eine hilfreiche Hand hinzustrecken. Der Tisch bewegte sich ein paar Zentimeter, als er hinaufstieg; er vermutete, daß er auf Laufrollen geschraubt war, was ihm sonderbar vorkam. Bald war die zweite Schlinge um ihn gelegt, und nicht lange danach hatte der befürchtete Dressurakt begonnen. Er dauerte an, als der Tisch unter ihren Füßen herausgezogen wurde und sie zusammen in der Luft baumelten, dauerte weiter an, wenngleich mit großer Anstrengung, als Fräulen Korotschenko, die einiges von den Körperkräften ihrer Mutter geerbt zu haben schien, sie in immer weiteren Bogen hin und her schwingen ließ. Bald sausten sie wie ein riesiges Pendel durch die ganze Breite der Scheune, kamen für einen Augenblick in beinahe horizontaler Stellung dicht unter den spinnwebverhangenen, staubigen Brettern des Scheunenbodens zum Stillstand und stürzten wieder in die Tiefe. Indem es seinen Stößen einen seitlichen Impuls hinzufügte, bewegte das Mädchen sie in eine elipsenförmige Bahn, die sie seitwärts bis zu den Wänden der Tennendurchfahrt ausschwingen ließ. Damit nicht genug, teilte sie ihnen eine Drehbewegung mit, die sie während ihres sausenden Fluges bald in der einen, bald in der anderen Richtung um die gemeinsame Achse rotieren machte. Alexander dachte, es werde nie ein Ende nehmen, doch es nahm; es hatte gerade angefangen, als es einen leichten Ruck gab und er sich in einer völlig verschiedenen Bewegung durch die Luft fliegen sah, nämlich hinaus ins Sonnenlicht, ohne daß sein enger Kontakt mit Frau Korotschenko, die nun nahe seinem Ohr blökende Schreie ausstieß, verlorengegangen wäre; hinaus über die Schweine und das Geflügel und in den Haufen der Kartons, die dank der Nässe des Materials ihren Aufprall hinlänglich abfingen. Wären sie anderswo (außer auf den Misthaufen) heruntergekommen, hätten sie bestenfalls schwere Verletzungen erlitten. Als er sich ein wenig erholt hatte, sagte er: »Das war ein bißchen riskant, nicht?«

»Wie meinst du das?«

»Nun, du konntest ja nicht sicher gewesen sein, daß wir in diesem Haufen landen würden.«

»Du denkst, ich hätte das Seil absichtlich reißen lassen? Wie kommst du darauf? Wir hätten leicht getötet werden können.«

»Ja, das stimmt.«

»Du glaubst doch nicht, daß ich ein solches Risiko eingehen würde? Wozu, in Gottes Namen?«

»Warum nicht? Ich gebe zu, daß ich mir nicht vorstellen kann, wie du den notwendigen Auslösemechanismus entwickeln und installieren würdest, aber zu allem anderen bist du durchaus fähig.«

»Was für ein Unsinn«, sagte sie, weder beleidigt, noch erheitert oder verletzt, einfach verneinend.

Die Tochter war aufgehalten worden, weil sie sich vor Lachen am Boden gewälzt hatte. Nun kam sie zu ihnen, noch immer kichernd. »Das war furchtbar komisch, Mama. Hast du es absichtlich getan?«

»Natürlich nicht«, sagte Frau Korotschenko im selben nüchternen Ton wie zuvor.

»Würde es dir was ausmachen, wenn wir jetzt ins Haus gingen?« sagte Alexander. Er stand auf und streifte die Seilschlinge ab. »Ich glaube, ich würde mich jetzt gern eine Weile niedersetzen.«

Sie gingen durch die Küche, wo es viel schmutziges Geschirr und eine Menge Fliegen gab, und in den Salon, den er bei seinen früheren Besuchen nicht betreten hatte. Er ließ sich in einen Sessel mit einem zerrissenen geblümten Bezug sinken, und Frau Korotschenko und ihre Tochter betrachteten ihn mit erwartungsvollem Interesse, als ob er auf Verabredung gekommen wäre, um ihnen eine Versicherung zu verkaufen.

»Kann ich was zu trinken haben?« fragte er.

»Gewiß. Ich fürchte, es ist nur Wodka da.«

»Das ist mir recht.«

»Dascha, bring Herrn Petrowsky Wodka aus der Küche! Und ein Glas! Auf einem Tablett! Schnell, so ist es brav.«

Als das Mädchen gegangen war, fragte er: »Hast du diese Liste bekommen?«

»Und wenn ich sie habe? Was kannst du jetzt damit anfangen?«

»Bis ich weiß, daß du sie hast, kann ich dich nicht bestrafen, nicht?«

»Sie ist oben. Behältst du diesmal die Stiefel an?«

»Wenn du darauf bestehst.«

Sie schloß die Augen und stöhnte leise.

»Aber nur wir zwei«, fuhr er fort. »Diesmal kein Publikum.«

»Einverstanden.«

Sie ließen ihn lange genug allein, daß er die Backen aufblasen, sich die Augen reiben und einige Flüche murmeln konnte, aber nicht länger. Dascha kam mit seinem Wodka zurück, den sie geschickt einschenkte und ihm kredenzte. Nachdem sie ihn eine Zeitlang gemustert hatte, fragte sie:

»Sind Sie in der Armee oder bei der Polizei?«

»In der Armee.«

»Ich dachte, Sie wären bei der Polizei.«

»Nein, ich bin in der Armee.«

»Bumsen Sie viel?«

Er stürzte den Wodka in einem Zug hinunter. »Ziemlich viel.«

»Wie oft? Zweimal am Tag?«

»Ich denke, wenn du den Durchschnitt nimmst, könnte es ungefähr hinkommen.«

»Hast du ein schönes Pferd?«

»Ja.«

»Wie heißt es?«

»Es ist eine Stute. Sie heißt Polly.«

»Mein Pony heißt Lustig.«

»Wirklich?«

»Ja. Und es ist auch lustig.«

»So was.«

»Ja. Darum heißt es Lustig.«

»Ich verstehe.«

Ihr Zwiegespräch wurde durch die Rückkehr der Mutter unterbrochen, die einen Umschlag bei sich hatte. Er streckte die Hand danach aus, aber sie hielt ihn außerhalb seiner Reichweite.

»Bevor du das haben kannst, möchte ich die Antwort auf eine Frage.«

»Schieß los!«

»Was willst du damit anfangen? Du bist nicht der Typ, der Späße macht.«

Die Antwort darauf hatte er bis zur Vollkommenheit eingeübt, bis in die letzten Feinheiten der Gestik und der Mimik. Zuerst das Erschlaffen der Muskeln, um Erleichterung anzudeuten, dann ein Zusammenpressen der Lippen – momentaner Beschluß, nichts zu sagen, gefolgt von einem Blick zum Umschlag und wieder fort – ein Schwanken, bis zum Hängenlassen des Kopfes –, ein Anflug von Scham, schließlich die ungeschminkte Erklärung in einem Ton resignierter Ergebung. »Verkaufen.«

»An wen?«

»Ich weiß nicht. Natürlich weiß ich, wem ich sie liefern soll. Ich denke, der Käufer wird ein Feind von Direktor Vanag sein, nicht? Aber von denen gibt es eine Menge, also bringt uns das nicht viel weiter.«

»Aber warum? Du kannst doch nicht ...«

Mehr Scham und Trotz hintereinander. »Geld.«

»Ich wollte gerade sagen, dir kann es doch nicht am Geld fehlen.«

»Und ob es mir am Geld fehlen kann!« sagte er mit großer, aber nicht allzu großer Bitterkeit. »Spiel du mal ein paar

Abende Backgammon mit einem Einsatz von Tausend für den Punkt und mit einer Pechsträhne. Dann wirst du sehen, ob du Geld brauchst.«

»Wieviel Schulden hast du?«

»Beinahe sechs Millionen.« Er starrte ins Leere, schwer betroffen vom bloßen Gedanken an so viel Verschwendung.

»Das ist eine Menge Geld, selbst heutzutage. Aber sicherlich würde dein Vater dir ...«

»Nein. Kann ich das jetzt haben?«

»Es ist ein Glücksfall für dich, daß dieser Mann gerade zur rechten Zeit daherkam, und noch dazu, als du dich mit mir anfreundetest.«

»Soll ich dir sagen, wann er das erste Mal zu mir kam? Das war 6 Wochen bevor ich von deiner Existenz erfuhr«, sagte er indigniert. »Der Glücksfall war, daß er in der Zwischenzeit keinen Verkäufer fand. Und was das Anfreunden betrifft – nun, ich will nicht sagen, es sei deine Idee und nicht meine gewesen, aber ich habe nicht den Anfang gemacht ... Danke.« Während er den Umschlag öffnete, fuhr er fort: »Mußtest du viel auf dich nehmen, um die Liste zu bekommen?«

»Ja. Nun, ziemlich viel. Manches davon stieß mich ab.«

»Barmherziger Gott!«

Er zog ein Papier aus dem Umschlag und entfaltete es. Was er sah, ließ ihn unwillkürlich aufspringen.

»Gott im Himmel!«

»Was ist?«

»Wo ist das Telefon?«

»In der Diele. Was ist los?«

Er eilte hinaus zu dem Gerät, das abgesehen davon, daß es von minderwertiger Qualität war, bis ins Detail demjenigen glich, was hier vor einem halben Jahrhundert in Gebrauch gewesen war. Während er sprach, beobachtete Frau Korotschenko ihn mit wachsender Sorge und Empörung. Nach einem sehr kurzen Gespräch warf er den Hörer auf die Gabel und wandte sich zum Gehen. Sie vertrat ihm den Weg.

»Wohin gehst du?«

»Ich muß gehen. Etwas sehr Dringendes hat sich ergeben.«

»Ich wußte, daß du im Widerstand bist.«

»Unsinn. Nun, wenn du so gut sein willst ...«

»Was ist mit meiner Bestrafung?«

»Ich fürchte, das wird bis zum nächsten Mal aufgeschoben werden müssen.«

Sie versetzte ihm einen Fausthieb, der ihn niedergeschlagen hätte, hätte ihr ganzes Gewicht richtig dahintergelegen. Auch so taumelte er zurück und gegen den Tisch, wo das Telefon stand. Dabei stieß er einen Krug von der anthropomorphen Art um, den er bei seinem letzten Besuch im Speisezimmer bemerkt hatte; er brach auf den Fliesen entzwei. Als er wieder auf sie zukam, erwartete sie ihn kampfbereit, die angewinkelten Arme zur Deckung hochgenommen. Er fluchte, täuschte sie mit einer Finte und rammte ihr das Knie in die Magengrube; sie krümmte sich und versuchte geräuschvoll, zu atmen; er drängte sich an ihr vorbei, wandte sich um, kalte Geistesabwesenheit im Blick, und versetzte ihr einen Tritt ins bloße Hinterteil, der sie mit dem Kopf voran hart genug gegen einen der Türrahmen warf, um ihr momentan die Besinnung zu rauben und sie bäuchlings auf das Schachbrettmuster der Bodenfliesen zu strecken. Ihre Tochter kam zur rechten Zeit aus dem Salon, um dies zu sehen, und schüttete sich wieder vor Lachen aus. Alexander warf die Haustür hinter sich zu.

Im schnellen Laufschritt eilte er zu der Stallung an der Straße nach Northampton, wo Polly war. Was hatte Latour-Ordschonikidse über Situationen von der soeben erlebten Art zu sagen gehabt?

> *Außer derjenigen, die der Tod bringt, gibt es in der Liebe keine wahre Trauer. Alle Trennungen von Liebenden sind von beiden gewollt, und dieser Wille war schon in dem Impuls gegenwärtig, der sie anzog.*

Ungefähr so.

NEUNZEHN

Sein Büro hatte die Auskunft erteilt, daß Theodor in einem Wirtshaus in der George Row anzutreffen sein würde, ganz in der Nähe des früheren Landratsamtes, das auch heute noch Sitz der Zivilverwaltung war. Obwohl die Straße nur ein paar hundert Meter lang war, hatte Alexander Mühe, das Lokal zu finden. Endlich fiel ihm auf, daß zwei Männer gerade dabei waren, das Wirtshausschild auszuwechseln; vom *Marschall Gretschko* verwandelte sich das Lokal in den *Jolly Englishman*, was einem phantasievollen und kühnen Streich gleichkam, weil die Namensänderung von den Behörden noch nicht in aller Form genehmigt worden war. Lauter Gesang drang aus dem Inneren, rauh und mit vielen falschen Tönen, aber vielleicht gerade darum unnatürlich klingend, gezwungen, wie proletarisch-betrunkener Gesang in einem alten Film. Wenigstens mochte es einem Engländer aus der Zeit vor sechzig oder mehr Jahren so vorgekommen sein. Alexander sagte er überhaupt nichts.

»Lebet wohl, denn ich muß von euch scheiden,
Möchtet nicht an diesem Abschied leiden,
Doch Trennung ist nicht unser Freundschaft Ende
So gebt mir, liebe Freunde, nun die Hände,
Ich kann nicht länger stehn und seufzen,
Häng meine Harfe ...«

Er warf Pollys Zügel einem Arbeiter mittleren Alters zu, der vielleicht stehengeblieben war, um diesem Gesang zu lauschen, und betrat das Wirtshaus.

Durch eine Wolke von Tabakrauch gewann er einen flüchtigen Eindruck von Männern in karierten Hemden und Halstüchern mit Bierkrügen in den Händen, die auf harten Stühlen um ein Klavier saßen. Theodor, der der Klavierspieler war, blickte erschrocken auf und kam herüber, sobald der Refrain geendet hatte.

»Was ist los?«

»Sei still! Komm mit!«

Nach einem langen Blick wandte Theodor sich zurück und rief zu einem jungen Mann, der beim Klavier stand: »Mach weiter, Henry! Wenn du durch bist, fang wieder von vorn an! Vergeßt nicht die Beifallsrufe und den Applaus! Wahrscheinlich werde ich zurücksein, ehe ihr fertig seid.«

»In Ordnung, Herr Iwanow. Was ist mit den Geschichten?«

»Damit befassen wir uns morgen früh.«

Als sie draußen waren, sagte Theodor: »Wozu die Eile? Wir wollten uns sowieso in weniger als einer Stunde treffen.«

»Es kann nicht warten«, sagte Alexander. »Nicht stehen bleiben.«

»Was ist mit deinem Pferd? Ist das dein Pferd?«

»Ich habe es nicht vergessen. Hier.«

Das Blatt Papier, das er ihm reichte, trug die blaßroten diagonalen Linien, die für alle Arten von Vervielfältigungen vorgeschrieben waren, die andernfalls von einem Original nicht unterscheidbar gewesen wären. Der Anfang des Textes lautete:

> SICHERHEITSHAUPTAMT, DIREKTION DER 88. SICHERHEITSABTEILUNG, DYCHURCH LANE, NORTHAMPTON (RATHAUS), ENGLAND SICHERHEITSBEAUFTRAGTE IM EINSATZ PER 1. SEPTEMBER 2035 IN DER REIHENFOLGE DES DIENSTALTERS:
>
> 1. Gen.Ob. V. S. Alksnis (›Michael Mets‹)
> 2. Brig.Gen. I. Klujew (›Aram Sevadian‹)
> 3. Obst.Lt. Y. N. Tschernjawin ...

Das genügte Theodor einstweilen. Als sein Blick auf den ersten Namen oder vielmehr das erste Pseudonym gefallen war, war er wie vom Donner gerührt stehen geblieben; ein kleiner Mann mit Brille und einem schmierigem Paket unter dem Arm war auf ihn geprallt, entschuldigte sich überschwenglich und blieb bei alledem unbeachtet. Alexander sah, daß in der kurzen Zeit, seit er den *Jolly Englishman* betreten hatte, Wolken aufgezogen waren und die Sonne verdeckten. Die Straßen waren schmutzig und mit Papier und Abfällen übersät; alle paar Meter fehlten Pflastersteine, und die entstandenen Schlaglöcher waren mit Schutt ausgebessert worden, der von den durchfahrenden Fahrzeugen über die Straßendecke verteilt worden war. Die meisten Passanten strebten allein ihren Wohnungen zu, die Köpfe gesenkt, schweigsam, ohne nach links oder rechts zu sehen. Alles war normal.

»Komm mit!« sagte Alexander.

»Wohin gehen wir?«

»Wir gehen nirgendwohin. Wir gehen spazieren. Bleiben unter den Passanten. Wahrscheinlich ist es so am wenigsten gefährlich. Ist Mets nicht unser Führer?«

»Ich weiß es nicht mit Sicherheit, aber ich vermute es sehr. Nina und ich sprachen am Abend unserer Verlobung in eurem Garten mit ihm. Ich dachte, er sei angeheitert, und Nina meinte, er fürchte sich.«

»Und?«

»Würdest du dich nicht fürchten, wenn du eine wichtige Stellung unter Vanag hättest?«

»Natürlich würde ich mich fürchten«, sagte Alexander ein wenig gereizt. Er wich einem Haufen leerer Dosen und unordentlich beschrifteter Kartons vor einem Getränkeladen aus. »Aber ich würde mich noch mehr fürchten, wenn Vanag hinter mir her wäre. Sieh mal, Sevadian selbst gab mir den Auftrag, diese Liste zu besorgen.«

»Er hatte keine Alternative. Es war eine Entscheidung des Ausschusses.«

»Hat er sie unterstützt? Wurde abgestimmt? Und vergiß nicht, er hatte eine Alternative: er hätte mich töten können, bevor ich an die Liste herangekommen wäre.«

Theodor verlangsamte seinen Schritt und studierte wieder die Liste. »Nun, es ist nicht so schlimm, wie es sein könnte«, sagte er, als er sie wieder zusammenfaltete.

»Wieso?«

»Du und Nina und Elizabeth, ihr erscheint nicht darauf.«

»Mach keine Witze!«

»Aram ein Brigadegeneral im Geheimdienst ... Es muß ein Trick sein.«

»Ich hoffe es.«

Sie bogen nach rechts in die Abington Street und gingen an den Ruinen des großen Einkaufszentrums vorüber, die nicht das Ergebnis irgendeiner vereinten Anstrengung waren, sondern bloß von Vandalismus und dem Zahn der Zeit. Hier gingen die meisten Passanten langsam: Hausfrauen auf dem Heimweg vom Einkaufen, Gruppen schwatzender Schulkinder, auf und ab schlendernde Huren. Ein schwarzer Jaguar, der irgendeinen hohen Beamten oder Würdenträger beförderte, vielleicht von außerhalb, aus London gar, schlängelte sich durch den Verkehr der Pferdefuhrwerke. Nach ein paar Schritten legte Alexander seinem Gefährten die Hand auf den Arm und blieb stehen.

»Laß uns umkehren«, sagte er. »Ich weiß, was zu tun ist.«

»Ich wünschte, ich wüßte es«, sagte Theodor, der Aufforderung Folge leistend. »Ob es ein Trick ist oder nicht, scheint mir keinen großen Unterschied zu machen. In jedem Fall sind wir hoffnungslos bloßgestellt.«

»Nicht unbedingt. Ich konnte länger darüber nachdenken als du. Es macht einen Unterschied, vielleicht einen großen. Wenn diese Liste echt ist, dann sind wir endgültig erledigt. Wenn sie ein Machwerk ist, das darauf abzielt, Zwietracht und Mißtrauen unter uns zu säen, dann muß sie nicht mehr bedeuten als daß man eine Anzahl unserer Führer richtig identifiziert hat. Natürlich kann es auch in diesem Fall so sein, daß sie alles wissen, aber es mag auch Dinge geben, sehr wichtige sogar, von denen sie nichts wissen. Obwohl sie zum Beispiel über mich Bescheid wissen ...«

»Wie?«

»Aber Theodor. Sie bekommen doch Wind davon, wenn

jemand versucht, eine Liste ihrer Agenten zu beschaffen, gleichgültig, welche Gründe er angibt.«

»Du meinst, sie ...«

»Ja. Sie glaubte meiner Erklärung, das ist für mich klar. Sie würde alles glauben. Nun, das vielleicht auch nicht. Das kleine bißchen Verkabelung, das unsereinen zu der Entscheidung befähigt, was er glauben und was er nicht glauben soll, fehlte bei ihr. Zusammen mit zahlreichen anderen Stückchen.«

»Nun ja, vielleicht. Aber es kann trotzdem nicht von Anfang an ein Komplott gewesen sein. Du und ich, wir kannten uns kaum zu der Zeit, als sie sich auf dich stürzte.«

»Nein, wir alle haben sie unterschätzt, einschließlich Sevadian. Es war bloß eine Art Scherz von ihr. Sie muß die ganze Sache ins Rollen gebracht haben, indem sie ihrem Mann erzählte, was sie und ich verabredet hatten, und dann tat, was er ihr sagte. Herr im Himmel, wie würde ich sie jetzt bestrafen, wenn ich die Gelegenheit hätte. Wie auch immer: dies alles setzt voraus, daß die Liste ein Schwindel ist. Wenn sie echt ist, dann haben sie nicht durch sie von mir erfahren ...«

Die beiden trennten sich vorübergehend, um einem unrasierten zerlumpten Mann mit einer Flasche Platz zu machen, der in einer Serie von Bogen auf sie zugeschwankt kam. Als sie wieder nebeneinander gingen, nahm Alexander, der, wie es Theodor schien, geradezu Gefallen an der Sache fand, den Faden wieder auf.

»Aber sie wissen trotzdem über mich Bescheid, weil sie über jeden Bescheid wissen. Und das gleiche gilt für dich. Aber eins wissen sie nicht notwendigerweise – wenn die Liste ein Machwerk ist. Als wir ...«

Er blieb mitten auf dem Gehsteig stehen und starrte Theodor mit einem Ausdruck unverhüllter Bestürzung an. Theodor schnaufte.

»Keine weiteren Schocks, in Gottes Namen«, sagte er. »Ich glaube nicht, daß ich noch einen aushalten könnte.«

»Dieser blöde Kerl von einem kommandierenden Offizier.« Alexander setzte sich wieder in Bewegung. »Heute nachmittag rief er mich zu sich und verpaßte mir eine ziemlich geheimnisvolle Warnung. Mit der guten Hälfte meiner Gedanken war ich bei Frau Korotschenko, und so nahm ich an, daß er mich vor ihr warnte – kein schlechter Rat, wenn man es genau betrachtet – und die Sache geheimnisvoll machte, weil ihm der Gegenstand peinlich sei. Aber dann sagte er etwas, was mir jetzt erst aufgefallen ist. Als ich ihm – ganz unzutreffend, verstehst du – sagte, daß ich natürlich seiner Meinung folgen und sie fallen lassen würde, antwortete er sinngemäß, er sei froh, daß ich rechtzeitig aussteige. Bevor was geschieht? Nun, mit Frau K. ist es so: hast du dich einmal mit ihr eingelassen, was zugegebenermaßen als eine Dummheit und in gewissem Sinne auch als unwiderruflich angesehen werden kann, kriegst du bloß mehr vom selben, das heißt, es ist eigentlich nicht dasselbe, aber ziemlich ähnlich. Also wäre es nur dann zu spät, wenn ich mit ihr wegliefe, etwas von der Art, was ich – unnötig zu sagen – niemals in Erwägung zog. Oder wenn ihr Plan für unser nächstes Zusammentreffen in die Richtung gegangen wäre, daß ich ihr beim Bumsen den Kopf abschneide – was mich übrigens nicht völlig überraschen würde –, aber ich sehe nicht, wie Oberst Tabidze hätte davon gehört haben sollen. Und dann – Ja! Danach plauderten wir ein paar Minuten mit seiner Frau, und er sagte, wir zwei hätten ein gutes Gespräch gehabt, und sie hatte keine Ahnung, worum es dabei gegangen war. Du hast die beiden nur ein paar Mal gesehen, aber kannst du dir vorstellen, daß er mich vor Frau K. warnt, ohne daß seine Frau davon weiß? Sie wäre nicht nur im Bilde gewesen, sondern hätte ihm wahrscheinlich eingetrichtert, was er zu sagen hätte. Nein, er tat so geheimnisvoll, weil er mir unter großem eigenen Risiko ein tödliches Geheimnis anvertraute, der alte Idiot. Und das Geheimnis ist nicht, daß sie über mich Bescheid wissen, obwohl das auch möglich ist. Nein, Theodor, das Geheimnis ist, daß sie den Zeitpunkt kennen. Sie wissen, daß es Sonntag losgehen soll.«

Sie waren wieder vor dem *Jolly Englishman* angelangt, aus dem wie zuvor professionell simulierter amateurhafter Gesang erscholl. Theodor glaubte auch ein fernes Donnergrollen zu vernehmen. Er blickte ein wenig zerstreut zu einem vorbeigehenden Paar, dann wieder zu Alexander. Was machte den Burschen unter diesen entmutigenden Umständen so fröhlich? Was brachte ihn in diese offensichtliche Hochform, als sei er Herr der Lage? Verstand man dies darunter, wenn man sagte, jemand wachse in einer Krise über sich selbst hinaus? Wie konnte er das wissen? – hatte er doch nie in einer Krise gesteckt. Hilflos sagte er:

»Was sollen wir tun? Aufgeben?«

Nach kurzem Zögern erwiderte Alexander mit heftiger Entschiedenheit: »Nein, das können wir jetzt nicht tun. Ich gebe dir einen Rat: Geh mit dieser Liste zum ranghöchsten Mitglied der Organisation, dessen Name nicht darauf steht! Ich bin ziemlich sicher, daß es sich um einen Schwindel handelt, aber wir dürfen das Risiko nicht eingehen, jedermann sehen zu lassen, wer darauf steht, wie etwa Sevadian. Wenn ich Tabidzes Rede richtig einschätze, dann haben sie beschlossen, unsere Aktion abzuwarten, damit wir uns selbst enttarnen und belasten. Da kann es für uns nur eins geben: die Initiative ergreifen, indem wir unerwartet losschlagen. Das ändert freilich nichts an dem ständigen Risiko, daß sie es sich anders überlegen und uns vorher kassieren. Das kann jeden Augenblick geschehen.« Er blickte auf seine Armbanduhr. »Ich verlege die Stunde Null um zweiundfünfzig Stunden vor. Wir sehen uns dann um sieben Uhr am Treffpunkt.«

Theodor schnappte förmlich nach Luft. »Du – du bist verrückt! Wie sollte ich die Leute rechtzeitig verständigen? Und was wir hier machen, ist nicht die einzige Revolution, weißt du. Selbst wenn wir ...«

»Darum solltest du dich lieber beeilen, nicht?«

»Aber das ist ... Wie groß, meinst du, ist meine Chance?«

»Ungefähr gleich Null. Aber ich muß es versuchen. Andernfalls haben wir überhaupt keine Chance.«

»Vorausgesetzt, daß all deine Folgerungen richtig sind. Warte wenigstens, bis wir jemanden konsultiert haben.«

»Ich habe mich entschieden.« Alexanders Haltung hatte sich zu unbeirrbarer Halsstarrigkeit versteift. »Das ist der einzige Weg.«

Er reckte die Schultern und ging zu seinem Pferd. Theodor, ungewiß, furchtsam und auch aufgebracht, konnte sich dennoch nicht enthalten, ihm »Viel Glück« nachzurufen. Alexander machte sofort kehrt, kam zurück und schloß ihn in die Arme.

»Du bist ein guter Kumpel, alter Junge«, sagte Alexander.

»Du auch, und wie!«

ZWANZIG

Das Land dunkelte unter einem Himmel, der mit einem gelblichen Dunst überzogen war und noch hell schien. Die Gebäude, die Bäume und Sträucher hatten ihre Farben verloren und unterschieden sich nur in den Tönen dessen, was nicht mehr grün, grau oder braun war; unbestimmte Schatten begannen sich um sie auszubreiten. Die Ahnung einer Brise ging durch die Luft und brachte die trockenen Blätter zum Rascheln, aber es war noch immer unerträglich heiß und schwül. Am Horizont rumpelte und grollte der Donner wie Artillerie-Sperrfeuer in einem Krieg, der niemand im mindesten interessierte. Fahles Wetterleuchten zuckte dort. Soviel Feuchtigkeit hing in der Atmosphäre, daß menschliche Stimmen im Freien hohl klangen und nicht weit trugen. Ein süßlicher, fauliger Geruch trieb umher, zusammengesetzt aus dem Duft trockenen, von Mensch und Tier zertrampelten Grases, abgefallenen Blütenblättern und einem zum Kochen benutzten Gewürz, einen Augenblick flüchtig und kaum deutbar, im nächsten so stark, daß man sich unwillkürlich nach der Quelle umsah. Die winzigen, von wollig weißen Harrbüscheln umgebenen Samenkörner der Weiden schwebten durch die Luft, bisweilen von einer Brise erfaßt und wirbelnd davongetragen, leichter als Schneeflocken.

Für den Soldaten Lomow, der mit raschen Schritten die sanfte Steigung zum Hauptgebäude des Kasernenkomplexes hinaufging, hatte dies alles eine unwirkliche Qualität, obwohl ihm nicht eingefallen wäre, es so auszudrücken. Der rauhe Stoff seines Kragens, feucht von Schweiß, rieb an seiner Haut, und das Zaumzeug der Pferde klirrte und knarrte leise. Alle fünf schüttelten den Kopf und schlugen mit dem Schweif nach den Bremsen und Stechfliegen, die sie umschwirrten. Lomows Tragtier wieherte scharf ohne einen erkennbaren Anlaß, und er hob mechanisch die Hand und streichelte beruhigend die Stirn des Tieres. Niemand sprach.

Der Trupp erreichte eine ebene Fläche nahe dem Haus. Hier, wo eine Reihe wuchernder Lorbeerbüsche einen gewissen Sichtschutz bot, machten sie halt. Lomow blieb bei den Pferden, während die anderen beiden durch einen Seiteneingang das Haus betraten.

Begleitet vom Gefreiten Ljubimow, erreichte Alexander das Treppenhaus und die Tür zur Waffenkammer im Kellergeschoß, bewacht von einem Posten und einem Gefreiten, einem untersetzten Moskowiter mit berechnenden braunen Augen. Gut, dachte Alexander, während er die Schaustellung von Gewissenhaftigkeit beobachtete, mit welcher der Gefreite die Fotografie auf dem vorgezeigten Dienstausweis mit dem wohlvertrauten Gesicht seines Eigentümers verglich. Er mimte Zufriedenheit und wartete auf die nächste Phase des vorgeschriebenen Rituals, die Übergabe einer Vollmacht. Als diese auf sich warten ließ, nahm sein Gesicht zuerst einen erstaunten, dann einen besorgten Ausdruck an. Alexander wartete zehn Sekunden, dann sagte er mit forscher Munterkeit:

»Bitte, machen Sie auf!«

Akutes Unbehagen malte sich in den Zügen des Gefreiten. »Bitte gehorsamst, Herr Fähnrich, meine Anweisungen lauten ausdrücklich, daß ich niemanden ohne Vollmacht einlassen darf.«

»Mein Auftrag beansprucht Priorität gegenüber dieser Bestimmung«, sagte Alexander freundlich wie zuvor. »Vorübergehende Entnahme von Waffen zum Zweck einer Alarmübung. In einem wirklichen Notfall wird es mit größter Wahrscheinlichkeit keine schriftlichen Befehle und Vollmachten geben. Ich habe meine Anweisungen mündlich direkt vom kommandierenden Offizier! Los jetzt, Mann!«

Der Gefreite hatte schon während Alexanders Rede langsam und bekümmert den Kopf geschüttelt. »Ich bitte um Vergebung, Herr Fähnrich, aber ich bin dazu nicht ermächtigt«, sagte er, heiser vor Erregung.

Alexander war darauf vorbereitet. Grimmig starrte er dem Mann in die Augen; er hatte es oft vor einem Spiegel erprobt und wußte, daß er bedrohlich aussah, sogar ein bißchen wütend. Ohne den Blick abzuwenden, nahm er den Hörer vom Telefon auf dem Tisch zwischen ihnen und stieß mit dem Finger in die Richtung der Knöpfe. Dann wartete er.

»Valentin, hier Alexander. Ist der Oberst noch da?«

Er starrte unverwandt auf einen Punkt an der Decke, während er lauschte, oder zu lauschen schien. Nach einer halben Minute bedankte er sich kurz, legte auf, blickte auf die Armbanduhr und starrte wieder den unglücklichen Gefreiten an, diesmal mit leicht herabgezogenen Mundwinkeln. Eine weitere Pause trat ein. Endlich sagte er in bedeutungsschwerem, unheilverkündendem Ton: »Zwei Stunden Zeit« und stemmte mit bedächtiger Langsamkeit die Hände in die Hüften. »Was meinen Sie, wird dann mit Ihnen passieren?«

Wäre der Gefreite klüger gewesen, hätte Alexander das Erwartete getan und ihn angeschrien, hätte er auf die Unterstützung seines eigenen Offiziers bauen können, hätte man jemals gehört, daß irgend etwas geschehen wäre, was die Sicherheitsbestimmungen rechtfertigte, wäre er vor allem ausgebildet gewesen, so gründlich auf der strikten Beachtung stehender Befehle zu beharren, würde er dem Druck vielleicht widerstanden haben. So aber zögerte er nur kurz, bevor er sagte:

»Zu Befehl, Herr Fähnrich. Bitte machen Sie kehrt! Sie auch, Gefreiter!«

So erfuhren die Eindringlinge zumindest nicht die geheime Nummernkombination, die sie nun nicht mehr benötigten.

Eine Viertelstunde später schoben sie einen schwerbeladenen Handkarren den Weg zurück, den sie gekommen waren. Dieses Stück war der gefährlichste Teil des ganzen Unternehmens: ihre Ladung war mit einer wasserdichten Plane zugedeckt, aber der Handkarren bedeutete Waffen, die unter Sicherheitsverschluß lagerten, und solche wurden selten transportiert, und niemals ohne eine starke Eskorte. Eine Regung entschlossener Wißbegierde wäre zuviel gewesen, aber sie blieb aus; die Eindringlinge schoben den Karren mühsam die Rampe der Ausfahrt hinauf, nachdem sie das Stahltor von innen geöffnet hatten, gelangten unangefochten ans trübe Tageslicht und hielten auf die wartenden Pferde zu. Die Metallräder des Karrens klapperten über die grasbedeckten Unebenheiten des beinhart ausgetrockneten Bodens.

Als sie näher kamen, spähte Lomow ihnen entgegen und dann mit zusammengezogenen Brauen an ihnen vorbei. »Haben Herr Fähnrich den Mann gesehen, der eben mit ihnen herauskam? Wer war das?«

»Mit uns? Mit mir?«

»Mit Ihnen, Herr Fähnrich. Dieser Mann.«

»Welcher Mann?«

»Nach ein paar Schritten drehte er um und ging zurück ins Haus. Ich sah ihn.«

Ljubimow wollte etwas sagen, aber Alexander winkte ab. »Wie sah er aus, Lomow? War er einer der unsrigen?«

»Nein, Herr Fähnrich. Er war ... er war Zivilist.«

»Was noch? Wie war er gekleidet? War er ein englischer Bediensteter? Ein Gärtner?«

»Ein Zivilist war er, Herr Fähnrich. Ich sah ihn nur einen Augenblick lang.«

»Nichts hast du gesehen, du dummer Bauerntölpel«, sagte Ljubimow in gutmütiger Geringschätzung. »Wo hast du die Flasche versteckt?«

Lomow beachtete ihn nicht; mit einem seltsamen Ausdruck sah er Alexander an. »Ist etwas nicht in Ordnung? Fühlen Herr Fähnrich sich nicht wohl?«

»Reden Sie kein dummes Zeug, Mann!« knurrte Alexander, dessen freundlich-nachsichtige Haltung auf einmal wie weggeblasen war. »Versuchen Sie nicht, Ihre Spielchen mit mir zu treiben, Sie Pfeife, oder ich breche Ihnen das Kreuz! Halten Sie jetzt den Mund und helfen Sie ausladen!«

Das war rasch geschehen. Ein Abschußgerät mit Zieleinrichtung und Zubehör wurden auf einer Seite jedes Packsattels festgezurrt, die Projektile mit ihren rotgestrichenen Spitzen auf der anderen. Da er Polly an diesem Tag bereits hart geritten hatte, hatte Alexander sein sonst von der Ordonnanz gerittenes Ersatzpferd genommen, einen großen Rappenhengst, der nichts von Pollys sanfter und freundlicher Natur hatte, aber kräftig und ausdauernd war und viel Mut besaß. Vorher hatte es auf der Pferdekoppel ein gefühlsbetontes Abschiednehmen von Polly gegeben; zwar hegte Alexander keine bestimmten Befürchtungen, sie nicht wiederzusehen, aber man konnte nie wissen, und es war ein gutes Gefühl.

Im Schritt zogen sie hinunter zum Haupttor, zuerst Alexander, hinter ihm Ljubimow und dann Lomow. Lomow war aufgeregt und ängstlich, aber darunter bewegte ihn eine tiefere, vernunftwidrige Furcht. Wegen der schlechten Lichtverhältnisse hatte er nicht viel von der Gestalt sehen können, die ein halbes Dutzend Schritte aus dem Haus gekommen und dann wieder hineingegangen war. Er hatte einen flüchtigen Eindruck von extremer Magerkeit und enorm vielen Zähnen gehabt. Vielleicht hatten die anderen beiden den Fremden nicht bemerkt, weil er tatsächlich nicht neben ihnen, sondern hinter ihnen gegangen war, vielleicht um ihnen etwas zu sagen oder sie etwas zu fragen, sich dann aber eines anderen besonnen und wieder entfernt hatte. Vielleicht. Lomow versuchte es zu verdrängen.

Donner, viel näher jetzt, polterte hinter ihnen durch den Himmel. Nicht lange, und sie würden bis auf die Haut durchnäßt sein, dachte er bei sich; der leichte Umhang, den jeder Mann zusammengerollt hinter dem Sattel mit sich führte, bot keinen ausreichenden Schutz gegen einen Platzregen, wie er jetzt zu erwarten war. Als er zu den grasenden Pferden, den Gruppen der dienstfreien Männer und den im Gelände verstreuten Gebäuden blickte, konnte er nicht glauben, daß er im Begriff war, den Ort zu verlassen, der in den vergangenen drei Jahren seine Heimat gewesen war und den er nun sehr wahrscheinlich niemals wiedersehen sollte.

Ohne Zweifel war diese Ungläubigkeit der Grund dafür, daß solche Zukunftsaussichten ihn nicht mit Bedauern erfüllten. Vielleicht lag es auch an der Aufregung. Er nahm an einer Operation teil, die ihm nur in Umrissen beschrieben worden war, und er hatte selbst diese Beschreibung nicht in allen Teilen verstanden. Andere Teile hingegen waren klar genug gewesen, um in jedem halbwegs vernünftigen Menschen Furcht zu erzeugen. Andererseits empfand er das Unternehmen als ein erregendes Abenteuer; bis vor wenigen Minuten hatte er sein ganzes Leben (er war dreiundzwanzig) im ewigen Einerlei des Zeittotschlagens verbracht, hatte gewartet, daß irgend etwas geschehe. Nun, jetzt hatte etwas angefangen. Hätte er anders darüber gedacht, so wäre er in diesem Augenblick nicht, wo er war. Wie Ljubimow über die Sache dachte, war eine ganz andere Geschichte. Er war unberechenbar. Ein guter Soldat, dieser Ljubimow, ein guter Unterführer und ein guter Freund, aber mit einer Neigung zur Unberechenbarkeit. Impulsiv auch.

Mit lautem Hufgeklapper ging es im Schritt durch das Tor, über die Straße und in östlicher Richtung geradeaus weiter. Alexander ließ traben. Kurz danach krachte über ihnen ein plötzlicher Donnerschlag; das Geräusch ähnelte dem Zerreißen einer riesigen Zeltbahn. Alle Pferde schreckten heftig zusammen, und Ljubimows Tragtier bäumte sich auf; da ihm die beruhigende Gegenwart eines Mannes auf seinem Rücken fehlte, konnte man es ihm kaum verdenken. Noch immer fiel kein Regen, obwohl das Licht ständig schlechter wurde. Sie waren ungefähr einen Kilometer weit einem Feldweg gefolgt, als Alexander den rechten Arm hob und nach vorn zeigte: »Folgen!« – ein gesprochener Befehl wäre im mittlerweile unaufhörlich rollenden Donner ungehört geblieben. Er trieb seinen Rappen zum Galopp und setzte mit Leichtigkeit über den niedrigen Zaun einer großen Weidefläche. Sobald die anderen aufgeschlossen hatten, gab er das Signal zum Halten, ließ absitzen. Er führte das Pferd am Halfter zu Ljubimow. Für die folgenden Befehle waren Worte vorzuziehen, vorausgesetzt, sie waren zu hören.

»Nummer Eins aufbauen!« brüllte er.

»Nummer Eins aufbauen, zu Befehl.« Ljubimow wandte sich zu seinem Packsattel, um die Verschnürungen zu lösen.

»Richtung West sechs!«

Diesmal blieb die Bestätigung aus.

»Richtung West sechs, habe ich gesagt! Können Sie nicht hören, Mann?«

Ljubimow wandte den Kopf über die Schulter und brüllte zurück: »In der Richtung ist das Regiment, Herr Fähnrich. Ist das das Ziel?«

Die Antwort ging größtenteils im Donnerkrachen unter, aber ihre Linie war klar: dem Befehl sei Folge zu leisten und keine Fragen, basta! Eine kurze Pause trat ein. Die umgebenden Felder lagen im flackernden fahlen Licht unaufhörlich zuckender Blitze. Plötzlich warf sich Ljubimow herum und zielte mit seiner Maschinenpistole aus dem Hüftanschlag auf Alexanders Bauch. Als nächstes drückte er einen Bolzen vor dem Abzug und stellte die Waffe damit von Einzelfeuer auf Dauerfeuer um. Ein Signal, daß er sich nicht damit begnügen würde, ihn zu verwunden und wogmöglich zu töten, sondern daß er aufs Ganze gehen und ihn notfalls zerfetzen würde. Alexander verstand das gut genug. Schließlich brüllte Ljubimow:

»Tut mir leid, Herr Fähnrich, aber das tue ich nicht, und ich werde auch nicht zulassen, daß Sie es tun. Bist du mit mir, Lomow?«

»Ja!«

»Führen Sie meine Befehle aus!« schrie Alexander.

»Tut mir leid, Herr Fähnrich. Wir jagen Vanag und seine Leute in die Luft, wenn Sie es wollen, aber wir lassen nicht zu, daß unsere eigenen Kameraden zu Schaden kommen. Machen Sie sich das klar!«

Alexander wütete und tobte fünf Minuten lang. Sein Hauptthema war, daß die beiden sich nicht aus Kameradschaftsgefühl oder Menschenliebe so verhielten, sondern daß ihr Benehmen bloß ein Ausdruck des Neides und der Mißgunst sei, die nichtswürdige Kreaturen wie sie naturgemäß für jeden von seinem hohen Stand empfinden mußten. Viel von dieser Tirade war im Toben der Naturgewalten nicht zu hören, und was zu hören war, blieb Lomow größtenteils unverständlich; er gelangte auch so zu dem Schluß, daß einige Wendungen vom Hufschmied des Regiments hätten stammen können. Der ganze Auftritt war ihm peinlich, und einmal, als es schien, daß der Offizier den Gefreiten schlagen wollte, wofür er von Kugeln durchsiebt worden wäre, denn Ljubimows Unberechenbarkeit hatte ihre Grenzen, geriet er in helle Aufregung. Aber der Augenblick verging.

Plötzlich war alles vorbei, und Lomow starrte einem Mann zu Pferde nach, der sich im Galopp von ihm entfernte.

»Los, komm mit!« schrie Ljubimow. »Weiß der Teufel, wozu er in diesem Zustand fähig ist.«

Es hörte sich halb wie eine Entschuldigung an, aber Lomow lief sofort zu seinem Pferd und saß auf.

Nun, als der frühherbstliche Abend anbrach, begann eine lange Verfolgungsjagd. Ljubimow und Lomow galoppierten dem Flüchtigen nach, setzten über den Zaun und überquerten die nächste Wiese, übersprangen zwei weitere Zäune und kamen auf eine schmale Straße, die sie nach kurzer Zeit wieder verließen, um ein lichtes Gehölz zu durchqueren. Das Gewitter zog ab, ohne einen Tropfen Regen zu bringen. In seiner grauen Uniform und auf dem schwarzen Pferd war Alexander in der Dämmerung nicht leicht auszumachen, und zweimal hätten sie ihn im Waldgebiet beinahe verloren, aber sein Vorsprung betrug nicht viel mehr als hundert Meter, und die gute Ausbildung seiner Leute machte es ihnen möglich, den Abstand zu verringern. Als das Waldgebiet hinter ihnen zurückblieb und sie durch offenes, mit Gebüsch durchsetztes Wiesengelände dahinjagten, hatten sie den Vorteil, einen weiten Bogen, den der Verfolgte ritt, abschneiden zu können. Abseits wetterleuchtete es in den Wolkengebirgen, und einzelne Blitzschläge zuckten so schnell auf das dunkelnde Land herab, daß sie das Auge blendeten und sekundenlang auf der Netzhaut nachglühten.

Diese Schwächung seiner Sicht mochte Lomow daran gehindert haben, den Mann auf dem grauen Pferd zu sehen, bis er beinahe gleichauf mit ihm war. Das Dämmerlicht ließ das Tier in einem ungewissen Grauton erscheinen; bei Tageslicht hätte man vielleicht einen Schimmel darin gesehen, oder einen Falben; es war nicht möglich, seine Farbe genauer zu bestimmen. Lomow dachte, er habe noch nie ein Pferd so still stehen sehen. Sein Reiter, ein hochgewachsener Mann in Schwarz, trug einen Hut, der sein Gesicht beschattete, doch zeigte seine Haltung, daß er die Verfolgungsjagd beobachtete, insbesondere den Gejagten. Er erwiderte Lomows Winken nicht.

Das Gelände wurde unebener. Ein Junge und ein Hund trieben eine Schafherde heimwärts; der Donner schien sich wieder zu verstärken. Bald kam zur Rechten eine Straße in Sicht. Die drei Männer und fünf Pferde, inzwischen beinahe wieder eine einzige Gruppe, galoppierten sie entlang, bis sie eine abseits stehende kleine Kirche erreichten. Hier brachte Alexander sein Pferd mit einem so scharfen Ruck zum Stehen, daß es strauchelte. Er saß ab, gefolgt von Ljubimow und Lomow.

»Haben wir uns wieder unter Ihrem Befehl zu betrachten, Herr Fähnrich?« fragte Ljubimow.

»Sie können sich als alles betrachten, was Ihnen gefällt.« Der anstrengende Ritt hatte Alexanders Wut nicht abkühlen können; noch immer bewegte er die Lippen wie in lautlosen Verwünschungen, und sein finsterer Blick schweifte unstet über das Land. Er vermied es, die beiden anzusehen. Als er fortfuhr, versuchte er seine Stimme unter Kontrolle zu bringen. »Ich habe hier etwas zu erledigen, was zwei Minuten dauern wird. Wenn Sie entscheiden, anschließend mit mir zu kommen, kann ich Sie kaum daran hindern.«

»Wo sind wir?« sagte Lomow zu seinem Gefährten. »Was ist in der Kirche?«

Ljubimow zuckte die Achseln. Als sie vor die Kirche geritten waren, hatte ein kleiner Mann in einem dunklen Anzug beim Eingang gestanden, als erwarte er jemand, doch hatte er nicht zu ihnen hergesehen. Nun, sei es durch Zufall oder auf Lomows Frage, wandte er den Kopf. Alexander sah das Gesicht eines Fünfzigjährigen, mit fleischigen Wangen und Tränensäcken unter den Augen, in denen ein Ausdruck mäßiger Neugierde glomm, nicht mehr, nicht die leiseste Andeutung einer Drohung. Aber Lomow stieß einen Laut aus, der wie ein unterdrückter Schrei war.

Alexander fuhr wütend auf ihn los. »Was ist los, Sie Trottel, Sie Nachtwächter? Was haben Sie diesmal gesehen? Hitlers Geist?«

»Habe ich nicht gesehen, zu Befehl, Herr Fähnrich. Ich habe nichts gesehen.«

»Freilich hast du nichts gesehen«, sagte Ljubimow freundlich. »Das wissen wir. Du hast bloß geglaubt, du hättest was gesehen, das ist alles.«

»Ja, es war ein Fehler. Ich ... habe mich geirrt.«

»Schon gut, es reicht, wenn du es einmal sagst.«

Lomow nickte, entkrampfte die Hände und richtete sich mit großer Anstrengung zu seiner ganzen wenig eindrucksvollen Höhe auf. Nichts Gutes konnte davon kommen, wenn er zu enträtseln suchte, was er in der letzten Stunde gesehen oder nicht gesehen haben konnte. Die Bilder, die ihm erschienen waren, hatten – zu keiner Zeit sehr deutlich – bereits angefangen zu verblassen, und was auch immer bevorstand, davon war er überzeugt, würde seine ganze Aufmerksamkeit und Befähigung erfordern. Er schluckte, seufzte tief, nahm die Mütze ab, fuhr sich übers Haar und setzte die Mütze wieder auf. Sein Offizier ging gerade zu Fuß um die Ecke der Kirche. Der Mann im dunklen Anzug war nirgendwo zu sehen. Der Himmel war einstweilen zur Ruhe gekommen und war drüben im Westen sogar ein wenig heller geworden.

Nachdem Ljubimow seinen Kameraden mit einem forschenden Blick gemustert hatte, sagte er:

»Ich könnte ein Bier vertragen. Wenn wir schon warten müssen, könnte ich wenigstens Platz dafür machen.«

Er reichte Lomow die Zügel der drei Reitpferde, ging auf

den Friedhof und urinierte; es auf offener Straße zu tun, war ein Verstoß gegen die Vorschriften.

»Wo sind wir hier, Ljubimow?«

»Keine Ahnung. Nein, Moment mal, wenn wir da sind, wo ich glaube, dann muß hinter diesem irgendwo das Haus seines Alten sein. Du weißt, er ist eine große Nummer in der Verwaltung hier.«

»Natürlich«, sagte Lomow nachdenklich. »Ich glaube, er hat ein ...«

Später pflegte er Stein und Bein zu schwören, er habe den gewaltigen, säulendicken Blitzstrahl über und hinter der Kirche erscheinen gesehen, konnte sich aber nicht schlüssig werden, ob es mit einem Knattern oder einem Zischen geschehen war. Als es geschah, drückte er im Reflex die Augen zu und zuckte unter der gewaltigen Detonation zusammen, die unmittelbar darauf erfolgte und ihn und alles ringsum zu durchdringen schien. Die Pferde wieherten, bäumten sich auf und rissen ihn hin und her. Ljubimow, noch mit dem Ordnen seiner Hose beschäftigt, eilte ihm zu Hilfe.

»Das war nahe«, sagte er.

Für Alexander war es noch näher gewesen. Er hatte gerade den kleinen Tempel passiert, als der Blitzstrahl mit betäubender Plötzlichkeit in das Blitzableitersystem des Herrenhauses fuhr. Enorme Funken sprühten in alle Richtungen, und die Luft wurde zusammengepreßt und schleuderte ihn mit ihrer Druckwelle zu Boden. Er fiel ins Gras und blieb unverletzt, lag aber ein paar Minuten benommen und geblendet und betäubt. Stechender Ozongeruch war überall. Endlich rappelte er sich mühsam auf.

Im Salon waren die Lichter an, aber die Vorhänge waren zugezogen und die Fenster in jedem Fall zu hoch über dem Boden, als daß er ins Innere hätte sehen können. Diese Angelegenheit mußte so bald wie möglich erledigt werden; schon so hatte er den Zeitablauf unterschätzt und würde den Treffpunkt, wo er sich mit Theodor und den anderen verabredet hatte, verspätet erreichen. – Wenn sie kämen. So leise wie möglich erstieg er die Stufen, ging hinein und kam in die kleine Eingangshalle. Sein Blick fiel auf das alte bemalte Fenster, und er fragte sich (nicht zum ersten Mal), wie jener andere Alexander das Unternehmen beurteilt haben würde, auf das er sich eingelassen hatte, und sofort sah er ganz klar, so klar, daß er nicht verstehen konnte, wie es ihm bisher hatte entgehen können, daß all seine Gefühle in dieser Angelegenheit Hirngespinste waren, daß er und der tote Engländer nicht nur durch die Zeit, sondern auch durch einen weitere, ebenso unüberwindliche Barriere getrennt waren, eine geistige und moralische Barriere, und daß ihr gemeinsamer Name lediglich das Ergebnis eines kümmerlichen, bedeutungslosen Zufalls war. Wie konnte er jemals etwas anderes darin gesehen haben?

Sergej Petrowsky saß in seinem hochlehnigen karelischen Lehnstuhl, sehr elegant in Tweedhosen, gelbem Kaschmirpullover und hellgrünen Wildlederschuhen. Er war ziemlich niedergeschlagen, da an diesem Morgen die offizielle Abänderung seiner Vorschläge zur Reform des Grundbesitzes aus London eingegangen war. Die ersten acht Punkte, die das neue System der Landarbeitergenossenschaften, ihre Struktur, ihren Unabhängigkeitsgrad und die Verfahrensfragen enthielten, wodurch ihre Anträge auf Landzuweisungen von den örtlichen Behörden bearbeitet und geprüft werden konnten – all diese Punkte entsprachen bis in den Wortlaut seinem ursprünglichen Entwurf. Punkt neun jedoch, der den Übergang der Eigentumsrechte an entsprechend qualifizierte Antragsteller regelte, fehlte vollkommen. Mit anderen Worten, die Engländer waren berechtigt, Anträge auf Landzuweisung zu stellen, aber sie sollten es nicht bekommen. Dabei waren seine Vorschläge bereits sehr gemäßigt gewesen. Nun, versuchte er sich zu sagen, es war ein Anfang. Und es war sicherlich nicht seine Hauptsorge.

Als Alexander forschen Schrittes hereinkam und die Tür hinter sich schloß, sprang er mit einem erfreuten Lächeln auf.

»Alexander, mein lieber Junge ...« Dann wandelte sich seine ganze Haltung, und er sagte im grimmigsten Ton: »Also ist es heute, nicht Sonntag, wie?«

»Nicht Sonntag?«

»Tu nicht so, als ob du nicht wüßtest, wovon ich spreche, Alexander. Ich weiß Bescheid. Ich habe noch keine Zeit gehabt, es zu überdenken, aber ich weiß davon. Wieviel ich weiß, spielt in diesem Stadium keine Rolle.«

»Du irrst dich, Vater, wie gewöhnlich. Wieviel du weißt, könnte für mich von großer Bedeutung sein, obwohl ich zugegebenermaßen nicht die Zeit haben werde, dein Wissen auf die Probe zu stellen.«

»Nun, ich weiß genug, das ist der wesentliche Punkt. Nicht alles, natürlich. Aber SIE wissen alles. Ich brauche wohl nicht zu sagen, wen ich damit meine. Sie wissen alles und kennen alle Beteiligten.«

»Das trifft nicht zu. Vor weniger als einer Stunde habe ich das Gegenteil gesehen. Ein nicht ganz unwesentliches Detail ist ihnen entgangen.«

»Glaub mir«, sagte Petrowsky ernst, »sie kennen jeden Namen, jede geplante Aktion, jeden Bestandteil des Fahrplans, jede ...«

»Wieder falsch. Ich habe den Fahrplan geändert. Und warum sollte ich ausgerechnet dir glauben? Ich habe es früher nie getan, und ich mag nicht daran denken, wieviele Fehler es mir erspart hat. Und jetzt bittest du um dein Leben, also liegt es nahe, daß du lügst. Wer würde es nicht tun.«

»Ich erbettle nichts, weder von dir, noch von anderen«, sagte Petrowsky fest. »Ich möchte dir nur klarmachen, daß deine Sache verloren ist.«

»Warum? Warum willst du mir das klarmachen? Weil es dir das Leben retten könnte. Und wenn meine Sache verloren wäre? Ich habe von Anfang an nie geglaubt, daß es anders kommen würde. Mit etwas Glück würde ich mein Ziel erreichen können, tun können, was ich immer gewollt habe, so lange ich mich erinnern kann, das einzige, was ich je wirklich gewollt habe. Und das ist bloß, Schaden anzurichten, etwas zu zerschlagen. Zu protestieren. Ach ja, die Gesellschaft wird sich niemals ändern, aber binnen kurzem wird sie Beweise dafür haben, daß wenigstens einer sie haßt, ihre Selbstzufriedenheit, ihre Ignoranz, ihre Lieblosigkeit, ihre Selbstsucht, ihre Sentimentalität, ihren Mangel an moralischen Prinzipien, ihre Kaltherzigkeit, ihre Oberflächlichkeit, ihr Analphabetentum ...«

Alexander, dessen Stimme sich mit der Aufzählung immer mehr gehoben hatte, fielen keine weiteren Gründe ein, aus denen man die Gesellschaft hassen könnte, und da die Zeit verstrich, nahm er seine Dienstpistole aus der Ledertasche. Der Anblick dieser Waffe mit ihrem langen Kolbenmagazin entmutigte seinen Vater; vielleicht hatte er bis jetzt nicht glauben können, daß er von der Hand des eigenen Sohnes zu Tode kommen sollte. Seine Stimme hatte fast alle Festigkeit verloren, als er sagte:

»Nicht einen von diesen Feuerstößen, bitte. Auf diese Distanz sollte eine Kugel reichen ...«

»Wir wollen das Personal nicht beunruhigen. Ein Liberaler bis zum letzten Augenblick. Nein, keine Hilferufe, oder du kriegst sofort einen Feuerstoß in den Magen!«

»Ich schwöre dir ... Ich weiß nicht, was du in der vergangenen Stunde getan hast, aber glaube mir, es ist einkalkuliert. Es kann nichts bewirken.«

»Es macht mir nichts aus, das Risiko einzugehen.«

»Alexander, wenn du dich jetzt ergibst, deine Waffe niederlegst und dich stellst, würde es bei der Zivilpolizei bleiben, brauchten es nicht Vanags Leute zu sein ...«

»Ach, du willst mit mir handeln?«

»Ich würde niemals mit dir handeln. Dies alles ist so absurd. Du und ich, wir sollten auf der selben Seite stehen. Warum bist du nicht an mich herangetreten, warum versuchtest du nicht, mich für deine Sache zu gewinnen?«

»Es lohnt sich nicht, dich dabei zu haben. Wie jetzt klar ist.«

Das schien ungehört zu bleiben. »Es ist nicht zu spät. Laß

uns sehen, ob wir nicht zusammengehen könnten. Es könnte sehr wertvoll für dich sein. Es gibt alle möglichen Arten von ...«

»Weißt du, zuerst war ich nicht sicher, ob ich es tun könnte, aber eine Kostprobe von deinem Stil wirkt Wunder. Der Zeitaufwand war nicht umsonst. Adieu, Herr Petrowsky.«

Alexanders Blick nahm einen abwesenden Ausdruck an, als er die Pistole auf seinen Vater richtete. Es hatte seit dem gewaltigen Blitzschlag keine nahen Donnerschläge mehr gegeben, und bis auf ein fernes Grollen war alles still geworden. Petrowsky fiel auf die Knie, hob die zusammengelegten Hände und rief:

»Du kannst es nicht tun! Deinen eigenen Vater! Der dir das Leben gab! Du mußt wahnsinnig sein! Du wirst dir diese Tat nie vergeben. Was wird es dir nützen? Sie werden dich dafür erschießen! Du kannst deinen Gesinnungsgenossen sagen, daß du mich nicht finden konntest!« Nun gingen Petrowsky seinerseits die Argumente aus, aber er gab nicht auf. »Denk an ... denk an deine Mutter! Denk daran, wie sie darunter leiden würde! Einen Sohn zu haben, der ihren Mann kaltblütig ermordete! Du magst mich hassen, obwohl ich nicht verstehen kann, warum, ich habe immer mein Bestes für dich getan, aber sie in ihrer Güte und ...«

Plötzlich erinnerte Alexander sich, wie Leo sich in jener Nacht schreiend auf dem Fahnentuch im Lagerhaus gewunden hatte. Er hatte nicht die Absicht, seinem Vater Anlaß zu gleichen Qualen zu geben, aber die Erinnerung war so lebhaft und ablenkend, daß sein ausgestreckter Arm mit der Pistole vom Ziel abkam, als die Tür aufsprang und Lomow in der Öffnung erschien. Bevor Alexander sich umwenden und die Pistole auf ihn in Anschlag bringen konnte, schoß Lomow ihn durch die Schläfe – eine einzige Kugel. Er war sofort tot, obwohl die Aufschlagkraft des kleinkalibrigen Geschosses gering war und sein Körper einen langen Augenblick brauchte, um zusammenzubrechen und auf den Tigerfellteppich zu fallen, der von den fernen Ufern des Aralsees gekommen war.

Lomow kam wachsam in den Raum, die Pistole auf Alexander gerichtet, bis er sich vergewissert hatte, daß er tot war. Dann begann er zu schluchzen.

»Wer sind Sie?« sagte Petrowsky, als er schwankend auf die Beine gekommen war.

»Er war mein Offizier«, brachte Lomow hervor.

»Was tun Sie hier?«

»Er führte uns. Er sagte uns ... Vergeben Sie mir, Herr!«

Petrowsky legte ihm den Arm um die Schultern. »Weinen Sie nicht, mein Junge«, sagte er freundlich. »Sie taten, was getan werden mußte. Sie haben die Ehre des Regiments gerettet. Oberst Tabidze wird stolz auf Sie sein. Sie sind ein ausgzeichneter Soldat, klar denkend und von rascher Entschlußkraft.«

Aus weiter Ferne ertönte der tiefe Klang einer Glocke, aber Lomow war zu verwirrt, um davon Notiz zu nehmen. Er trocknete sich die Augen und schnupfte.

Inzwischen waren andere hereingekommen, darunter der Butler Anatol, der Offiziersbursche Brevda, Nina, Tatjana, Ljubimow. Es gab viel aufgeregtes Gerede, Klagen und Jammern. Anatol sah völlig verblüfft aus, Brevda fassungslos. Nina zog sich allein in eine Ecke zurück. Tatjana kniete nieder und blickte in Alexanders Gesicht; jemand hatte ihm bereits die Augen zugedrückt, und die Wunde war nicht so schrecklich. Ljubimow sprach leise mit Lomow.

Nach einer Weile zog Petrowsky seine Frau mit einem Blick schüchterner Bitte beiseite.

»Was ist, Sergej?«

»Sag nichts ...« Er brach ab.

»Was soll ich nicht sagen? Warum sollte es irgendeinen Unterschied machen, was ich jetzt sage, jetzt oder irgendein anderes Mal?«

Als er nicht antwortete, ließ sie ihn stehen und ging zu Nina.

Endlich begann es zu regnen.

EINUNDZWANZIG

Direktor Vanag saß auf dem Beifahrersitz eines Geländewagens, der ungefähr dreißig Meter vor dichtem Wald auf einem Feld abgestellt war. Die Bäume waren meistenteils Eukalyptus, Pappeln, Douglasfichten und andere raschwüchsige Arten. Sein langjähriger Fahrer, ein besonnener Mann mit kurzgeschorenem grauen Haar, saß neben ihm am Lenkrad. Sie sprachen nicht. Der Fahrer stand seit elf Jahren in Vanags Diensten, aber in dieser Zeit waren ihre Dialoge auf den Austausch funktionaler Information und die Erteilung von Anweisungen seitens des Direktors beschränkt geblieben. Die starken Gewitter hatten einen Wetterumschwung herbeigeführt, und die Temperaturen entsprachen jetzt mehr der Jahreszeit. Nach den Regenfällen war es mild und sonnig, mit kühlen Brisen. Es war sieben Uhr zwanzig am Morgen. Nachdem er dies mit einem Blick auf die Armbanduhr fstgestellt hatte, kletterte Vanag in den offenen Heckteil des Fahrzeuges. Die Uniform, die er heute trug, unterschied sich von den anderen darin, daß sie große aufgesetzte Taschen hatte. Er rieb sich die Hände und blickte erwartungsvoll zum Wald. Die Morgensonne funkelte auf den ungezählten Regentropfen, die an den Zweigen und Blättern hingen und ergab ein hübsches Bild. Dann erschienen sie über den Wipfeln des Waldrandes, ein halbes Dutzend Holztauben in unregelmäßiger Kette, in raschem Steigflug. Aber Vanag war bereit. Er jagte drei kurze Feuerstöße von 7,55-Millimeter Stahlmantelgeschossen zu ihnen hinauf und holte sofort eine herunter; der Vogel hob sich, als sei er in die Brust getroffen, und fiel, sich mehrmals überschlagend, zu Boden. Für den zweiten Feuerstoß mußte er den Winkel ein gutes Stück vergrößern und verfehlte die Tiere, aber inzwischen war eine Gruppe Stockenten von dem Teich im

Wald aufgeflogen, und obwohl sie schneller und niedriger flogen, erwischte er zwei von ihnen.

Die Waffe war der Nachbau eines leichten Fla-Maschinengewehrs auf einer Ringmontierung, wie es um 1950 in der Sowjet-Flotte verwendet worden war. Ein Bekannter, der von seinem Interesse für solche Dinge wußte, hatte ein fast komplettes Exemplar dieser Waffe in einem Triestiner Museum entdeckt und leihweise in die Heimat fliegen lassen. Dort hatte Vanag eine genaue Kopie anfertigen und zusammen mit einem angebauten Schützensitz im Heck des Geländewagens installieren lassen. Das Ding war ideal für seinen Zweck: leicht zu handhaben, verhältnismäßig zielgenau und mit einer Feuergeschwindigkeit, die für die verschwenderische Wasserspritzentechnik der moderneren Maschinenwaffen zu niedrig war; die letzteren taugten in seinen Augen nicht für den Sportsmann. Die Munition mußte eigens in Birmingham angefertigt werden, aber das war kein Problem, ebenso wenig wie das Anheuern von Freiwilligen, welche die Vögel für ihn aufscheuchten.

Er wechselte gerade das Magazin, als sein Auge eine Bewegung am Waldrand wahrnahm. Sie erwies sich bald als ein Kaninchen, das vor der Annäherung der Treiber die Flucht ergriffen hatte. Vanag schob das neue Magazin so schnell wie möglich in die Waffe und schwang den Lauf herum, aber in diesen wenigen Augenblicken war das Kaninchen nahe genug herangekommen, daß es sich im toten Winkel des Maschinengewehrs befand. Die instinktive Suche nach einer Deckung führte das Tier unter den Geländewagen, wo es blieb. Vanag stand auf, nahm den schweren alten Revolver vom Haken, den er für gerade solch unvorhersehbare Fälle mitführte, und sprang vom Fahrzeug. Es war kein leichter Schuß, denn es galt Reifen, Bremsschläuche, Ölwanne und Differentialgetriebe zu meiden, aber das Kaninchen half ihm, indem es sofort in Bewegungslosigkeit erstarrte, und gleich darauf hatte es keinen Kopf mehr. Unterdessen waren ihm viele Vögel entgangen; es kümmerte ihn nicht, weil noch genug nachkamen.

Am Ende betrug seine Strecke neben dem Kaninchen fünf Tauben, vier Enten und eine Fasanenhenne. Die letztere stellte bereits das Maximum dessen dar, was er sich auf einem Jagdausflug wie diesem zu schießen erlaubte; die Fasanenpopulation war im Rückgang begriffen, und die schwerfällig und niedrig fliegenden Vögel waren beinahe zu leicht herunterzuholen. Die heutige Fasanenhenne lag nicht weit vom Wagen; sie war in einen Feuerstoß hineingeflogen und beinahe entzweigerissen. Er ließ sie mit der übrigen Jagdbeute an Ort und Stelle zurück; sollten die Treiber sich davon einen Sonntagsschmaus machen. Außer einem kleinen Stückchen Kalbfleisch hin und wieder rührte er nämlich kein Fleisch an.

Er nahm wieder seinen Platz auf dem Beifahrersitz ein, und der Fahrer startete den Motor. Der Jagdausflug war beendet; sie fuhren zurück zu Vanags imposantem georgianischen Herrenhaus bei Newport Pagnell. Dort nahm sich sein Waffenmeister des Maschinengewehrs und des Revolvers an, sein Diener half ihm beim Anlegen einer Uniform von konventionellerem Schnitt, ein weiterer Diener brachte ihm eine Tasse Kaffee und einen Zwieback auf einem silbernen Tablett, und seine im Haus lebende Sekretärin ging den neuen Versandkatalog von Harrods mit ihm durch. Als er wieder auf den Vorhof hinaustrat, war der Geländewagen verschwunden und der in Schwarz und Silber schimmernde Rolls Royce erwartete ihn. Der Wagen war gepanzert und kugelsicher, aber das war im Hinblick auf seine Person nichts als ein angenehmer Anachronismus; daß jemand ein Attentat auf ihn verüben könnte, erschien ihm so abwegig wie die Annahme, eine Schildwache könnte plötzlich das geschulterte Gewehr herunterreißen und einem Passanten das Bajonett in den Leib rennen. Er stieg ein; der Fahrer schloß die Tür.

Um acht Uhr achtundzwanzig betrat er das frühere Rathaus, das nun die Büros der Sicherheitsabteilung beherbergte. Einen ersten Aufenthalt gab es am Informationsbildschirm, aber wie er erwartet hatte, gab es dort nichts, was sowohl neu wie auch bedeutsam war, und den Datenausdruck, der ihm von einem Angestellten gereicht wurde, wies er abwinkend zurück. Ein Anruf in seinem Büro ergab, daß auch dort keine Neuigkeiten vorlagen. Darauf nahm er den Aufzug zum zweiten Stock. Oben standen zwei bewaffnete Posten, bewaffnet nicht mit Bajonetten und dergleichen, sondern mit Maschinenpistolen. Zwei weitere Posten standen vor einer vergitterten Doppeltür. Vanag ging an ihnen vorbei und durch einen schmalen Korridor zu einer kleineren, gleichfalls bewachten Tür. Hinter dieser führte eine kurze Treppe zu einer schmalen Bühne hinauf; leichtfüßig eilte er die Stufen hinauf und trat an ein Vortragspult in der Bühnenmitte. Auf die Leseoberfläche des Pultes legte er ein Blatt mit Notizen. Die Wand hinter ihm zeigte eine große Weltkarte mit der Union in Rot, den Verbündeten in Blau, den nicht eingegliederten demokratischen Republiken in Grün und den neutralisierten Staaten in Gelb.

Er stand in einem Vorlesungssaal, der ungefähr einhundertfünfzig Personen Platz bot. Die ansteigenden Bankreihen waren voll besetzt mit Männern (auch einige Frauen waren darunter), die unrasiert und ungekämmt und noch schmutziger als gewöhnlich waren. Ihre Mienen waren ängstlich und feindselig, aber vorwiegend ängstlich. Für den Fall, daß die vorhandene Feindseligkeit eine aktive Form annehmen sollte, waren acht bewaffnete Posten entlang den Wänden verteilt und hielten die Maschinenpistolen wie zufällig auf das Publikum gerichtet. Ihr Zweck war es nicht, einen jähen, vorher verabredeten Ansturm auf Vanag zurückzuschlagen, indem sie deutlich machten, daß die ersten zwanzig oder mehr Angreifer mit Sicherheit den Tod finden würden, sondern um sicherzustellen, daß sie eher alle umkommen würden, als daß es ihnen gelingen könnte, Hand an ihn zu legen. Er hielt einen solchen Angriff für äußerst unwahrscheinlich; nichtsdestoweniger hatte er auf dem Prinzip der Vermeidung unnötiger Risiken eine sehr erfolgreiche Karriere aufgebaut.

»Nun, ich muß sagen, daß ich nicht gerade von Leistungsbewußtsein durchdrungen bin, wenn ich Sie so betrachte«, begann er ohne Vorrede in seiner klaren, hohen Stimme. »Was ich sehe, ähnelt für meinen Geschmack zu sehr einer Razzia in einer Blindenanstalt. Schade um die Mühe und den Aufwand. Nun, ich habe einige von Ihnen hier heraufkommen lassen, weil ich Sie mir ansehen möchte. Im Keller hätte ich Sie nicht so gut sehen können. Ich fürchte, es ist dort nicht sehr bequem, aber das ist schließlich auch nicht der Zweck der Sache. Wie auch immer, wahrscheinlich wissen Sie es zu schätzen, statt dessen für kurze Zeit hier oben zu sein. Ich bedaure, daß es nur eine kurze Zeit sein wird. Gleichwohl mußten wir einige ziemlich lästige Vorkehrungen treffen, wie Sie sehen können. Aber ich dachte, das sei es wert, um einige von Ihnen aus der Nähe zu betrachten.«

Direktor Vanag ließ seinen Blick über die Bankreihen schweifen, da und dort ein wenig verweilen, und je länger seine Inspektion sich hinzog, desto heiterer wurde er, bis er nicht länger an sich halten konnte und laut loslachte; bald schüttelte er sich vor Lachen, krümmte den drahtigen kleinen Körper und schlug mit der Faust auf das Pult. Er schien einer Heiterkeit Luft zu machen, die von Bosheit völlig frei war, wie jemand, der sich an den Possen eines außerordentlich talentierten Komödianten erfreut. Wenigstens einer unter den Zuhörern hatte dieses Lachen bei anderer Gelegenheit schon gehört: Theodor. Seine gegenwärtigen Gefühle waren von einer Art, daß das Benehmen des Mannes am Rednerpult, wie auch die meisten anderen Dinge, keinen Einfluß auf sie hatten.

Nach einer guten Weile raffte Vanag sich auf, räusperte sich und zog seinen Uniformrock glatt. »Hier haben wir, was wir Bürokraten einen Situationsbericht nennen«, sagte er mit einem Blck auf seine Notizen. »Seit mehr als achtundvierzig Stunden herrscht überall Ruhe. Tatsächlich hat es an den meisten Orten keinerlei Unruhen gegeben. Moskau: was unter Ihnen als ein Regierungswechsel im Gespräch war, hat nicht stattgefunden. Nun zu England. Bristol: eine Explosion verletzte vier Sicherheitsbeamte, einen davon schwer. Sevenoaks: auf einen hochrangigen Offizier wurden Schüsse abgefeuert, ein Mitglied seines Gefolges wurde leicht verwundet. In der Nähe von Scotton, Yorkshire, wurden zwei Militärfahrzeuge in Brand gesetzt, aber es gab keine Verluste. Und das ist alles.

Außer in diesem Distrikt. Da drei von den fünf Männern, welche die Gruppe 31 gründeten, unsere Leute waren, hat die Beobachtung der weiteren Entwicklung unsere Kräfte kaum bis zum Äußersten angestrengt, und dementsprechend hatten wir auch nicht allzu viele Möglichkeiten, mehr als ein Mindestmaß an Kompetenz zur Schau zu stellen.« Er blickte auf und lächelte. »Das Ganze war ziemlich langweilig, um die Wahrheit zu sagen. Keine wirkliche Herausforderung. Nun, teils durch Zufall wurde in diesem Distrikt etwas möglich, was doch ein wenig mehr Spaß machte: eine kleine Verschwörung, um den Begriff in seinem technischen Sinne zu gebrauchen, ein kleines Täuschungsmanöver und eine Provokation in einem. Eine Provokation ist attraktiv, weil sie die Wirkung hat, den Einsatz in einem Gewinnspiel zu erhöhen. Sie werden das gleich verstehen. Die Täuschung war jedenfalls erfolgreich. Es gelang uns, Ihnen eine Liste unserer Leute in Ihrer Organisation zuzuspielen, die tatsächlich eine Liste Ihrer eigenen Führung war, die daraufhin von Ihnen selbst durch einige Morde dezimiert wurde. So hatte die Provokation vollen Erfolg.«

Bis dahin hatten seine Zuhörer in dumpfem Schweigen zugehört, teils aufmerksam, teils gleichgültig, nun aber erhob sich aufgeregtes Gemurmel. Vanag fuhr unbeirrt fort:

»Das war nicht ohne Eleganz, aber um zu gelingen, bedurfte es einer Dummheit von Ihrer Seite, mit der Sie sogar mich ein wenig überraschten. Nun, sollten Sie sich fragen, ob ich die Wahrheit sage, dann fragen Sie sich auch, warum ich Sie belügen sollte. Was kümmert es mich, wie Sie über irgend etwas denken?«

Es dauerte eine kleine Weile, bis die Bedeutung dieser Worte allgemein ins Bewußtsein gedrungen war. Dann gab es zornige Rufe und Schreie, und zwei Gestalten wurden zu Boden geworfen und verschwanden aus dem Blickfeld. Beim ersten Anzeichen von Unruhe hatten die Wachen zu Vanag geblickt, der ihnen die erhobene Handfläche zeigte. Es dauerte nicht lange, bis die beiden Niedergestoßenen auf ein weiteres Signal hinausgeschafft und die Gefangenen unsanft aber ohne den Einsatz stärkerer Mittel als vereinzelter Kolbenhiebe auf ihre Plätze zurückgetrieben wurden.

Vanag wartete, bis Ruhe eingekehrt war, ehe er fortfuhr. »In gewisser Weise sind Sie erstaunliche Leute«, sagte er kopfschüttelnd. »Angenommen, mit der Verschwörung hätte es geklappt. Was dann?« Er hielt inne und schien nachzudenken. »Es ist bemerkenswert – nein, natürlich ist es nicht im mindesten bemerkenswert, nicht mehr als das, was jeder mit einem Funken von gesundem Menschenverstand hätte erwarten können. Aber leider hat niemand unter Ihnen auch nur so viel. Es ist durchaus angemessen, daß Ihr Tarnunternehmen, dieses Festival, ein genauso totaler und jämmerlicher Mißerfolg wurde wie Ihr eigentliches Vorhaben. Die Rückgabe der Kultur. Welch bizarre Idee! – Um so mehr als niemand da war, der sie hätte zurückgeben können. Nicht, daß manche unter Ihnen keine ernsthaften Bemühungen unternommen hätten. Der arme Sevadian ließ die Leute im Theater zu allen Stunden bis zur Erschöpfung tanzen, drang bis in die entlegensten Gegenden vor, um Schauspieler und so weiter aufzutreiben. Ein fähiger Mann in seiner Art. Nur keine Vernunft. – Zu Ihren Gunsten sei gesagt, daß Sie nicht so katastrophal scheiterten wie einige der anderen Festivals. Im Südosten zum Beispiel, in einem Ort namens Glyndebourne, führten sie eine Oper oder ein Ballett oder was auf, wobei echte ungezähmte Tiere verwendet wurden, und das Publikum machte einen solchen Lärm, daß sie wild wurden und fünf Menschen töteten. Engländer natürlich. Trotzdem bedauerlich. – Nun, das wäre ungefähr alles, was ich Ihnen zu sagen habe. Ich dachte mir, Sie würden gern erfahren, wie die Lage ist, und ich wollte Sie einmal beisammen haben, um mir einige von

Ihnen aus der Nähe anzusehen. Ich bin mir darüber im klaren, daß ich ein Glückspilz bin, weil ich weiß, was zu tun ist. Ich habe etwas, was meinem Leben als Maßstab dienen kann – die Werte und Regeln der Institution, deren Teil ich seit vielen Jahren bin. Tradition. Einige von Ihnen mögen darauf erwidern, daß diese Regeln und Traditionen einiges zu wünschen übrig lassen, und daran mag wohl etwas sein. Aber für mich, für uns, für diese Wachtposten, sind sie besser als nichts, und dieses Nichts ist alles, was Sie haben. Und damit meine ich nicht nur Sie, die hier versammelt sind, noch Ihre Kollegen unten im Keller, sondern alle in diesem Land, die sich nicht als Diener dieser Werte und Traditionen begreifen: es gibt genug davon in der Verwaltung, unter den Bürokraten und ihren Familien, unter den Überwachungseinheiten. In der Armee sieht es ein wenig günstiger aus, aber sie hat nicht genug zu tun. Wir hingegen brauchen uns über Arbeitsmangel nicht zu beklagen, und wir können sie gut oder schlecht tun, unsere Arbeit hat in jedem Fall Bedeutung. Sie alle, die Sie hier sitzen, können nichts, weder ein Geheimnis bewahren noch einen Teller abspülen. Sie können nicht einmal mit einem ordentlichen Wahrsager aufwarten.« Bei diesen Worten blickte er Theodor an. »Übrigens weiß ich, daß sie niemandem weitersagen werden, daß ich diese abfällige Bemerkung über die Verwaltungsleute gemacht habe. Ich bin sicher, daß ich Ihnen vertrauen kann. Nun, wenn niemand irgendwelche Fragen hat ...«

Eine stumme Bewegung ging durch die Zuhörer auf den Bänken. Die Wachtposten blickten wieder zu Vanag, der ihnen wieder die Handfläche zeigte. Er sagte ernst:

»Tun Sie sich keinen Zwang an, Herrschaften. Fragen Sie, was Sie wollen!«

»Bitte sagen Sie uns, was mit uns geschehen wird«, sagte eine Stimme.

»Wie schrecklich gedankenlos von mir, natürlich möchten Sie das wissen. Das Schlimme ist, ich kann Ihnen wirklich keine Antwort darauf geben. Es liegt nicht bei mir, sehen

Sie; es ist eine Sache, die von den Gerichtshöfen entschieden werden muß. Aber wenn Sie wollen, können wir eine ziemlich erweisliche Vermutung anstellen …?«

»Bitte«, sagte die Stimme.

»Sehr gut. Hier kommt die Erhöhung der Einsätze ins Spiel – es war wirklich unerträglich töricht von mir, das zu vergessen. Ich fürchte, daß Sie sich mit der Annahme der Provokation einen schlechten Dienst erwiesen haben. Die Richter müssen jene Todesfälle, wenn es sich auch um Todesfälle von kriminellen Elementen handelt, mit der gebotenen Strenge ahnden. Versuchen wir noch etwas genauer zu sein: Ich denke, daß jede Art von Exekution getrost ausgeschlossen werden kann. Ja, das ist meine Meinung. Aber wenn es um eine Begrenzung Ihrer Haftstrafen geht, so ist diese beinahe ebenso unwahrscheinlich. Bleibt die Frage nach der Art dieser Haftstrafe. Verbannung würde ich ausschließen – für diejenigen unter Ihnen, die es nicht wissen: Verbannung ist Zwangsaufenthalt in einem oder dem anderen asiatischen Ort. Ja, ich fürchte, daß Sie nicht auf Verbannung hoffen können. Sie wird das Schicksal Ihrer glücklicheren Schicksalsgefährten aus weniger gewalttätigen Distrikten sein. In meiner Voraussicht. Wenn Sie großes Pech haben und der Staatsanwalt energisch darauf drängt, wird es verschärftes Arbeitslager sein, wo die Schwächsten am besten daran sind. Aber … Nein, meine Voraussage würde ein gewöhnliches Arbeitslager sein, in einer nicht allzu kalten Gegend. Schließlich sollen Sie arbeiten, nicht sterben. Wie man mir sagt, ist es möglich, in solchen Lagern ein ganz geregeltes Leben zu führen; naturgemäß hängt das auch vom eigenen Verhalten ab. Noch weitere Fragen?«

Es gab keine.

»Dann wäre das alles. Ich möchte jedem einzelnen von Ihnen dafür danken, daß er oder sie so einfältig war, seine oder ihre Rolle in der einzigen interessanten Inszenierung zu spielen, die mir in elf Jahren bekannt geworden ist. Interessant nicht nur in sich selbst, sondern auch als Ansatzpunkt für eine lang erhoffte Beförderung. Man hat mir inoffiziell zu verstehen gegeben, daß ich im Zuge der Erweiterung meines Aufgabengebietes Oxford als Verwaltungssitz erhalten soll. Sie können sich denken, welch eine Freude das für mich ist. Dort gibt es noch Colleges, müssen Sie wissen. Das heißt, die Gebäude. Sehr kultiviert. Aber Sie werden das bitte nicht überall ausplaudern, nicht wahr? Ich danke Ihnen für Ihre Aufmerksamkeit.«

Vanag gab den Wachen das Zeichen zum Räumen des Saales, aber Theodor hatte Zeit, in einer bittenden Geste die Hand zu heben. Vanag nickte und gab dem nächstbesten Wächter einen Wink. Dumpfe Schläge und einzelne Schreie wurden laut, als dem Publikum aus dem Vorlesungssaal geholfen wurde.

Theodor sah sich von den anderen Gefangenen getrennt. Der von Vanag beauftragte Wärter, klein, aber breit und kräftig, mit einem flachen mongolischen Gesicht, packte ihn am Oberarm und stieß ihn zum Treppenhaus. Dabei stieß und zog er ihn hin und her, so daß Theodor ständig taumelte und stolperte und den Anschein von Widerstand gab, obwohl er keinen leistete. In der gleichen Art und Weise wurde er in den Aufzug und wieder heraus befördert, obgleich er in beiden Fällen durchaus bereit war zu tun, was von ihm verlangt wurde. Als er das sagen wollte, wurde er hart und fachmännisch zweimal ins Gesicht geschlagen, Vorhand und Rückhand. Er hätte es inzwischen besser wissen müssen, nach drei Tagen in Gewahrsam. Nun, früher oder später würde er es lernen, daran war nicht zu zweifeln. Es kam darauf an, ihn niemals auch nur für einen Augenblick vergessen zu lassen, daß er ein Gefangener war. Auch das würde er lernen.

Im unteren Geschoß wurde er einen breiten Korridor entlang gestoßen und gezerrt und schließlich mit solcher Gewalt in einen anstoßenden Raum geschleudert, daß er beinahe gestürzt wäre. Es war ein kleiner Raum, sparsam möbliert und nahezu kahl: nichts an den Wänden, keine Schränke, keine Akten, keine Papiere, nur ein offener Notizblock und Bleistift auf dem Schreibtisch, hinter dem Vanag saß. Die einzigen anderen Gegenstände auf dem Schreibtisch waren eine Gegensprechanlage, ein Telefon mit Schaltern und ein Glas, das Fruchtsaft enthalten hatte – Zitronensaft, wie Theodor sich erinnerte. Anwesend war außerdem ein blonder Mann von ungefähr dreißig Jahren und in Zivilkleidung, der hinter einem völlig leeren und rechtwinklig zum Schreibtisch aufgestellten Tisch saß. Er sagte nichts und machte während des folgenden Gesprächs keine Bewegung. Theodor hatte keine Ahnung, wozu der Mann da war.

Als keiner der beiden sprach, fragte er, ob er sich setzen dürfe.

Vanag schaute ihn an. Sein Benehmen hatte einiges von der Liebenswürdigkeit eingebüßt, die seine Ansprache oben im Vorlesungssaal ausgezeichnet hatte. »Ja, gut«, sagte er nach einem Moment. »Also, was wollen Sie?«

»Nina Petrowsky«, sagte Theodor, nachdem er sich auf einem hölzernen Klappstuhl niedergelassen hatte. »Können Sie mir sagen, wo sie ist? Sie scheint in keiner der Zellen hier zu sein.

»Selbstverständlich weiß ich, wo sie ist; ich weiß, wo jeder ist. Sie befindet sich im Krankenhaus, wird dort aber nicht lange bleiben. Nur eine kleine Gehirnerschütterung. Nichts Ernstliches.«

»Wie?«

»Sie widersetzte sich der Festnahme.«

»Aber was könnte sie tun? Sie ist nur ein Mädchen.«

»Vielleicht nicht mehr als verbal.«

»Darf ich sie sehen?«

»Nein, Sie dürfen nicht«, sagte Vanag streng. »Glauben Sie, ich habe Leute für dergleichen frivole Botendienste überzählig? Es gibt noch immer eine Menge Arbeit zu bewältigen.«

»Werde ich sie wiedersehen?«

»Es ist möglich; es ist aber eher unwahrscheinlich. Ihr Transport kann jeden Tag abgehen. Gibt es sonst noch etwas?«

»Wie kam ihr Bruder ums Leben?«

»Er wurde von einem seiner eigenen Leute erschossen, als er im Begriff war, seinen Vater zu erschießen.«

»Ach.« Theodor überlegte. »Wie kam es, daß der Mann so rechtzeitig zur Stelle war? Aber das ist nicht wichtig; wo war Ihr Mann zu der Zeit? Oder ...«

Der andere nickte kurz. »Da haben Sie recht«, sagte er. »Unser Mann schnarchte auf seinem Bett, und die Schau weckte ihn auf. Er hatte nur drei von den Dienern unter seinem Befehl und erwartete nicht, daß bis zum nächsten Tag etwas geschehen würde. Wie alle anderen bin auch ich nur so gut wie die Leute, die man mir schickt.«

»Wer ist er?«

»Nein. Es gibt einige Regeln, die ich niemals verletze.«

»Wer immer er war, wie wird diese Episode in Ihrem Bericht aussehen?«

»Sehr verschieden davon, wie sie sich abspielte.«

Theodor stieß ein bitteres kurzes Lachen aus. Es war kaum Heiterkeit darin, aber es berührte Vanag. Der Blick, den er Theodor zuwarf, war nicht freundlich, aber auch nicht verächtlich oder ärgerlich; er anerkannte die innere Nähe, die zwischen ihnen entstanden war, weil sie an derselben Operation teilgenommen hatten, wenn auch auf verschiedenen Seiten. Er sprach ein Wort in die Gegensprechanlage auf seinem Schreibtisch und schien sich ein wenig zu entspannen.

»Wenn es jemals einen Einfaltspinsel gab«, sagte er, »dann war es der verstorbene Alexander Petrowsky, den Sie mit solch überstürzter Bereitwilligkeit rekrutierten. Nur ein Dummkopf von erstaunlichen Ausmaßen würde sich auf ein Verhältnis mit dem Korotschenko-Weib einlassen. Ein bösartiges, launenhaftes und destruktives Kind, diese Frau. Aber sie hat ihre Verwendungen, wie Sie zugeben müssen.«

»Das verstehe ich noch nicht. Sicherlich stand sie nicht unter einem Befehl, als sie sich Alexander an den Hals warf.«

»Nein, nein, sie folgte ihren eigenen Neigungen, wie immer. Ein paar Tage später brachten diese Neigungen sie dazu, ihrem Mann von dem neuesten Abenteuer zu erzählen. Wahrscheinlich hatte er in irgendeiner Weise ihr Mißfallen erregt. Vielleicht aber auch nicht.«

»Aber Sie ... aber er hätte ...«

»Ihre Verwunderung verrät Ihre verheerende Unkenntnis der Welt und des menschlichen Charakters. Das offensichtliche Versagen des jungen Petrowsky, auch nur die Möglichkeit zu erwägen, daß sie ihn verraten könnte, weist auf eine noch krassere Unwissenheit hin. Wie er sich hätte denken können und erkennen müssen, war es gerade *das*, was ihr Spaß machte. Das heißt – unter anderem.«

»Zuletzt vermutete er das. Als es zu spät war.«

»Ganz recht. Tatsächlich wußte Korotschenko bereits über die Affäre zwischen ihr und Ihrem Freund Alexander, so daß sie nur dachte, sie betrüge ihn.«

»Wer sagte es Korotschenko?«

»Ich selbst. Es ist wichtig, daß ein stellvertretender Direktor der Sicherheitsabteilung davon informiert wird, wenn seine Frau sexuelle Beziehungen zu einem Konterrevolutionär unterhält. Ja, das Abendgespräch in der Offiziersmesse.«

»Dieser Mann mit dem Muttermal«, sagte Theodor bitter. »Aber ich sah sorgfältig nach und fand nichts.«

»Worauf Sie sich vor Lauschern völlig sicher fühlten, sicherer als wenn Sie nicht nachgesehen hätten, und natürlich stellten Sie keine weiteren Nachforschungen an. Das Vorgehen unseres Mannes war umsichtig und verdienstvoll.« Vanag machte eine Notiz auf seinem Block.

»Haben Sie unser Gespräch im Freien aufgezeichnet? Oder war das unmöglich?«

»Wir haben die Möglichkeit, jedes Gespräch aufzuzeichnen, wo immer es geführt wird, aber selbst nach all den Jahren ist die Technik für Einsätze im Freien immer noch ziemlich kompliziert und erfordert erfahrenes Bedienungspersonal. Daran herrscht bei uns chronischer Mangel, und so verwenden wir diese Leute nur zum Sammeln von wichtigerem Material.«

»Gingen Sie nicht ein großes Risiko ein? Wir hätten den Diebstahl der Projektile schon für den nächsten Tag verabreden können.«

Vanag lächelte. »Sie können nicht ernstlich darüber nachgedacht haben, so wenig wie über alles andere. Hätten Sie es getan, so müßte Ihnen aufgegangen sein, daß scharfe Projektile dieses Zerstörungspotentials nicht in jeder Waffenkammer verwahrt werden. Jeder weiß, welche Nachlässigkeiten in Friedenszeiten bei der Truppe vorkommen. Glauben Sie, ein Mann in meiner Position würde allein auf die Wachsamkeit gutmütiger Schwadronschefs und argloser Feldgendarmen vertrauen? Die sind auch nur Soldaten. Was Ihr Freund auf mich abgefeuert haben würde, waren Übungsgeschosse ohne scharfe Sprengköpfe.«

»Aber irgendwo muß es die scharfen Projektile geben.«

»Gewiß, und wo werden sie sein? Dort, wo auch das echte TK-Gas ist. In geheimen Lagern, die das Militär unter unserer Kontrolle verwaltet. Über jede Waffe wird genau Buch geführt. Wie es schon der KGB in vergangenen Zeiten getan hat. Aber davon werden Sie nichts wissen. Das ist das Deprimierende an Leuten wie Ihnen. Weil Sie nicht in der Gegenwart zu leben verstehen, haben Sie nicht das geringste Interesse an der Vergangenheit. Sie und ich, wir hatten einmal ein sehr kurzes Gespräch, eine Meinungsverschiedenheit über die Pazifizierung, über die Ereignisse, als wir Russen hierher kamen. Ich erinnere mich, wie Sie sagten, daß der organisierte englische Widerstand nach drei Tagen aufgehört habe, und daß es danach nur noch vereinzelte Widerstandsnester gegeben habe. Völlig richtig und zugleich völlig irreführend. Und Sie sind einer der vielen Irregeführten, die willens oder sogar mehr als willens waren, sich irreführen zu lassen.

Ja, die Widerstandsnester. Wohin unsere Soldaten kamen, stießen sie auf welche, besonders auf dem Land, obwohl sie auch in den Städten anzutreffen waren. Eines dieser Widerstandsnester befand sich im Dorf Henshaw, nicht weit von hier, wo der nichtsnutzige Alexander eine seiner

Liebschaften hatte. Die Engländer lockten unsere Truppen in einen Hinterhalt und schlachteten eineinhalb Kompanien mit erbeuteten Waffen ab, bevor sie liquidiert wurden. Nur wenige ihrer Soldaten waren beteiligt. Die meisten waren Zivilisten, junge Leute, auch Frauen darunter. Sie ergaben sich nicht, selbst als die Häuser, in denen sie sich zuletzt verschanzt hatten, in Brand geschossen waren. Wir haben hinterher den Mantel des Schweigens über all diese Vorgänge gebreitet. Es hätte der Moral und der Verständigungsbereitschaft beider Seiten geschadet. Natürlich konnte man nicht alles vertuschen.«

»Die Engländer müssen erschreckende Verluste erlitten haben.«

»Ja, erschreckend in der Tat. Es war früher gesagt worden, daß sie verweichlicht seien. Wenn das der Fall war, dann würde ich gerne wissen, wie sie vorher waren. Sie machten weiter, nachdem sie verloren hatten, nachdem sie wußten, daß sie geschlagen waren. Warum, in Gottes Namen? Nun, das gehört zu den Dingen, die wir nie erfahren werden. Und es ging weiter. Da gab es eine Siegesparade durch die Straßen von Liverpool, und eine Frau mittleren Alters zog ein Schnitzmesser aus der Handtasche und stieß es dem Mann, der zur Rechten meines Vaters marschierte, ins Herz. Eine Sekunde später war sie tot, aber er auch. Vielleicht hatte es mit dem Tod ihrer Königin zu tun. Es war ein Unfall, aber kein Mensch glaubte daran. Sie war ein überlebtes feudales Relikt, aber die wenigen Engländer, die das damals zu sagen wagten, wurden von ihren Landsleuten einer Umerziehung unterworfen, die in den meisten Fällen tödlich ausging.«

Eine Pause trat ein. Der hellhaarige Mann schaute interessiert zum Fenster hinaus. Theodor kratzte sich die Achselhöhle, wartete einen Moment und sagte:

»Könnte ich bitte was zu trinken haben?«

»Gewiß nicht«, sagte Vanag, aber diesmal ohne Schärfe. »Auch keine Zigarette. Sie vergessen, was und wo Sie sind. Überhaupt, ist es nicht ziemlich früh für einen Trunk? Wie auch immer, es gab Unordnung hier, galoppierende Inflation, Massenarbeitslosigkeit, Streiks, Streikunterdrückung, Aufruhr, dann noch schlimmeren Aufruhr, als eine linke Gruppe die Macht ergriff. Für uns war es die Chance zur Übernahme eines Landes, ohne dessen Besitz die Herrschaft über Europa immer eine halbe Sache geblieben wäre. Naturgemäß gab es anfangs ernste Schwierigkeiten, so daß bereits daran gedacht wurde, einen Teilrückzug zur Umgruppierung einzuleiten.«

»Wie verhielten sich die Amerikaner?«

Darauf brach Vanag wieder in sein fröhliches Gelächter aus, das nach einer guten Weile in erheitertem Glucksen und Schnauben erstarb. Dann änderte sich sein Benehmen abermals. Er musterte Theodor mit unfreundlichem Blick und ließ eine weitere Pause verstreichen, bevor er fortfuhr:

»Dies alles war Ihnen neu. Aber wenn Sie wirklich interessiert gewesen wären, hätten Sie es erfahren können. Etwas über die Nation, für die Sie töten und notfalls auch sterben wollten.«

»Sie haben es unsereinem nicht gerade leicht gemacht, etwas darüber zu erfahren.«

»Sehr richtig, Markow; wir machten es euch nicht gerade leicht. Wir machten es sogar äußerst schwierig. Aber das ist auch alles. Niemand kann die Wahrheit so tief vergraben, daß sie unauffindbar bleibt, ich weiß das am besten. Man kann allenfalls die Leute überzeugen, daß es keinen Sinn hat, danach zu suchen. Der vielseitige Alexander Petrowsky glaubte auch, er interessiere sich für die Engländer, und in einer Weise tat er es wirklich – jedenfalls galt das für die Engländerinnen, von denen er nicht wenige aufs Kreuz legte. Er war mit diesem alten Geistlichen bekannt, Glover, der die sinnlose und gescheiterte Kirchenzeremonie in Ihrem Festival leitete. Sie sind wirklich seltsame Leute. Nun, dieser Glover wäre eine recht brauchbare Informationsquelle über die Pazifizierung und die vorausgegangenen Ereignisse gewesen, und Alexander hätte Sie leicht mit ihm bekanntmachen können, wenn Sie den Wunsch geäußert hätten, aber Sie taten es nicht. Das ist das Dumme mit der Ignoranz; sie verteidigt sich bis zum Tode gegen das Wissen. Hinter ihr liegt das absolute Fehlen von Wißbegier. Intelligenz ist für Leute in Ihrer Situation keine Hilfe. Ein Mann kann sich nicht intelligent verhalten, wenn er nichts versteht.

Lassen Sie mich eine letzte Frage stellen: Glaubten Sie wirklich daran, das Land den Engländern zu übergeben, sobald die Verhältnisse es erlaubten? Sie brauchen darauf keine Antwort zu geben. Natürlich haben Sie sich niemals den Kopf darüber zerbrochen, wie dies geschehen sollte, und welchen Engländern, und was dergleichen schwierige Fragen mehr sind. Aber diese Fragen stellten und stellen sich glücklicherweise nur theoretisch, nämlich wenn wir es vorziehen, von einer echten Konterrevolution zu sprechen, und nicht von der größten Sicherheitsoperation der letzten fünfzig Jahre. Es ist gut, daß Sie dies wissen, damit Sie nicht etwa einem unangebrachten Stolz verhaftet bleiben. Ja, Gruppe 31 war das geistige Kind eines unserer Leute in Moskau. Es ging darum, die unzufriedenen, unzuverlässigen und opportunistischen Elemente aus dem Untergrund hervorzulocken, ihren Zusammenschluß zu fördern, ihre verbrecherischen Pläne reifen zu lassen und zuzugreifen, sobald sie daran gingen, sie in die Tat umzusetzen. Selektiver als eine allgemeine Säuberung, ausgezeichnete Übung für die Organisation, verstärkter Abschreckungseffekt: Wer sich einer subversiven Bewegung anschließt, wird gefaßt und seiner gerechten Bestrafung zugeführt, und wenn jemand versucht, unzufriedene Elemente für eine solche Bewegung zu gewinnen, dann ist er wahrscheinlich ein Geheimpolizist. Ich bin neugierig, wie diese Taktik sich in der Anfang kommenden Jahres für Polen geplanten Operation bewähren wird. Nun, ich rate Ihnen, Ihren Kollegen nichts davon zu erzählen, es sei denn, Sie legen Wert auf einen gebrochenen Hals. Einige von Ihren Mithäftlingen sind nicht so umgänglich wie Sie.«

Vanag hatte die vor ihm auf dem Schreibtisch ruhenden Hände nicht bewegt, aber sobald er geendet hatte, wurde an die Tür geklopft, und der Wärter kam herein. Theodor sagte hastig:

»Ich war gegen diese Tötungen, wissen Sie.«

»Ich glaube, Sie waren ganz dafür, daß Alexander Petrowsky seinen Vater ermorden sollte. Ich bezweifle, daß in Ihrem Gerichtsverfahren Raum für die Berücksichtigung solch fadenscheiniger Einlassungen sein wird. Es hilft nicht, wenn Sie sich jetzt als den netten jungen Mann hinstellen wollen, Sie armseliger kleiner Tropf.«

Er nickte dem Wärter zu, der Theodor am Arm hochriß, obwohl dieser bereits im Aufstehen begriffen war. Im Korridor, hin und hergestoßen, überlegte er dumpf, ob dies wirklich derselbe Mann sei, der ihn zu Vanag gebracht hatte; er schien ein wenig größer, weniger breit. Aber ob er nun derselbe war oder nicht, er war vom gleichen Schlag, ein Mann, der alle ihm Anvertrauten mit gleichgültiger, unaufmerksamer Brutalität behandelte, nicht eigentlich grausam, aber von einer gefühllosen Erbarmungslosigkeit, ein Typ, der von Anbeginn der Zivilisation immer irgendwo in der Welt gebraucht worden war. Dieser Vertreter des bewußten Typs spuckte Theodor beiläufig ins Gesicht, als sie im Aufzug standen, und stieß ihn mit solcher Wucht in seine Zelle, daß er gegen die Wand flog und sich eine schmerzhafte Schulterprellung zuzog.

Die Zelle war nicht größer als acht Quadratmeter, da sie aber nur achtunddreißig Personen enthielt, war wenigstens Raum, daß jeder sich niedersetzen konnte. Da Theodor als letzter eintraf, mußte er mit einem Platz bei den Fäkalieneimern vorliebnehmen. Er hatte erwartet, daß man ihn fragen werde – vielleicht sogar mitfühlend fragen würde –, was mit ihm geschehen sei, aber niemand blickte auch nur auf. Er umschloß die angezogenen Knie mit den Armen und rückte auf dem Steinboden herum; es war schwierig, eine nicht unbequeme Position zu finden. Wenigstens war die Zelle trocken und ausreichend belüftet. Allmählich kehrten seine Gedanken zurück zum letzten Teil seines Gesprächs mit Vanag. Als er auf die Frage, ob er geglaubt habe, daß eine Absicht bestanden habe, England den Engländern zurückzugeben, nicht geantwortet hatte, war dies nicht geschehen, weil er sich selbst oder andere nicht verraten wollte; er hatte einfach vergessen, was er geglaubt hatte. Nun versuchte er wieder, sich zu erinnern. Es half nicht; er hatte niemals viel über die Angelegenheit nachgedacht, und das letzte Mal schien schon zu weit zurückzuliegen. Hatte er an einen Erfolg der Revolution geglaubt? Er hatte hin und wieder über die Angelegenheit nachgedacht und zuletzt beschlossen, sich ein Urteil darüber vorzubehalten und den Ereignissen ihren Lauf lassen. Oder war er der Grübelei bloß überdrüssig geworden? Er wußte es nicht mehr zu sagen.

Die Vormittagsstunden schleppten sich dahin. Alle paar Minuten benützte jemand einen der Fäkalieneimer, und jedesmal mußten sie über ihn hinwegsteigen, um sie zu erreichen, wobei es selten ohne unbeabsichtigte Fußstöße abging. Es gab keine Gespräche. Draußen auf dem Korridor schritt ein Wächter auf und ab; jeder seiner Schritte auf den Steinplatten hallte von den Wänden wider. Theodor konnte hören, wie die Schritte sich zum anderen Ende entfernten, kehrtmachten und zurückkamen. Indem er die Schritte zählte, hätte er die Länge des Korridors berechnen können, aber diese Information war nicht der Mühe wert; sie war sinnlos. Wann würde das Mittagsmahl ausgegeben? Niemand konnte es wissen. Alle Uhren waren den Gefangenen zusammen mit den übrigen Gegenständen abgenommen worden, bevor man sie zu den Zellen gebracht hatte. Sie befanden sich zu tief unter dem Erdboden, um etwas von der Außenwelt zu hören.

Andere und schwierigere Fragen begannen sich in Theodors Bewußtsein zu drängen und seine widerwillige Aufmerksamkeit zu finden. Dies führte zu einem schwerfälligen inneren Dialog mit sich selbst.

War die Revolution eine
gute Sache? Hatte ich recht,
es zu glauben?

Gewiß. Die Engländer waren dessen beraubt, was ihnen von Rechts wegen gehörte. Also mußte die Rückgabe eine gute Sache sein.

Aber diese Selbstverwaltung hätte ihnen nach und nach übertragen werden müssen, um sie darin zu schulen. Wäre das nicht unmittelbar unserer erklärten Politik zuwidergelaufen, ihnen die ganze politische Macht auf einmal zurückzugeben?

Ja, das wird wohl so sein.

Warum war ich für diese Politik?

Augenblick ... Weil Sevadian sie empfohlen hatte.

Verstand ich seine Argumente?

Ja. Wäre die Übergabe der Macht in kleinen Schritten über Jahre hin vorgesehen gewesen, so wäre nie etwas daraus geworden.

Warum nicht? Wie folgt das daraus?

Was ist die nächste Frage?

Was liegt mir an den Engländern? Genug, um mein Leben für sie aufs Spiel zu setzen?

Nein. Ich schloß mich der Revolution an, weil ich dafür kämpfen wollte, woran ich glaubte.

Woran glaube ich?

An Gerechtigkeit und Freiheit und so weiter.

Liegt mir soviel daran, daß ich mein Leben dafür aufs Spiel setzen würde?

Nein. Ich suchte das Abenteuer.

So sehr, daß ich dafür mein Leben aufs Spiel gesetzt hätte?

Nein. Ich glaubte nicht, daß es dazu kommen würde.

Das ist eine ziemlich armselige Geschichte.

Von welcher Art meine Motive auch waren, jedenfalls arbeitete ich dafür, woran ich glaubte.

Woran glaube ich?

Ich habe Gerechtigkeit und Freiheit erwähnt. Dann gibt es noch Wahrheit und Kunst und Anstand und Macht und Glück und Treue. All die Dinge, die wichtig sind.

Was heißt ›wichtig‹?

An diesem Punkt brach Theodor seinen inneren Dialog ab. Seine Zelle war die erste in der Reihe, was bedeutete, daß jemand, der die Treppe herunterkam, durch die Gitterstäbe zu sehen war. Und jemand war nun in Sicht gekommen, stand in gebeugter Haltung keine fünf Meter von ihm entfernt, während ein Wärter dem anderen ein Stück Papier zeigte. Es war Nina. Sie hatte eine schmutzige Bandage um den Kopf und sah unwohl, lustlos und verwirrt aus. Er wollte ihr zurufen, unterließ es aber. Er sagte sich, daß es keinen Zweck habe, obwohl ihm durchaus nicht klar war, was er damit meinte. Augenblicke später war sie fort. Er ließ den Kopf hängen. Er überlegte trübe, ob er Trauer nicht verspüren sollte, oder Reue, oder auch ein tröstliches Bewußtsein getaner Pflicht. Aber aus verschiedenen Gründen war ihm nichts dergleichen möglich. Alles, was er empfinden konnte, war eine gewisse Furcht – und dennoch eine große Gleichgültigkeit.

ZWEIUNDZWANZIG

Der kleine Friedhof war überfüllt. Eine Ehrenwache des Regiments säumte den Hauptweg und stand in Doppelreihen zu beiden Seiten des Grabes. Auf der Straße zog Schar 8 der Reiterschwadron unter der Führung von Unteroffizier Ulmanis zum Friedhofseingang, wo sie auf ein Signal von Oberstleutnant Tabidze anhielt. Sechs Mann saßen ab, traten zu dem von zwei Pferden gezogenen offenen Pritschenwagen und hoben unter Ljubimows Anleitung den Sarg auf die Schultern. Sorgsam, aber nicht sehr geschickt, hielten sie ihren Einzug in das Friedhofsgeviert, während ein Kontingent der Regimentskapelle einen Trauermarsch spielte.

Lomow war nicht unter den sechs Sargträgern; er hatte sich nicht freiwillig gemeldet und war in jedem Fall zu klein. Er blieb draußen in soldatischer Haltung auf dem Pferd sitzen und hielt Ljubimows Reittier am Zügel. Als er das letzte Mal hier gewesen war, hatte er sich in einem Zustand innerer Zerrissenheit befunden und mit den Tränen gekämpft. Er hatte militärischen Vorschriften zuwidergehandelt, den Befehl eines Vorgesetzten verweigert, einen harten Geländeritt hinter sich gehabt, zwei seltsame Erscheinungen gesehen (oder vielleicht nicht gesehen) und hatte schließlich in letzter Sekunde die Gefahr abgewendet, sich der Beihilfe zum Mord schuldig zu machen. Immer ein schneller Denker, hatte er augenblicklich und richtig vermutet, daß die Errettung Petrowskys vom sicheren Tod seine Rechnung mit der Armee ausgleichen werde; und Ljubimows obendrein. Jetzt beglückwünschte er sich zu der Neugierde, die ihn gerade noch rechtzeitig zum Haus geführt hatte, und hielt ein selbstzufriedenes Lächeln zurück. Im Ganzen gesehen, tat es ihm leid, daß der Fähnrich tot war, aber er war für einen guten Offizier zu sprunghaft und unberechenbar gewesen. Es war aufregend, mit ihm Geländeritte zu machen, aber er war leicht verstimmt und konnte dann gefährlich werden; genaugenommen war er zu allen Zeiten gefährlich gewesen.

Einige Mitglieder des Regiments hatten dem Begräbnis als Privatpersonen beiwohnen wollen, sei es aus einem inneren Bedürfnis heraus, sei es aus purer Neugierde, und standen hier und dort auf dem Friedhof herum: Viktor, Boris, Dmitri und andere. Auch Major Yakir war anwesend, jedoch in seiner Eigenschaft als der Schwadronschef des Verblichenen. Viktor hatte seinen Standort mit einiger Umsicht in einem Winkel der Friedhofsmauer gewählt, wo alle anderen in der Nähe ihm den Rücken zukehrten und er unbemerkt seine Taschenflasche mit Wodka zum Munde führen konnte. Als der Friedhof sich füllte, suchten andere Trauergäste Plätze in seiner Nähe. Am nächsten war ihm eine Frau, die ein sonderbares schwarzes Kleid und einen Hut dazu trug. Sie war offenbar allein, ungefähr Mitte der Dreißig, und hatte einen bemerkenswerten Busen, der in sein Blickfeld rückte, als sie sich halb umwandte und ihn ansah. Danach trat sie einen oder zwei Schritte zurück, bis sie fast auf Tuchfühlung mit ihm stand. Er hatte gerade einen schnellen Zug aus der Flasche tun wollen, weil er die Gelegenheit günstig wähnte, als er sich unversehens verschluckte und krampfhaft zu husten begann. Seine Empfindungen von Kummer um den Verstorbenen, die niemals tief gewesen waren, lösten sich völlig auf.

Der Sarg wurde ins Grab gesenkt. Oberstleutnant Tabidze salutierte und ließ die Hand ungewöhnlich lange am Mützenschirm, während alles in pietätvollem Stillschweigen verharrte. Dann ließ er die Hand sinken, trat einen Schritt vor und begann zu sprechen.

»Wir stehen heute am Grab eines tapferen jungen Offiziers, der sein Leben für das Vaterland und, durch eine unerwartete Wendung des Schicksals, für seinen Vater hingab. Inmitten unserer Trauer können wir nur Befriedigung darüber empfinden, daß die für diese Schändlichkeit verantwortlichen Meuchelmörder gefaßt und ihrer Bestrafung zugeführt worden sind. Mögen ihre Namen in Schande vergehen. In Ihrem Opfer, Alexander Petrowsky, haben Rußland und England einen guten Freund verloren. Seine Eltern, denen unser Mitgefühl und unsere Zuneigung gilt, haben den besten aller Söhne verloren. Wer die Familie kennt, weiß, wie sehr Alexander seine Eltern verehrte. Als einer, der ihn sein Leben lang kannte und während der ganzen Dauer seiner so abrupt beendeten Offizierslaufbahn sein kommandierender Offizier war, bin ich vielleicht besonders befähigt ...«

Mittlerweile hatten beinahe alle Anwesenden aufgehört, der Ansprache zu lauschen. Mit Ausnahme einiger weniger hatten sie die ersten Worte des Obersten mit gespannter Aufmerksamkeit verfolgt, in der Hoffnung, einen Hinweis auf die Wahrheit über Alexanders Tod darin zu finden, der sich nach einhelliger Auffassung nicht so zugetragen haben konnte, wie offiziell verlautbart worden war. Die allgemeine Ungläubigkeit erwuchs nicht aus irgendeiner inhärenten Widersprüchlichkeit in der Geschichte von den zwei maskierten Revolverhelden, die nach ihrem Mordanschlag zunächst entkommen waren, später aber an einem anderen Ort hatten überwältigt werden können; solche Mordanschläge kamen vor und waren nicht eigentlich etwas Ungewöhnliches. Sie folgte vielmehr aus der Einsicht, daß die Idee, Alexander habe eine halbe Stunde seiner Freizeit, geschweige denn sein Leben, dem Heimatland oder seinem Vater gewidmet, nicht der Wahrheit entsprechen konnte. Solche skeptischen Zuhörer wurden durch die Rede des Obersten nicht klüger, und es stand zu erwarten, daß sie in ihrem Zustand der Unwissenheit würden ausharren müssen. Die anderen, die wenigen wie Lomow, welche den wahren Hergang des Geschehens kannten, hatten Tabidzes eröffnenden Bemerkungen mit geringerer Neugierde gelauscht und allenfalls eine gewisse innere Erheiterung über die Geschicklichkeit seiner übertreibenden Verdrehungen verspürt. Ein Mitglied dieser Gruppe, Brevda, war zu solch distanzierter Betrachtung nicht fähig. Nach dem ersten Schock war er in einen Zustand gedämpfter Panik zurückgesunken, die jeden Augenblick zum offenen Ausbruch kommen konnte. Man hatte ihn noch nicht dafür zur Rechenschaft gezogen, daß er bis zum rettenden Eingreifen Lomows nichts für die Sicherheit Sergej Petrowskys getan hatte, der beinahe vor seiner Nase getötet worden wäre, aber es ließ sich nicht mehr lange aufschieben. Wahrscheinlich wartete der Chef nur noch die Beerdigung ab; dann würde die gefürchtete Vorladung kommen. Für Alexander hatte Brevda keinen Gedanken, es sei denn in der abstrakten Form als Ursache allen Übels.

Tabidze näherte sich dem Ende seiner Ansprache. Er hatte mit charakteristischer Gewissenhaftigkeit daran gearbeitet, jeden erwähnt, der dies verdiente, nach Möglichkeit glatte Lügen vermieden, wenn er über Leben und Wirken des Dahingeschiedenen sprach, seine Tugenden ohne allzu derbe Übertreibung aufgezählt, oder jedenfalls ohne regelrechte Erfindung. Und weil diese Dinge mit Anstand und Würde vonstatten gehen mußten und der Umgang mit Notizzetteln am offenen Grab dieser gebotenen Würde Abbruch getan hätte, hatte er die ganze Ansprache auswendig gelernt und geübt.

Seine wahre Meinung über Alexander behielt er für sich. Sie begann mit der Beobachtung, daß der junge Idiot versucht hatte, zuviel auf einmal zu sein. Ein Beispiel dafür war seine soldatische Haltung: von einem Augenblick zum nächsten wußte man nie, ob er sich als ein nachlässiger Liberaler oder als ein strenger Zuchtmeister gebärden würde, als ein Techniker oder ein Kavallerist, als ein auf Vorschriften pochender Pedant oder als ein Improvisator, als ein Dandy oder als ein seiner Sache ergebener Berufsoffizier. Zählte man dazu sein Geschlechtsleben, sein gesellschaftliches Leben ... Und dann diese letzte, tödliche Verrücktheit. Im ganzen gesehen war er für das Regiment eine Belastung gewesen, eher auffallend als brillant, und zu rasch gelangweilt, um verläßlich zu sein. Ohne ihn würde das Leben bequemer und nicht nennenswert eintöniger sein.

»Also hat der Tod Alexander Petrowsky in der Blüte seiner Jahre aus unserer Mitte gerissen«, sagte Tabidze abschließend. »Jeder, der ihn kannte, trauert in der bitteren Erkenntnis, daß er oder sie ihn niemals wiedersehen wird. Das ist alles.«

Er salutierte abermals. Sein Trompeter, der gelegentlich daneben blies, ließ das kärglich-sentimentale Signal ertönen, das als ›Licht aus!‹ diente. Die Ehrenwache stand auf die Gewehre gestützt und neigte die Köpfe. Die Salutschützen feuerten ihre altmodischen Karabiner über dem Grab in die Luft, und die englischen Totengräber machten sich daran, den Aushub wieder hineinzuschaufeln.

Auf der anderen Seite stand die kleine, schwarzgekleidete Gestalt Elizabeth Cuys in der ersten Reihe der Trauergäste. Sie gehörte zu den paar Dutzend Mitverschwörern, die so wenig oder gar nichts zur Sache beigetragen hatten, daß man sie nach dem Verhör freigelassen hatte. Sie weinte bitterlich und dachte dabei an sich selbst als das Mädchen, das von einer hoffnungslosen Leidenschaft für einen jungen Mann ergriffen gewesen war, einen jungen Mann, der nicht mehr lebte. Wenn sie an Alexander dachte, dann an jemand, der sie mit einiger Unfreundlichkeit und wenig Aufmerksamkeit behandelt hatte, und vielleicht waren einige ihrer Tränen diejenigen eines Menschen, der eine Bürde von sich legt. Agatha Tabidze stand neben ihr, und auch sie weinte, aber sie weinte immer bei Begräbnissen, selbst solchen von Menschen, die ihr nicht sonderlich viel bedeutet hatten. Tatjana Petrowsky, auf Elizabeths anderer Seite, war die einzige Anwesende, die wahre Tränen des Kummers vergoß, wie sie auch die einzige Person auf der Welt war, die auch dann um Alexander getrauert haben würde, wenn er seinen Vater erschossen hätte. Sie grämte sich auch um Nina, die zwar noch lebte, ihr aber nicht viel weniger fern war und darum in ihren Gedanken größeren Raum einzunehmen begann. Ihr überlebender Sohn, Basil, erst an diesem Morgen mit dem Flugzeug aus der Mandschurei eingetroffen, hielt ihr die Hand, weinte aber nicht. Sergej Petrowsky weinte auch nicht. Noch trauerte er; er war vollauf mit dem schlechten Gewissen beschäftigt, das ihn plagte.

Die Soldaten marschierten gemessenen Schritts hinaus. Unteroffizier Ulmanis führte Polly am Zügel. Ihr Zaumzeug und Sattel waren mit Trauerflor behangen. Die Ehrenwache erreichte die Straße, und die Menge der Trauergäste begann sich zu verlaufen. Es war ein kühler Tag mit kleinen Regenschauern. Kitty Wright hatte eben das Friedhofstor durchschritten, als ein junger russischer Offizier auf sie zutrat.

»Guten Tag«, sagte er; »darf ich mit Ihnen sprechen?«

Sie nickte ihr Einverständnis.

»Danke. Sind Sie nicht Kitty? Alexanders Mädchen? Mein Name ist Dmitri. Dies muß ein trauriger Tag für Sie sein.«

»Ja, das ist er.« Es war ein trauriger Tag; nicht ein unangenehmer oder schwieriger Tag, aber ein trauriger.

»Ich mochte ihn. Ich kannte ihn nicht gut, aber ich hielt ihn für einen guten Kerl. Kommen Sie mit zum Haus, auf ein Glas? Wir sind alle eingeladen.«

»Ich nicht.«

»Doch, Sie auch; ich lade Sie ein. Niemand wird Anstoß daran nehmen. Alles wird mit der Zeit einfacher und leichter.«

»Einverstanden«, sagte Kitty. »Ich würde es gern sehen. Er brachte mich nie hierher, aber er sprach darüber. Ich bin neugierig, ob es sein wird, wie ich es mir vorgestellt habe.«

Sie warteten, bis mehr Leute den Friedhof verlassen hatten, dann gingen sie langsam die Mauer entlang zur Seitenfront der Kirche. Über die bröckelnde Krone hinweg sahen sie noch einmal das Grab. Die Öffnung war bereits aufgefüllt, und die Totengräber klopften die aufgeschüttete Erde mit ihren Spaten fest. Etwas, das sie an jenem Abend im Theater gehört hatte, kam Kitty wieder in den Sinn, etwas über jemanden, der starb und zu Sternen wurde, und über den Himmel verstreut. Mit aller Konzentration, der sie fähig war, versuchte sie sich auf den genauen Wortlaut zu besinnen, oder wenigstens auf einige Worte, nur einen Satz, aber sie war Anstrengungen dieser Art nicht gewohnt. Sie versuchte es noch einmal; beinahe gelang es ihr, das Zitat zusammenzubringen. Nein. Es war verloren.